GESAMMELTE WERKE VON ARTHUR SCHNITZLER

in zwei Abteilungen

7 Bd

Erste Abteilung:
Die erzählenden Schriften in drei Bänden

Zweite Abteilung:
Die Theaterstücke in vier Bänden

1912
S. FISCHER, VERLAG, BERLIN

ERZÄHLENDE SCHRIFTEN VON ARTHUR SCHNITZLER

Erster Band: Novellen

1912

S. FISCHER, VERLAG, BERLIN

INHALT

STERBEN

Die Dämmerung nahte schon, und Marie erhob sich von der Bank, auf der sie eine halbe Stunde lang gesessen hatte, anfangs in ihrem Buche lesend, dann aber den Blick auf den Eingang der Allee gerichtet, durch die Felix zu kommen pflegte. Sonst ließ er nicht lange auf sich warten. Es war etwas kühler geworden, dabei aber hatte die Luft noch die Milde des entschwindenden Maitages.

Es waren nicht mehr viel Leute im Augarten, und der Zug der Spaziergänger ging dem Tore zu, das bald geschlossen werden mußte. Marie war schon dem Ausgange nahe, als sie Felix erblickte. Trotzdem er sich verspätet hatte, ging er langsam, und erst, wie seine Augen den ihren begegneten, beeilte er sich ein wenig. Sie blieb stehen, erwartete ihn, und wie er ihr lächelnd die Hand drückte, die sie ihm lässig entgegengestreckt hatte, fragte sie ihn mit sanftem Unmut im Ton: „Hast du denn bis jetzt arbeiten müssen?" Er reichte ihr den Arm und erwiderte nichts. „Nun?" fragte sie. „Ja, Kind," sagte er dann, „und ich habe ganz vergessen, auf die Uhr zu sehen." Sie betrachtete ihn von der Seite. Er schien ihr blässer als sonst. „Glaubst du nicht," sagte sie zärtlich, „es wäre besser, du würdest dich jetzt ein bißchen mehr deiner Marie widmen? Laß doch auf einige Zeit deine Arbeiten. Wir wollen jetzt mehr spazieren gehen. Ja? Du wirst von nun ab immer schon mit mir vom Hause fort."

„So..."

„Ja, Felix, ich werde dich überhaupt nicht mehr allein lassen." Er sah sie rasch, wie erschreckt an. „Was hast du denn?" fragte sie.

„Nichts!"

Sie waren am Ausgange angelangt, und das abendliche Straßenleben schwirrte heiter um sie. Es schien über der Stadt etwas von dem allgemeinen unbewußten Glücke zu liegen, das der Frühling über sie zu breiten pflegt. „Weißt du, was wir tun könnten," sagte er. „Nun?" „In den Prater gehen."

„Ach nein, neulich war es so kalt unten."

„Aber sieh'! Es ist beinahe schwül hier auf der Straße. Wir können ja gleich wieder zurück. Gehen wir nur!" Er sprach abgebrochen, zerstreut.

„Ja, sag', wie redest du denn, Felix?"

„Wie?" . . .

„Woran denkst du denn? Du bist ja bei mir, bei deinem Mädel!"

Er sah sie an mit starrem, abwesendem Blicke.

„Du!" rief sie angstvoll und drückte seinen Arm fester.

„Ja, ja," sagte er, sich sammelnd. „Es ist schwül, ganz bestimmt. Ich bin nicht zerstreut! Und wenn, so darfst du's mir nicht übel nehmen." Sie nahmen den Weg durch die Gassen dem Prater zu. Felix war noch schweigsamer als sonst. Die Lichter in den Laternen brannten schon.

„Warst du heute bei Alfred?" fragte sie plötzlich.

„Warum?"

„Nun, du hattest ja die Absicht."

„Wieso?"

„Du fühltest dich ja gestern abend so matt."

„Freilich."

„Und warst nicht bei Alfred?"

„Nein."

„Aber siehst du, gestern warst du noch krank, und nun willst du in den feuchten Prater hinunter. Es ist wirklich unvorsichtig."

„Ach, es ist ja gleichgültig."

„Rede doch nicht so. Du wirst dich noch ganz verderben."

„Ich bitte dich," sagte er mit fast weinerlicher Stimme, „gehen wir nur, gehen wir. Ich sehne mich nach dem Prater. Wir wollen dorthin, wo es neulich so schön war. Weißt du, in den Gartensalon, dort ist's ja auch nicht kühl."

„Ja, ja."

„Wirklich nicht! Und heute ist es überhaupt warm. Nach Hause können wir ja nicht. Es ist zu früh. Und ich will auch nicht in der Stadt nachtmahlen, weil ich heute keine Lust habe, mich zwischen die Gasthauswände zu setzen, und dann schadet mir der Rauch, — und ich will auch nicht viel Menschen sehen, das Geräusch tut mir weh!" — Anfänglich hatte er rasch geredet und lauter als sonst. Die letzten Worte ließ er aber verklingen. Marie hing sich fester in seinen Arm. Ihr war bang, sie sprach nicht mehr, weil sie Tränen in ihrer Stimme fühlte. Seine Sehnsucht nach dem stillen Gasthof im Prater, nach dem Frühlingsabend im Grün und Stillen hatte sich ihr mitgeteilt. Nachdem sie eine Weile beide geschwiegen, gewahrte sie auf seinen Lippen ein langsames und mattes Lächeln, und wie er sich nun zu ihr wandte, versuchte er in sein Lächeln einen Ausdruck des Glückes zu legen. Sie aber, die ihn gut kannte, fühlte das Gezwungene leicht heraus.

Sie waren im Prater. Dort die erste Allee, die vom Hauptwege abbog und beinahe ganz im Dunkeln verschwand, führte zu ihrem Ziele. Dort stand das einfache Wirtshaus; der große Garten war kaum erleuchtet, die Tische standen ungedeckt da, die Sessel lehnten an ihnen. Daneben in den kugeligen Laternen auf den schlanken, grünen Pfählen flackerten trübrote Lichter. Ein paar Gäste saßen da, der Wirt selbst

11

unter ihnen. Marie und Felix schritten vorbei, der Wirt stand auf und lüftete die Kappe. Sie öffneten die Tür zum Gartensalon, in dem ein paar zurückgedrehte Gasflammen fauchten. Ein kleiner Kellnerjunge hatte schlummernd in einer Ecke gesessen. Er erhob sich rasch, beeilte sich, die Gashähne besser aufzudrehen, und war den Gästen beim Ablegen behilflich. Sie setzten sich in eine Ecke, in der es recht dämmerig und traulich war, und rückten ihre Sessel ganz nahe zusammen. Sie bestellten etwas zu essen und zu trinken, ohne lange zu wählen, und waren nun allein. Nur vom Eingange her blinkten die trübroten Laternenlichter. Auch die Ecken des Saales verschwammen im Halbdunkel.

Noch immer schwiegen beide, bis endlich Marie, gequält, mit zitternden Worten begann: „So sag's nur, Felix, was hast du denn? Ich bitte dich, sag' mir."

Wieder kam jenes Lächeln über seine Lippen. „Nichts, Kind," sagte er, „frag' nicht. Meine Launen kennst du ja — oder kennst du sie noch immer nicht?"

„Gewiß, deine Launen, o ja. Aber du bist nicht übel gelaunt; du bist verstimmt, ich seh' es ja; das muß seinen Grund haben. Ich bitte dich, Felix, was gibt's denn? Sag's doch, ich bitte dich!"

Er machte ein ungeduldiges Gesicht, denn eben trat der Kellner herein und brachte das Bestellte. Und wie sie noch einmal wiederholte: „Sag' es mir, sag' es mir," wies er mit den Augen auf den Jungen und machte eine ärgerliche Bewegung. Der Junge ging. „Nun sind wir allein," sagte Marie. Sie rückte näher zu ihm, nahm seine beiden Hände in die ihren. „Was hast du? Was hast du? Ich muß es wissen. Hast du mich denn nicht mehr lieb?" Er schwieg. Sie küßte seine Hand. Er entzog sie ihr langsam. „Nun, nun?" Er schaute

12

mit den Augen wie hilfesuchend umher. „Ich bitte dich, laß mich, frag' nicht, quäl' nicht!" Sie ließ seine Hand frei und sah ihm voll ins Gesicht. „Ich will's wissen." Er stand auf und tat einen tiefen Atemzug. Dann griff er sich mit den beiden Händen an den Kopf und sagte: „Du machst mich noch wahnsinnig. Frag' nicht." Noch eine ganze Weile blieb er so stehen mit starrem Auge, und sie folgte angstvoll seinem Blick, der ins Leere ging. Dann ließ er sich nieder, atmete ruhiger, und eine müde Milde breitete sich über seine Züge. Nach ein paar Sekunden schien aller Schauer von ihm gewichen, und er sagte zu Marie leise, liebenswürdig: „Trink' doch, iß doch."

Sie nahm gehorsam Gabel und Messer und fragte ängstlich: „Und du?" „Ja, ja," erwiderte er, blieb aber regungslos sitzen und berührte nichts. „Da kann ich auch nicht," sagte sie. Da begann er denn zu essen und zu trinken. Bald aber legte er schweigend Gabel und Messer hin, stützte den Kopf in die Hand und sah Marie nicht an. Sie betrachtete ihn eine kleine Weile mit aufeinandergepreßten Lippen, dann zog sie seinen Arm weg, der ihr sein Gesicht verbarg. Und nun sah sie, wie es in seinen Augen schimmerte, und im Augenblicke, als sie aufschrie: „Felix, Felix," begann er zu weinen, heiß und schluchzend. Sie nahm seinen Kopf an ihre Brust, strich ihm über die Haare, küßte ihm die Stirn, wollte ihm die Tränen wegküssen. „Felix, Felix!" Und er weinte leiser und leiser. „Was hast du, Schatz, angebeteter, einziger Schatz, sag's doch!" Und er, den Kopf noch immer an ihre Brust gepreßt, so daß seine Worte dumpf und schwer zu ihr heraufdrangen: „Marie, Marie, ich hab dir's nicht sagen wollen. Ein Jahr noch, und dann ist es aus." Und nun weinte er heftig und laut. Sie aber, mit aufgerissenen Lidern, totenblaß, verstand nichts, wollte nichts verstehen. Etwas Kaltes und Entsetzliches schnürte ihr die Kehle zusammen, bis sie plötzlich aufschrie: „Felix, Felix!" Dann stürzte sie vor ihn hin und schaute ihm ins verweinte, verstörte Gesicht, das nun auf die Brust heruntergesunken war. Er sah sie vor sich knien und flüsterte: „Steh' auf, steh' auf." Sie stand auf, mechanisch seinen Worten gehorchend, und setzte sich ihm gegenüber. Sie konnte nicht sprechen, sie konnte nicht fragen. Und er, dann wieder nach ein paar Sekunden tiefen Schweigens, plötzlich, laut klagend mit nach oben gerichtetem Blick, als laste etwas Unbegreifliches auf ihm: „Entsetzlich! Entsetzlich!" —

Sie fand ihre Stimme wieder. „Komm, komm!" Aber weiter brachte sie nichts hervor. „Ja, gehen wir," sagte er mit einer Bewegung, als wollte er etwas von sich abschütteln. Er rief den Kellner, bezahlte, und beide verließen rasch den Saal.

Draußen umfing sie schweigend die Frühlingsnacht. In der dunklen Allee blieb Marie stehen, faßte die Hand ihres Geliebten: „Erklär' mir nun endlich —"

Er war vollkommen ruhig geworden, und was er ihr nun sagte, klang einfach, schlicht, als wenn es eigentlich nichts so Besonderes wäre. Er machte seine Hand los und streichelte ihre Wangen. So dunkel war es, daß sie einander kaum sehen konnten.

„Mußt aber nicht erschrecken, Mizzel, denn ein Jahr ist lang, so lang! Nämlich nur ein Jahr mehr habe ich zu leben." Sie schrie auf: „Aber du bist verrückt, du bist verrückt."

„Es ist erbärmlich, daß ich dir's überhaupt sage, und sogar dumm. Aber weißt du, es ganz allein zu wissen und so einsam herumgehen, ewig mit dem Gedanken — ich hätte es ja wahrscheinlich doch nicht lange ausgehalten. Vielleicht ist es sogar gut, daß du dich daran gewöhnst. Aber komm doch, was stehen wir denn da? Ich selbst, Marie, bin ja den Gedanken schon gewohnt. Dem Alfred habe ich schon lange nicht mehr geglaubt."

„Du warst also nicht bei Alfred? Aber die anderen verstehen ja nichts."

„Siehst du, Kind, ich habe so fürchterlich gelitten die letzten Wochen unter der Ungewißheit. Nun ist's besser. Jetzt weiß ich's wenigstens. Ich war beim Professor Bernard, der hat mir wenigstens die Wahrheit gesagt."

„Aber nein, er hat dir nicht die Wahrheit gesagt. Der hat dir sicher nur Angst machen wollen, damit du vorsichtiger wirst."

„Mein liebes Kind, ich habe sehr ernst mit dem Manne gesprochen. Ich hab' Klarheit haben müssen. Weißt du, auch deinetwegen."

„Felix, Felix," schrie sie und umfaßte ihn mit beiden Armen. „Was sagst du da? Ohne dich werde ich keinen Tag leben, keine Stunde."

„Komm," sagte er still. „Sei ruhig." Sie waren am Ausgange des Praters. Lebendiger war es um sie geworden, laut und hell. Wagenrasseln auf den Straßen, Pfeifen und Klingeln der Trams, das schwere Rollen eines Eisenbahnzuges auf der Brücke über ihnen. Marie zuckte zusammen. All dies Leben hatte mit einem Male etwas Höhnisches und Feindliches, und es tat ihr weh. Sie zog ihn mit sich, so daß sie nicht auf die breite Hauptstraße kamen, sondern durch die stillen Nebengassen den Weg nach Hause einschlugen.

Einen Augenblick fuhr es ihr durch den Kopf, daß er einen Wagen nehmen sollte, aber sie zögerte, es ihm zu sagen. Man konnte ja langsam gehen.

„Du wirst nicht sterben, nein, nein," sagte sie dann

halblaut, ihren Kopf fest an seine Schulter drückend. „Aber ohne dich lebe ich auch nicht weiter."

„Mein liebes Kind, du wirst anders denken. Ich hab' mir alles wohl überlegt. Ja gewiß. Weißt du, wie so mit einem Male die Grenze gezogen war, sah ich so scharf, so gut."

„Es gibt keine Grenze."

„Freilich, mein Schatz. Man kann's nicht glauben. Ich glaube es ja selber nicht in diesem Augenblick. Es ist etwas so Unbegreifliches, nicht wahr? Denk' einmal, ich, der da neben dir hergeht und Worte spricht, ganz laute, die du hörst, ich werd' in einem Jahr daliegen, kalt, vielleicht schon vermodert."

„Hör' auf, hör' auf!"

„Und du, du wirst aussehen wie jetzt. Genau so, vielleicht noch ein bißchen blaß vom Weinen, aber dann wird wieder ein Abend kommen und viele, und der Sommer und der Herbst und der Winter und wieder ein Frühling, — und dann bin ich schon ein Jahr lang tot und kalt. Ja! — Was hast du denn? —"

Sie weinte bitterlich. Die Tränen flossen ihr über Wangen und Hals herunter.

Da ging ein verzweifeltes Lächeln über seine Züge, und er flüsterte zwischen den Zähnen hervor, heiser, herb: „Entschuldige."

Sie schluchzte weiter, während sie vorwärts gingen, und er schwieg. Ihr Weg führte sie am Stadtpark vorbei, durch dunkle und stille, breite Straßen, über die von den Sträuchern des Parkes her ein leichter, trauriger Fliederduft geweht kam. Langsam gingen sie weiter. Auf der anderen Seite eintönig graue und gelbe hohe Häuser. Die mächtige Kuppel der Karlskirche, in den blauen Nachthimmel ragend, näherte sich ihnen. Sie bogen in eine Seitenstraße und hatten bald das Haus erreicht, in dem sie wohnten. Langsam stiegen sie die schwach erleuchtete Treppe hinauf und hörten hinter den Gangfenstern und Türen die Dienstmädchen plaudern und lachen. Nach ein paar Minuten hatten sie die Tür hinter sich geschlossen. Das Fenster war offen, ein paar dunkle Rosen, die in einer einfachen Vase auf dem Nachttische standen, dufteten durch das Zimmer. Von der Straße klang leises Summen herauf. Beide traten zum Fenster. Im Hause gegenüber war alles still und dunkel. Dann setzte er sich auf den Diwan, sie schloß die Läden und ließ die Vorhänge herab. Sie machte Licht und stellte die Kerze auf den Tisch. Er hatte all das nicht mehr gesehen, sondern saß da, in sich versunken. Sie näherte sich ihm. „Felix!" rief sie. Er schaute auf und lächelte. „Nun, Kind?" fragte er. Und wie er diese Worte mit weicher und leiser Stimme sagte, überkam sie ein Gefühl unendlicher Angst. Nein, sie wollte ihn nicht verlieren. Nie! Nie, nie! Es war auch nicht wahr. Es war gar nicht möglich. Sie versuchte zu sprechen, wollte ihm das alles sagen. Sie warf sich vor ihn hin und fand die Kraft der Rede nicht. Sie legte den Kopf auf seinen Schoß und weinte. Seine Hände ruhten auf ihren Haaren. „Nicht weinen," flüsterte er zärtlich. „Nicht mehr, Miez." Sie erhob den Kopf; wie eine wunderbare Hoffnung kam es über sie. „Es ist nicht wahr, wie? Nicht wahr?" Er küßte sie auf die Lippen, lang, heiß. Dann sagte er beinahe hart: „Es ist wahr" und stand auf. Er ging zum Fenster hin und stand dort ganz im Schatten. Nur zu seinen Füßen spielte der Kerzenflimmer. Nach einiger Zeit begann er zu sprechen. „Du mußt dich an den Gedanken gewöhnen. Denk' einfach, wir gingen so auseinander. Du mußt ja gar nicht wissen, daß ich nicht mehr auf der Welt bin."

Sie schien nicht auf ihn zu hören. Ihr Gesicht hatte

sie in den Kissen des Diwans verborgen. Er sprach weiter: „Wenn man philosophisch über die Sache denkt, so ist es nicht so fürchterlich. Wir haben ja noch so viel Zeit, glücklich zu sein; nicht, Miez?"

Sie schaute plötzlich auf mit großen, tränenlosen Augen. Dann eilte sie zu ihm hin, klammerte sich an ihn und hielt ihn mit beiden Armen an ihre Brust gedrückt. Sie flüsterte: „Ich will mit dir sterben." Er lächelte. „Das sind Kindereien. Ich bin nicht so kleinlich, wie du glaubst. Ich hab' auch gar nicht das Recht, dich mit mir zu ziehen."

„Ich kann ohne dich nicht sein."

„Wie lange warst du ohne mich? Ich war ja schon verloren, als ich dich vor einem Jahre kennen lernte. Ich wußte es nicht, aber ich hab' es schon damals geahnt."

„Du weißt es auch heute nicht."

„Ja, ich weiß es, und darum geb' ich dich heute schon frei."

Sie klammerte sich fester an ihn. „Nimm's an, nimm's an", sagte er. Sie antwortete nicht, sah zu ihm auf, als könnte sie's nicht verstehen.

„Du bist so schön, oh! und so gesund. Was für ein herrliches Recht hast du ans Leben. Laß mich allein."

Sie schrie auf. „Ich hab' mit dir gelebt, ich werde mit dir sterben."

Er küßte sie auf die Stirne. „Du wirst es nicht, ich verbiete es dir, du mußt dir diese Idee aus dem Kopfe schlagen."

„Ich schwöre dir —"

„Schwöre nicht, du würdest mich eines Tages bitten, daß ich dir deinen Schwur zurückgebe."

„Das ist dein Glaube an mich!"

„Oh, du liebst mich, ich weiß es. Du wirst mich nicht verlassen, bis —"

18

„Nie, nie werd' ich dich verlassen." Er schüttelte den Kopf. Sie schmiegte sich an ihn, nahm seine beiden Hände und küßte sie.

„Du bist so gut," sagte er, „das macht mich sehr traurig."

„Sei nicht traurig. Was immer kommt, wir beide haben dasselbe Schicksal."

„Nein," sagte er ernst und bestimmt, „laß das. Ich bin nicht wie die anderen. Ich will es nicht sein. Alles begreife ich; erbärmlich wäre es von mir, wenn ich länger auf dich hören wollte, mich von diesen Worten berauschen lassen, die dir der erste Augenblick des Schmerzes eingibt. Ich muß gehen, und du mußt bleiben."

Sie hatte wieder zu weinen begonnen. Er streichelte und küßte sie, um sie zu beruhigen, und sie blieben beim Fenster stehen und sprachen nichts mehr. Die Minuten vergingen, die Kerze brannte tiefer herab.

Nach einiger Zeit entfernte sich Felix von ihr und setzte sich auf den Diwan. Eine schwere Müdigkeit war über ihn gekommen. Marie näherte sich ihm und setzte sich an seine Seite. Sie nahm leise seinen Kopf und legte ihn an ihre Schulter. Er blickte sie zärtlich an und schloß die Augen. So schlief er ein.

Der Morgen schlich blaß und kühl heran. Felix war erwacht. Noch lag sein Kopf an ihrer Brust. Sie aber schlief tief und fest. Er entfernte sich leise von ihr und ging zum Fenster, sah auf die Straße hinunter, die menschenleer im Morgengrauen dalag. Es fröstelte ihn. Nach einigen Minuten schon streckte er sich angekleidet auf's Bett und starrte auf die Decke.

Es war hellichter Tag, als er erwachte. Marie saß auf dem Bettrand, sie hatte ihn wachgeküßt. Sie lächelten beide. War nicht alles ein böser Traum gewesen? Er selbst kam sich jetzt so gesund, so frisch vor. Und draußen lachte die Sonne. Von der Gasse herauf drang Geräusch; es war alles so lebendig. Im Hause gegenüber standen viele Fenster offen. Und dort auf dem Tische war das Frühstück vorbereitet wie jeden Morgen. So licht war das Zimmer, in alle Ecken drang der Tag. Sonnenstäubchen flimmerten, und überall, überall Hoffnung, Hoffnung, Hoffnung!

Der Doktor rauchte seine Nachmittagszigarre, als ihm eine Dame gemeldet wurde. Es war noch vor der Ordinationsstunde, und Alfred ärgerte sich eigentlich. „Marie", rief er erstaunt aus, als sie eintrat.

„Seien Sie nicht böse, daß ich Sie so früh störe. Oh, rauchen Sie nur weiter."

„Wenn Sie erlauben. — Aber was gibt's denn, was haben Sie denn?"

Sie stand vor ihm, die eine Hand auf den Schreibtisch gestützt, in der anderen den Sonnenschirm haltend. „Ist es wahr," stieß sie rasch hervor, „daß Felix so krank ist? Ah, Sie werden blaß. Warum haben Sie mir's nicht gesagt, warum nicht?"

„Was fällt Ihnen denn ein?" Er ging im Zimmer hin und her. „Sie sind närrisch. Bitte, setzen Sie sich."

„Antworten Sie mir."

„Gewiß ist er leidend. Das ist Ihnen ja nichts neues."

„Er ist verloren," schrie sie auf.

„Aber, aber!"

„Ich weiß es; er auch. Gestern war er beim Professor Bernard, der hats ihm gesagt."

„Es hat sich schon mancher Professor geirrt."

„Sie haben ihn ja oft untersucht, sagen Sie mir die Wahrheit."

„In diesen Dingen gibt es keine absolute Wahrheit."

„Ja, weil er Ihr Freund ist. Sie wollen's eben nicht sagen, nicht wahr? Aber ich sehe es Ihnen an! Es ist also wahr, es ist wahr! O Gott! O Gott!"

„Liebes Kind, beruhigen Sie sich doch."

Sie sah rasch zu ihm auf. „Es ist wahr?"

„Nun ja, er ist krank, Sie wissen es ja."

„Ah —"

„Aber warum hat man's ihm denn gesagt? Und dann —"

„Nun, nun? Aber bitte, erwecken Sie mir keine Hoffnung, wenn es keine gibt."

„Man kann es nie mit Sicherheit voraussehen. Das kann so lange dauern."

„Ich weiß ja, ein Jahr."

Alfred biß die Lippen zusammen. „Ja, sagen Sie, warum war er denn eigentlich bei einem anderen Arzt?"

„Nun, weil er wußte, daß Sie ihm nie die Wahrheit sagen werden — ganz einfach."

„Es ist zu dumm," fuhr der Doktor auf, „es ist zu dumm. Ich begreife das nicht! Als wenn es so dringend notwendig wäre, einen Menschen "—

In diesem Augenblicke öffnete sich die Türe, und Felix trat ein.

„Ich dachte es," sagte er, als er Marie erblickte.

„Du machst mir schöne Narrheiten," rief der Doktor aus, „schöne Narrheiten, wirklich."

„Laß die Phrasen, mein lieber Alfred," erwiderte Felix, „ich danke dir herzlich für deinen guten Willen, du hast als Freund gehandelt, du hast dich famos benommen."

Marie fiel hier ein. „Er sagt, daß der Professor gewiß —"

„Laß das," unterbrach sie Felix, „so lange es ging, durftet ihr mich in dem Wahn erhalten. Von jetzt an wäre es eine abgeschmackte Komödie."

„Du bist ein Kind,“ sagte Alfred, „es laufen viele Leute in Wien herum, denen man schon vor zwanzig Jahren das Leben abgesprochen hat.“

„Die meisten von ihnen sind aber doch schon begraben.“

Alfred ging im Zimmer hin und her. „Vor allem einmal, es hat sich zwischen gestern und heute nichts geändert. Du wirst dich schonen, das ist alles, du wirst mir besser folgen, als bisher, das ist das Gute daran. Erst vor acht Tagen war ein fünfzigjähriger Herr bei mir —“

„Ich weiß schon“, fiel Felix ein. „Der gewisse fünfzigjährige Herr, der als Jüngling von zwanzig aufgegeben war und nun blühend ausschaut und acht gesunde Kinder hat.‘

„Solche Dinge kommen vor, daran ist gar nicht zu zweifeln,“ warf Alfred ein.

„Weißt du,“ sagte Felix darauf, „ich gehöre nicht zu der Sorte Menschen, an denen Wunder geschehen.“

„Wunder?“ rief Alfred aus, „das sind lauter natürliche Sachen.“

„Aber sehen Sie ihn doch nur an“, sagte Marie. „Ich finde, er schaut jetzt besser aus als im Winter.“

„Er muß sich halt schonen,“ meinte Alfred und blieb vor seinem Freund stehen. „Ihr werdet jetzt ins Gebirge reisen, und dort wird gefaulenzt, ordentlich.“

„Wann sollen wir abreisen?“ fragte Marie eifrig.

„Ist doch alles Unsinn,“ sagte Felix.

„Und im Herbst geht ihr in den Süden.“

„Und im nächsten Frühjahr?“ fragte Felix spöttisch.

„Bist du hoffentlich gesund,“ rief Marie aus.

„Ja, gesund,“ lachte Felix, „gesund! — Keinesfalls mehr leidend.“

„Ich sags ja immer,“ rief der Doktor aus, „diese großen Kliniker sind alle zusammen keine Psychologen.“

„Weil sie nicht einsehen, daß wir die Wahrheit nicht vertragen," warf Felix ein.

„Es gibt gar keine Wahrheiten, sag' ich. Der Mann hat sich gedacht, er muß dir die Hölle heiß machen, damit du nicht leichtsinnig bist. Das war so ungefähr sein Gedankengang. Wenn du trotz seiner Vorhersage gesund wirst, ist's ja doch keineswegs eine Blamage für ihn. Er hat dich ja nur gewarnt."

„Lassen wir die kindischen Redereien," fiel hier Felix ein, „ich habe sehr ernst mit dem Manne gesprochen, ich hab' es ihm klar zu machen verstanden, daß ich Gewißheit haben muß. Familienverhältnisse! Das imponiert ihnen ja immer. Und ich muß es dir aufrichtig gestehen, die Ungewißheit war schon zu jämmerlich."

„Als wenn du jetzt Gewißheit hättest," fuhr Alfred auf.

„Ja, jetzt habe ich Gewißheit. Vergebliche Mühe, die du dir nun gibst. Es handelt sich jetzt nur darum, das letzte Jahr so weise als möglich zu verleben. Du wirst schon sehen, mein lieber Alfred, ich bin der Mann, der lächelnd von dieser Welt scheidet. Na, weine nicht, Miez; du ahnst gar nicht, wie schön dir diese Welt noch ohne mich vorkommen wird. Wie, Alfred, glaubst du nicht?"

„Geh'! Du quälst ja das Mädel ganz überflüssig."

„Es ist wahr, es wäre vernünftiger, ein rasches Ende zu machen. Verlaß mich, Miez, geh', laß mich allein sterben!"

„Geben Sie mir Gift," schrie Marie plötzlich auf.

„Ihr seid ja beide verrückt," rief der Doktor.

„Gift! Ich will nicht eine Sekunde länger leben als er, und er soll es glauben. Er will es mir nicht glauben. Warum denn nicht? Warum denn nicht?"

„Du, Miez, jetzt will ich dir was sagen. Wenn du von dem Unsinn noch einmal redest, noch einmal, so verschwinde ich spurlos aus deiner Nähe. Dann siehst du mich überhaupt nicht mehr. Ich habe kein Recht, dein Schicksal an meines zu ketten, ich will diese Verantwortung auch gar nicht."

„Weißt du, mein lieber Felix," begann der Doktor, „du wirst die Güte haben, lieber heute als morgen abzureisen. So kann's nicht weiter gehen. Ich werde euch heute abend auf die Bahn bringen, und die kräftige Luft und die Ruhe werden euch beide hoffentlich wieder vernünftig machen."

„Ich bin ja ganz einverstanden," sagte Felix, „mir ist das sehr gleichgültig, wo —"

„Schon gut," unterbrach ihn Alfred; „es liegt vorläufig nicht der geringste Grund zur Verzweiflung vor, und du kannst die traurigen Nebenbemerkungen eigentlich ganz beiseite lassen."

Marie trocknete ihre Tränen und sah den Doktor dankbar an.

„Großer Psycholog," lächelte Felix. „Wenn ein Arzt mit einem grob ist, kommt man sich gleich so gesund vor."

„Ich bin vor allem dein Freund. Du weißt also —"

„Abreisen — morgen — ins Gebirge!"

„Ja, dabei bleibt's auch."

„Na, ich dank dir jedenfalls sehr," sagte Felix, indem er seinem Freunde die Hand reichte. „Und nun wollen wir gehen. Da draußen räuspert schon einer. Komm, Miez!" —

„Ich danke Ihnen, Herr Doktor," sagte Marie, Abschied nehmend.

„Da gibt es ja weiter nichts zu danken. Seien Sie nur vernünftig und geben Sie auf ihn acht. Also, auf Wiedersehen."

Auf der Stiege sagte Felix plötzlich: „Lieber Mensch, der Doktor, wie?"

„O ja."

„Und jung und gesund und hat vielleicht noch vierzig Jahre vor sich — oder hundert."

Sie waren auf der Straße. Um sie herum lauter Menschen, die gingen und sprachen und lachten und lebten und an den Tod nicht dachten.

Sie bezogen ein kleines Häuschen hart am See. Es stand abseits von dem Dorfe selbst als einer der letzten abgelösten Ausläufer der Häuserreihe, die sich längs des Wassers hinzog. Und hinter dem Hause stiegen die Wiesen hügelig hinan, weiter oben lagen Felder in Sommerblüte. Weit dahinter, nur selten sichtbar, der verwischte Zug ferner Gebirge. Und wenn sie aus ihrer Wohnung heraus auf die Terrasse traten, die auf vier braunen, feuchten Pfählen aus dem klaren Wassergrunde hervorragte, so lag ihnen gegenüber am anderen Ufer die lange Kette starrer Felsen, über deren Höhen der kalte Glanz des schweigenden Himmels ruhte.

In den ersten Tagen ihres Hierseins war ein wunderbarer Friede über sie gekommen, den sie selber kaum begriffen. Es war, als hätte das allgemeine Los nur in ihrem gewohnten Aufenthalt Macht über sie gehabt; hier, in den neuen Verhältnissen, galt nichts mehr von dem, was in einer anderen Welt über sie verhängt worden. Auch hatten sie, seit sie einander kannten, noch nie so erquickende Einsamkeit gefunden. Es kam vor, daß sie sich manchmal ansahen, als wäre zwischen ihnen irgend eine kleine Geschichte vorgefallen, etwa ein Zank oder ein Mißverständnis, über das aber nicht mehr gesprochen werden durfte. Felix fühlte sich an den schönen Sommertagen so wohl, daß er sich bald nach seiner Ankunft wieder ans Arbeiten machen wollte. Marie gab es nicht zu. „Ganz gesund bist du noch nicht," lächelte sie. Und auf dem kleinen Tischchen, wo Felix seine Bücher und Papiere aufgeschichtet hatte, tanzten die Sonnenstrahlen, und durchs Fenster herein kam vom See her eine weiche, schmeichelnde Luft, die von allem Unglück der Welt nichts wußte.

Eines Abends ließen sie sich wie gewöhnlich von einem alten Bauern auf den See hinausrudern. Sie befanden sich da in einem breiten, guten Fahrzeug mit einem gepolsterten Sitz, auf dem sich Marie niederzulassen pflegte, während sich Felix ihr zu Füßen hinlegte, in einen warmen, grauen Plaid gehüllt, der zugleich Unterlage und Decke für ihn war. Den Kopf hatte er an ihren Knien ruhen. Auf der weiten, ruhigen Wasserfläche lagen leichte Nebel, und es schien, als stiege die Dämmerung langsam aus dem See empor, um sich allmählich gegen die Ufer hinzubreiten. Felix wagte es heute, eine Zigarre zu rauchen, und schaute vor sich hin über die Wellen, den Felsen zu, um deren Kuppen ein mattes Sonnengelb hinfloß.

„Sag, Miez," fing er zu reden an, „traust du dich, hinaufzuschauen?"

„Wohin?"

Er deutete mit dem Finger auf den Himmel. „Da gerade hinauf, ins Dunkelblaue. Ich kann's nämlich nicht. Es ist mir unheimlich."

Sie schaute hinauf und verweilte mit ihren Blicken ein paar Sekunden oben. „Mir tut's eher wohl," sagte sie.

„So? Wenn der Himmel so klar ist wie heute, bring ich es schon gar nicht zusammen. Diese Ferne, diese schauerliche Ferne! Wenn die Wolken oben stehen, ist es mir nicht so unangenehm, die Wolken gehören doch noch zu uns; — da schaue ich in Verwandtes hinein."

26

„Morgen wird's wohl regnen," fiel da der Ruderer ein, „die Berge sind heut zu nah!" Und er ließ die Ruder ruhen, so daß der Kahn ganz lautlos und immer langsamer über die Wellen hinglitt.

Felix räusperte sich. „Merkwürdig; die Zigarre vertrag ich noch nicht recht."

„So wirf sie doch weg!"

Felix drehte die glimmende Zigarre ein paarmal zwischen den Fingern hin und her, dann warf er sie ins Wasser, und ohne sich nach Marie umzuwenden, sagte er: „Wie, ganz gesund bin ich doch noch nicht?"

„Geh," erwiderte sie abwehrend, indem sie mit ihrer Hand leise über seine Haare strich.

„Was werden wir nur machen," fragte Felix, „wenn's zu regnen anfängt! Da wirst du mich doch arbeiten lassen müssen."

„Du darfst nicht."

Sie beugte sich zu ihm nieder und sah ihm in die Augen. Es fiel ihr auf, daß seine Wangen gerötet waren. „Deine bösen Gedanken will ich dir bald vertreiben! Aber wollen wir jetzt nicht nach Hause fahren? Es wird kühl."

„Kühl? Mir ist nicht kühl."

„Na ja, dir mit dem dicken Plaid."

„Oh," rief er aus, „ich Egoist habe ganz dein Sommerkleid vergessen." Er wandte sich zum Ruderer. „Nach Hause." Nach ein paar hundert Ruderschlägen waren sie ihrer Wohnung nahe. Da bemerkte Marie, wie Felix mit der rechten Hand sein linkes Handgelenk umschloß. „Was hast du denn?"

„Miez, ich bin wirklich noch nicht ganz gesund."

„Aber."

„Fieber hab ich. Hm, — zu dumm!"

„Du irrst dich sicher," sagte Marie ängstlich, „ich

will gleich um den Doktor gehen." — „Ja, natürlich, das könnt ich noch brauchen."

Sie hatten angelegt und stiegen ans Land. In den Zimmern war's beinahe dunkel. Aber die Wärme des Tages war noch darin. Während Marie zum Abendessen herrichtete, saß Felix ruhig im Lehnstuhl.

„Du," sagte er ganz plötzlich, „die ersten acht Tage sind um."

Sie kam vom Tische, wo sie die Gedecke aufgelegt hatte, rasch zu ihm hin und umschloß ihn mit beiden Armen. „Was hast du denn wieder?"

Er machte sich los. „Na, laß das!" Er stand auf und setzte sich an den Tisch. Sie folgte ihm. Er trommelte mit den Fingern auf dem Tisch herum. „So wehrlos komme ich mir vor. Plötzlich überfällt es einen."

„Aber, Felix, Felix." Sie rückte ihren Stuhl nahe an den seinen.

Er schaute mit großen Augen im Zimmer hin und her. Dann schüttelte er den Kopf ärgerlich, als könnte er irgend etwas nicht fassen, und stieß wieder zwischen den Zähnen hervor: „Wehrlos! Wehrlos! Kein Mensch kann mir helfen. Die Sache an sich ist ja nicht so schrecklich, — aber daß man so wehrlos ist!" —

„Felix, ich bitte dich, du regst dich auf. Es ist sicher nichts. Willst du, — nur zu deiner Beruhigung, daß ich um den Arzt gehe?"

„Ich bitte dich, laß mich damit! Entschuldige, daß ich dich schon wieder mit meiner Krankheit unterhalte."

„Aber —"

„Wird nicht mehr geschehen. Geh, schenk mir doch ein. Ja, ja, einschenken! . . . Danke! — Nun, so rede doch irgend etwas "

„Ja, was?"

„Was immer. Lies mir was vor, wenn dir nichts einfällt. Ach, pardon, nach dem Essen natürlich. Iß nur, ich esse auch." Er griff zu. „Ich habe sogar Appetit, es schmeckt mir ganz gut."

„Na, also," sagte Marie mit einem gezwungenen Lächeln.

Und beide aßen und tranken.

Die nächsten Tage brachten einen warmen Regen. Da saßen sie bald im Zimmer, bald auf ihrer Terrasse, bis der Abend kam. Sie lasen beide oder schauten zum Fenster hinaus, oder er sah ihr zu, wenn sie irgend eine Näharbeit vornahm. Zuweilen spielten sie Karten, auch die Anfangsgründe des Schachspiels brachte er ihr bei. Andere Male wieder legte er sich auf den Diwan hin; sie saß bei ihm und las ihm vor. Es waren stille Tage und Abende, und Felix fühlte sich eigentlich ganz wohl. Es freute ihn, daß das schlechte Wetter ihm nichts anhaben konnte. Auch das Fieber kam nicht wieder.

Eines Nachmittags, als sich das erste Mal nach langem Regen der Himmel aufzuhellen schien, saßen sie wieder auf dem Balkon, und Felix sagte ganz unvermittelt, ohne an irgend ein früheres Gespräch anzuknüpfen: „Es gehen eigentlich lauter zum Tode Verurteilte auf der Erde herum."

Marie schaute von ihrer Arbeit auf.

„Nun ja," fuhr er fort, „stelle dir beispielsweise vor, es sagte dir einer: Hochgeehrtes Fräulein, Sie werden am 1. Mai 1970 sterben. So wirst du dein ganzes künftiges Leben in einer namenlosen Angst vor dem 1. Mai 1970 verbringen, obwohl du heute gewiß nicht ernstlich glaubst, hundert Jahre alt zu werden."

Sie antwortete nichts.

Er sprach weiter, indem er auf den See hinausblickte, auf dem es eben von den durchbrechenden Sonnenstrahlen zu glitzern begann.

„Andere wieder gehen heute stolz und gesund herum, und irgend ein blödsinniger Zufall rafft sie in ein paar Wochen dahin. Die denken gar nicht ans Sterben, nicht wahr?"

„Schau," sagte Marie, „laß doch die dummen Gedanken. Du mußt dir doch heut schon selber darüber klar sein, daß du wieder gesund wirst."

Er lächelte.

„Nun ja, gerade du gehörst zu denen, die gesund werden."

Er lachte laut auf. „Gutes Kind, du meinst in der Tat, daß ich dem Schicksal aufsitze? Du meinst, mich betrügt dieses scheinbare Wohlsein, mit dem mich die Natur jetzt beglückt? Ich weiß nur zufällig, woran ich bin, und der Gedanke an den nahen Tod macht mich, wie andere große Männer auch, zum Philosophen."

„Jetzt hör schon einmal auf! Ja?"

„Ooh, mein Fräulein, ich soll sterben, und Sie sollen nicht einmal die kleine Unannehmlichkeit haben, mich davon reden zu hören?"

Sie warf ihre Arbeit weg und trat zu ihm hin. „Ich fühle es ja," sagte sie mit dem Tone ehrlicher Überzeugung, „daß du mir bleibst. Du kannst es ja selber gar nicht beurteilen, wie du dich erholst. Du mußt jetzt nur nicht mehr daran denken, dann ist jeder böse Schatten aus unserem Leben weg."

Er betrachtete sie lange. „Du scheinst es wirklich absolut nicht begreifen zu können. Man muß es dir augenfällig machen. Sieh einmal her." Er nahm eine Zeitung zur Hand. „Was steht hier?"

„12. Juni 1890."

„Ja, 1890. Und jetzt denke dir, es steht da statt der Null eine Eins. Da ist schon alles längst vorbei. Ja, verstehst du's jetzt?"

Sie nahm ihm die Zeitung aus der Hand und warf sie ärgerlich zu Boden.

„Die kann nichts dafür," sagte er ruhig. Und plötzlich, indem er sich lebhaft erhob und alle diese Gedanken mit einem raschen Entschluß weit von sich abzuweisen schien, rief er aus: „Schau einmal, wie schön! Wie die Sonne über dem Wasser liegt — und dort" — er beugte sich zur Seite der Terrasse hinaus und schaute nach der entgegengesetzten Seite hin, wo das flache Land lag — „wie die Felder sich bewegen! Ich möchte ein wenig da hinaus."

„Wird's nicht zu feucht sein?"

„Komm, ich muß ins Freie."

Sie wagte nicht recht, ihm zu widersprechen.

Beide nahmen ihre Hüte, warfen ihre Mäntel um und schlugen den Weg ein, der den Feldern zu führte. Der Himmel war beinahe völlig klar geworden. Über den fernen Gebirgszug zogen vielgestaltige weiße Nebel. Es war, als verlöre sich das Grün der Wiesen in dem goldenen Weiß, das die Gegend abzuschließen schien. Bald waren sie auf dem Weg mitten unter das Korn gekommen, und da mußten sie eines hinter dem anderen gehen, während die Halme unter den Säumen ihrer Mäntel raschelten. Bald bogen sie seitab in einen nicht allzu dichten Laubwald, in welchem es wohlgepflegte Wege gab mit Ruhebänken in kurzen Abständen. Hier gingen sie Arm in Arm.

„Ist's da nicht schön?" rief Felix aus. „Und dieser Duft!"

„Glaubst du nicht, daß jetzt nach dem Regen —" fiel Marie ein, ohne den Satz zu vollenden.

31

Er machte eine ungeduldige Kopfbewegung. „Laß das, kommt es denn darauf an? Es ist unangenehm, immer daran gemahnt zu werden."

Wie sie nun weiterschritten, lichtete sich der Wald mehr und mehr. Durch das Gelaub schimmerte der See. Kaum hundert Schritte noch hatten sie bis dahin. Eine ziemlich schmale Landzunge, auf welcher der Wald in ein paar spärlichen Sträuchern seinen Abschluß fand, ragte ins Wasser vor. Hier standen einige Tannenholzbänke mit Tischen davor, und hart am Ufer zog sich ein hölzerner Zaun hin. Ein leichter Abendwind hatte sich erhoben und trieb die Wellen ans Ufer. Und nun strich der Wind weiter ins Gesträuch, über die Bäume, so daß es von den feuchten Blättern wieder zu tropfen begann. Über dem Wasser lag der müde Schein des scheidenden Tages.

„Ich habe nie geahnt," sagte Felix, „wie schön das alles ist."

„Ja, es ist reizend."

„Du weißt es ja nicht," rief Felix aus. „Du kannst es ja nicht wissen, du mußt ja nicht Abschied davon nehmen." Und er machte langsam ein paar Schritte nach vorwärts und stützte sich mit beiden Armen auf den schlanken Zaun, dessen schmale Stützstäbe vom Wasser umspült waren. Er schaute lange auf die schimmernde Fläche hinaus. Dann wandte er sich um. Marie stand hinter ihm; ihr Blick war traurig vor verhaltenen Tränen.

„Siehst du," sagte Felix in scherzendem Tone, „dies alles hinterlasse ich dir. Ja, ja, denn es gehört mir. Das ist das Geheimnis der Lebensempfindung, auf das ich gekommen bin, daß man so ein gewaltiges Gefühl unendlichen Besitzes hat. Ich könnte mit allen diesen Dingen machen, was ich will. Auf dem kahlen Fels da drüben könnt ich Blumen sprießen lassen, und die weißen Wolken könnt ich vom Himmel vertreiben. Ich tu's nicht, denn so gerade, wie alles ist, ist es schön. Mein liebes Kind, erst wenn du allein bist, wirst du mich verstehen. Ja, du wirst ganz bestimmt die Empfindung haben, als sei das alles in deinen Besitz übergegangen."

Er nahm sie bei der Hand und zog sie neben sich. Dann streckte er seinen anderen Arm aus, wie um ihr all die Herrlichkeiten zu zeigen. „Dies alles, dies alles," sagte er. Da sie noch immer schwieg und noch immer jene großen, tränenlosen Augen hatte, brach er jäh ab und sprach: „Nun aber nach Hause!"

Die Dämmerung nahte, und sie nahmen den Uferweg, auf dem sie ihre Wohnung bald erreichten. „Es war doch ein schöner Spaziergang," meinte Felix.

Sie nickte stumm mit dem Kopfe.

„Wir wollen ihn öfter wiederholen, Miez."

„Ja", sagte sie.

„Und" — er setzte das in einem Tone verächtlichen Mitleids hinzu — „quälen will ich dich auch nimmer."

An einem der nächsten Nachmittage beschloß er, seine Arbeiten wieder vorzunehmen. Wie er wieder das erstemal den Bleistift übers Papier führen wollte, sah er mit einer gewissen hämischen Neugier auf Marie hinüber, ob sie ihn wohl abhalten werde. Sie aber sagte nichts. Bald warf er Blei und Papier wieder beiseite und nahm irgend ein gleichgültiges Buch zur Hand, um darin zu lesen. Das zerstreute ihn besser. Noch war er zur Arbeit nicht fähig. Er mußte sich erst zur völligen Lebensverachtung durchringen, um dann, der stummen Ewigkeit ruhig entgegensehend, wie ein Weiser seinen letzten Willen aufzuzeichnen. Das war es, was er wollte. Nicht einen letzten Willen, wie ihn gewöhnliche Menschen niederschreiben, der stets die geheime Angst vor dem Sterben verrät. Auch sollte dieses Schriftstück nicht über Dinge handeln, die man greifen und sehen kann, und die schließlich doch irgend einmal nach ihm zugrunde gehen mußten: sein letzter Wille sollte ein Gedicht sein, ein stiller, lächelnder Abschied von der Welt, die er überwunden. Zu Marie sprach er nichts von diesem Gedanken. Sie hätte ihn nicht verstanden. Er kam sich so anders vor als sie. Mit einem gewissen Stolz saß er ihr gegenüber an den langen Nachmittagen, wenn sie über ihrem Buch, wie es wohl zu geschehen pflegte, eingeschlummert war und ihr die aufgelösten Locken über die Stirne ringelten. Sein Selbstgefühl wuchs, wenn er sah, wieviel er ihr verschweigen konnte. So einsam wurde er da, so groß.

Und an jenem Nachmittag, wie ihr eben wieder die Lider zugefallen waren, schlich er sich leise davon. Er spazierte in den Wald. Die Stille des schwülen Sommernachmittags war überall um ihn. Und nun war es ihm klar, heute konnte es geschehen. Er atmete tief auf, es war ihm so leicht, so frei. Unter dem schweren Schatten der Bäume ging er weiter. Das gedämpfte Tageslicht floß wohltätig über ihn hin. Er empfand alles wie ein Glück, den Schatten, die Ruhe, die weiche Luft. Er genoß es. Es lag kein Schmerz darin, daß er all diese Zärtlichkeit des Lebens verlieren sollte. „Verlieren, verlieren," sagte er halblaut vo sich hin. Er tat einen tiefen Atemzug, und wie nun der milde Hauch so köstlich und leicht in seine Brust einzog, da konnte er mit einem Male nicht begre fen, daß er überhaupt krank sein sollte. Aber er war ja krank, er war ja verloren. Und plötzlich kam es wie eine Erleuchtung über ihn. Er glaubte nicht daran. Das war es, und darum war ihm so frei und wohl, und darum schien ihm heute die rechte Stunde gekommen. Nicht die Lust am Leben hatte er überwunden, nur die Angst des Todes hatte ihn verlassen, weil er an den Tod nicht mehr glaubte. Er wußte, daß er zu jenen gehörte, die wieder gesund werden. Es war ihm, als wachte in einem verborgenen Winkel seiner Seele irgend etwas Entschlafenes wieder auf. Er hatte das Bedürfnis, die Augen weiter zu öffnen, mit größeren Schritten vorwärts zu gehen, mit tieferen Zügen zu atmen. Der Tag wurde heller und das Leben lebendiger. Das also war es, das war es!? Und warum? Warum mußte er mit einem Male wieder so trunken vor Hoffnung werden? Ach, Hoffnung! Es war mehr als das. Es war Gewißheit. Und heute morgens noch hatte es ihn gequält, hatte es ihm die Kehle zugeschnürt, und jetzt, jetzt war er gesund, er war gesund. Er rief es laut aus: „Gesund!" — Und er stand nun am Ausgang des Waldes. Vor ihm der See in dunkelblauer Glätte. Er ließ sich auf eine Bank nieder, und da saß er mit tiefem Behagen, den Blick aufs Wasser gerichtet. Er dachte nach, wie sonderbar das wäre; die Freude des Genesens hatte ihm die Lust am stolzen Abschied vorgetäuscht.

Ein leichtes Geräusch hinter ihm. Er hatte kaum Zeit, sich umzuwenden. Marie war es. Ihre Augen blinkten, ihr Gesicht war leicht gerötet.

„Was hast du denn?"

„Warum bist du denn weg? Warum hast du mich denn allein gelassen? Ich bin sehr erschrocken."

„Aber geh," sagte er und zog sie neben sich nieder. Er lächelte sie an und küßte sie. Sie hatte so warme, volle Lippen. „Komm," sagte er dann leise und zog sie auf seinen Schoß. Sie schmiegte sich fest an ihn, legte die Arme um seinen Hals. Und sie war schön! Aus ihren blonden Haaren stieg ein schwüler Duft empor, und eine unendliche Zärtlichkeit für dieses schmiegsame, duftende Wesen an seiner Brust stieg in ihm auf. Tränen kamen ihm ins Auge, und er faßte nach ihren Händen, um sie zu küssen. Wie liebte er sie doch!

Vom See her kam ein schwaches, zischendes Geräusch. Sie schauten beide auf, erhoben sich und traten Arm in Arm dem Ufer näher. Das Dampfschiff war in der Ferne zu sehen. Sie ließen es eben nahe genug kommen, um noch die Umrisse der Leute auf dem Verdecke unterscheiden zu können, dann wandten sie sich um und spazierten durch den Wald nach Hause. Sie gingen Arm in Arm, langsam, zuweilen einander zulächelnd. Sie fanden alte Worte wieder, die Worte der ersten Liebestage. Die süßen Fragen zweifelnder Zärtlichkeit gingen zwischen ihnen hin und her, und die innigen Worte schmeichelnder Beruhigung. Und sie waren heiter und waren wieder Kinder, und das Glück war da.

Ein schwerer, glühender Sommer war herangekommen mit heißen, sengenden Tagen, lauen, lüsternen Nächten. Jeder Tag brachte den vorigen, jede Nacht die verwichene zurück; die Zeit stand stille. Und sie waren allein. Nur umeinander kümmerten sie sich, der Wald, der See, das kleine Haus, — das war ihre Welt. Eine wohlige Schwüle hüllte sie ein, in der sie des Denkens vergaßen. Sorglose, lachende Nächte, müde, zärtliche Tage flohen über sie hin.

In einer jener Nächte war es, da brannte die Kerze noch spät, und Marie, die mit offenen Augen dalag, richtete sich im Bette auf. Sie betrachtete das Antlitz ihres Geliebten, über das die Ruhe eines tiefen Schlafes gebreitet war. Sie lauschte seinen Atemzügen. Nun war es ja so viel als gewiß: jede Stunde brachte ihn der Heilung näher. Eine unsägliche Innigkeit erfüllte sie, und sie beugte sich nahe zu ihm herab mit dem Verlangen, den Hauch seines Atems auf ihren Wangen zu fühlen. O, wie schön war es doch zu leben! Und ihr ganzes Leben war er, nur er. Ach, nun hatte sie ihn wieder, sie hatte ihn wieder, und auf immer hatte sie ihn wieder!

Ein Atemzug des Schlafenden, der anders klang als die bisherigen, störte sie auf. Es war ein leises, gepreßtes Stöhnen. Um seine Lippen, die sich ein wenig geöffnet hatten, war ein Zug des Leidens sichtbar geworden, und mit Schrecken gewahrte sie Schweißtropfen auf seiner Stirn. Den Kopf hatte er leicht zur Seite gewendet. Dann aber schlossen sich seine Lippen wieder. Der friedliche Ausdruck des Antlitzes kehrte zurück, und nach ein paar unruhigen Atemzügen wurden auch diese wieder gleichmäßig, fast lautlos. Marie aber fühlte sich plötzlich von einer quälenden Bangigkeit erfaßt. Am liebsten hätte sie ihn aufgeweckt, sich an ihn geschmiegt, seine Wärme, sein Leben, sein Dasein empfunden. Ein seltsames Bewußtsein von Schuld überkam sie, und wie Vermessenheit erschien ihr plötzlich der freudige Glaube an seine Rettung. Und nun wollte sie sich selbst überreden, daß es ja doch kein fester Glaube gewesen, nein, nur eine leise, dankbare Hoffnung, für die sie doch nicht so bitter gestraft werden durfte. Sie gelobte sich's, nicht mehr so gedankenlos glücklich zu sein. Mit einem Male war ihr diese ganze jubelnde Zeit des Taumelns eine Zeit leichtsinniger Sünde geworden, für die sie büßen mußten. Gewiß! Und dann, was sonst Sünde sein mag, war es nicht etwas anderes bei ihnen? Liebe, die vielleicht Wunder zu tun vermochte? Und sind es nicht vielleicht gerade jene letzten süßen Nächte, die ihm die Gesundheit wiedergeben werden?

Ein furchtbares Stöhnen drang aus Felix' Mund. Er hatte sich im Halbschlummer angstvoll mit weiten Augen im Bett aufgerichtet, starrte ins Leere, so daß Marie laut aufschreien mußte. Davon wachte er vollends auf. „Was ist denn, was ist denn?" stieß er hervor. Marie fand keine Worte. „Hast du geschrieen, Marie? Ich habe schreien gehört." Er atmete sehr rasch. „Mir war wie zum Ersticken. Ich hab auch geträumt, weiß nicht mehr was."

„Ich bin so sehr erschrocken," stammelte sie.

„Weißt du, Marie, mir ist jetzt auch kalt."

„Nun ja," erwiderte sie, „wenn du böse Träume hast."

„Ach, was denn," und er sah mit einem zornigen Blick nach oben. „Fieber hab ich eben wieder, das ist's." Seine Zähne schlugen aneinander, er legte sich nieder und zog die Decke über sich.

Sie blickte verzweifelt um sich. „Soll ich dir, willst du —"

„Gar nichts, schlaf nur! Ich bin müde, ich werde auch schlafen. Das Licht laß brennen." Er schloß die Augen und zog die Decke bis über den Mund. Marie wagte nicht mehr, ihn zu fragen. Sie wußte, wie sehr ihn das Mitleid erbittern konnte, wenn er sich nicht ganz wohl fühlte. Er schlief schon nach wenigen Minuten ein, über sie aber kam kein Schlummer mehr. Bald begannen graue Dämmerstreifen ins Zimmer zu schleichen. Diese ersten, matten Zeichen des nahen Morgens taten Marien sehr wohl. Ihr war, als käme etwas Befreundetes, Lächelndes sie besuchen. Sie hatte einen sonderbaren Drang, dem Morgen entgegenzugehen. Sie stieg ganz leise aus dem Bett, nahm rasch ihr Morgenkleid um und schlich auf die Terrasse. Der Himmel, die Berge, der See, das schwamm noch alles in ein dunkles, ungewisses

Grau zusammen. Es machte ihr ein eigenes Vergnügen, die Augen ein bißchen anzustrengen, um die Umrisse deutlicher zu erkennen. Sie setzte sich auf den Lehnstuhl und ließ ihre Blicke in den Dämmer tauchen. Ein unsägliches Behagen durchfloß Marie, wie sie in der tiefen Stille des anbrechenden Sommermorgens da heraußen lehnte. Um sie herum war alles so friedlich, so mild und so ewig. Es war so schön, so eine Weile allein zu sein inmitten der großen Stille — weg aus dem engen, dunstigen Zimmer. Und mit einem Male durchzuckte sie die Erkenntnis: sie war gern von seiner Seite aufgestanden, gern war sie da, gern allein!

Den ganzen Tag hindurch kamen ihr die Gedanken der verflossenen Nacht wieder. Nicht mehr so quälend, so unheimlich wie in der Dunkelheit, aber um so deutlicher und zu Entschlüssen bestimmend. Sie faßte vor allem den, die Heftigkeit seiner Liebe so weit als möglich abzuwehren. Sie begriff gar nicht, daß sie die ganze Zeit über nicht daran gedacht hatte. Ach, sie wollte so milde, so klug sein, daß es nicht wie Abwehr, daß es nur wie eine neue, bessere Liebe aussehen sollte.

Aber sie brauchte nicht besonders viel Klugheit und Milde. Seit jener Nacht schien aller Sturm der Leidenschaft bei ihm verraucht; er selbst behandelte Marie mit einer müden Zärtlichkeit, die sie anfangs beruhigte und endlich befremdete. Er las viel während der Tage oder schien auch nur zu lesen, denn oft genug konnte sie bemerken, wie er über das Buch hinaus ins Weite schaute. Ihr Gespräch berührte tausend alltägliche Dinge und nichts von Bedeutung; aber ohne daß Marie den Eindruck gewann, als zöge er sie nicht mehr in das Geheimnis seiner Gedanken.

Es kam alles ganz selbstverständlich, als wäre all dies Halblaute, Gleichgültige in seinem Wesen nur die heitere Mattigkeit des Genesenden. Des Morgens blieb er lange liegen, während sie die Gewohnheit angenommen hatte, beim ersten Grauen des Tages ins Freie zu eilen. Da blieb sie entweder auf der Terrasse sitzen, oder sie begab sich auf den See hinunter und ließ sich da in einem Kahne, ohne sich vom Ufer zu entfernen, von den leichtbewegten Wellen schaukeln. Zuweilen ging sie im Walde spazieren, und so kam sie gewöhnlich schon von einem kleinen Morgenausfluge zurück, wenn sie ins Zimmer trat, ihn aufzuwecken. Sie freute sich über seinen gesunden Schlaf, den sie als gutes Zeichen ansah. Sie wußte nicht, wie oft er des Nachts erwachte, und sah nicht den Blick voll unendlicher Trauer, der auf ihr ruhte, während sie in den tiefen Schlummer gesunder Jugend versunken war.

Einmal war sie des Morgens wieder in den Kahn gestiegen, und die Frühe sprühte ihre ersten goldenen Funken über den See hin. Da wurde sie von der Lust erfaßt, sich einmal weiter hinaus in das blitzende, helle Wasser zu wagen. Sie fuhr eine gute Strecke weit, und da sie recht ungeübt im Rudern war, strengte sie sich übermäßig an, was ihre Freude an der Fahrt noch vermehrte. Auch in so früher Stunde konnte man nun nicht mehr ganz einsam auf dem Wasser sein. Einzelne Kähne begegneten Marien, und sie glaubte zu bemerken, daß manche nicht ohne Absicht näher an ihren heranfuhren. Ein kleines, elegantes Kielbot, in welchem zwei junge Herren die Ruder führten, fuhr sehr rasch hart an ihr vorüber. Die Herren zogen die Ruder ein, lüfteten die Mützen und grüßten höflich und lächelnd.

Marie sah die beiden groß an und sagte ein gedankenloses „Guten Morgen". Dann schaute sie sich nach den beiden jungen Leuten um, ohne sich dessen recht

bewußt zu werden. Auch jene hatten sich wieder um-
gewandt und grüßten nochmals. Da kam es ihr plötzlich zum Bewußtsein, daß sie etwas Unrechtes getan,
und so rasch sie nur mit ihrer geringen Kunst vermochte, ruderte sie ihrem Wohnhaus zu. Sie brauchte
fast eine halbe Stunde zur Rückfahrt, kam erhitzt und
mit aufgelösten Haaren an. Schon vom Wasser aus
hatte sie Felix auf der Terrasse sitzen gesehen, und
sie stürmte nun eilig in die Wohnung. Und ganz verwirrt, als wäre sie sich einer Schuld bewußt, eilte sie
auf den Balkon, umfaßte Felix von rückwärts und
fragte scherzend, überlustig: „Wer ist's?"

Er machte sich langsam von ihr los und sah sie
ruhig von der Seite an. „Was hast du denn? Was
bist du denn gar so lustig?"

„Weil ich dich wieder hab'."

„Was bist du denn so erhitzt? Du glühst ja!"

„Ach Gott! Ich bin so froh, so froh, so froh!"
Sie schob übermütig den Plaid von seinen Knien weg
und setzte sich auf seinen Schoß. Sie ärgerte sich über
ihre Verlegenheit, dann über sein verdrossenes Gesicht und küßte ihn auf die Lippen.

„Worüber bist du denn gar so froh?"

„Hab' ich denn keinen Grund? Ich bin so glücklich,
daß" — sie stockte und fuhr dann fort — „daß es von
dir genommen ist."

„Was?" Es war etwas wie Mißtrauen in seiner
Frage.

Sie mußte nun immer weiter reden. Da half nichts
mehr. „Nun, die Furcht."

„Die Furcht vor dem Tode?" meinst du.

„Sprich's doch nicht aus!"

„Warum sagst du, von mir genommen? Doch
wohl auch von dir, nicht wahr?" Und dabei nahm
sein Blick etwas Forschendes, beinahe Boshaftes an.

Und wie sie, statt zu antworten, mit den Händen in seinen Haaren herumwühlte und ihren Mund seiner Stirn näherte, neigte er seinen Kopf ein wenig zurück und fuhr fort, erbarmungslos, kalt: „Es war zum mindesten — einmal deine Absicht? Mein Schicksal sollte ja das deine sein?"

„Es wird ja auch," fiel sie lebhaft und heiter ein.

„Nein, es wird nicht," unterbrach er sie ernst. „Was lullen wir uns denn ein? ,Es' ist nicht von mir genommen. ,Es' kommt immer näher, ich spüre es."

„Aber —" Sie hatte sich unmerklich von ihm entfernt und lehnte nun am Geländer der Terrasse. Er stand auf und ging hin und her.

„Ja, ich spüre es. Es ist immerhin eine Verpflichtung, dir das mitzuteilen. Wenn es plötzlich für dich käme, würde es dich wahrscheinlich allzu heftig erschrecken. Darum erinnere ich dich daran, daß beinahe ein Viertel meiner Frist um ist. Vielleicht rede ich es mir auch nur ein, daß ich dir's sagen muß, — und nur die Feigheit veranlaßt mich dazu."

„Bist du bös," sagte sie ganz ängstlich, „daß ich dich allein gelassen?"

„Unsinn!" erwiderte er rasch, „heiter könnt' ich dich ja sehen, ich selbst werde — wie ich mich nun kenne — den gewissen Tag in Heiterkeit erwarten. Aber deine Lustigkeit, aufrichtig gesagt, die vertrag' ich nicht recht. Ich stelle es dir daher frei, dein Schicksal schon innerhalb der nächsten Tage von dem meinen zu trennen."

„Felix!" — Sie hielt den Auf- und Niedergehenden mit beiden Armen zurück. Er machte sich wieder los.

„Die erbärmlichste Zeit bricht an. Bis jetzt war ich der interessante Kranke. Ein bißchen blaß, ein bißchen hüstelnd, ein bißchen melancholisch. Das kann ja einem Weibe noch so ziemlich gefallen. Was aber nun kommt, mein Kind, erspare dir lieber! Es könnte deine Erinnerung an mich vergiften."

Sie suchte vergebens nach einer Antwort. Ganz hilflos starrte sie ihn an.

„Es ist schwer, das anzunehmen, denkst du dir! Es sähe lieblos, am Ende sogar gemein aus. Ich erkläre dir hiermit, daß davon keine Rede sein kann, daß du vielmehr mir und meiner Eitelkeit einen ganz besonderen Dienst erweisest, wenn du meinen Vorschlag annimmst. Denn das wenigstens will ich, daß du mit Schmerzen an mich zurückdenkst, daß du mir echte Tränen nachweinst. Aber was ich nicht will, ist, daß du Tage und Nächte lang über mein Bett gebeugt dasitzest mit dem Gedanken: wäre es nur schon vorbei, nachdem es ja doch einmal vorbei sein muß, und daß du dich als eine Erlöste fühlst, wenn ich von dir scheide."

Sie rang nach irgendeinem Wort. Endlich stieß sie hervor: „Ich bleibe bei dir, ewig."

Er achtete nicht darauf. „Wir wollen nicht weiter davon reden. In acht Tagen — denk' ich — fahr' ich nach Wien. Ich möchte doch noch mancherlei ordnen. Bevor wir dies Haus verlassen, werd' ich noch einmal meine Frage — nein, meine Bitte an dich richten."

„Felix! Ich —!"

Er unterbrach sie heftig. „Ich verbiete dir, noch ein Wort über dieses Thema bis zu der von mir bestimmten Zeit zu verlieren." Er verließ den Balkon und wandte sich dem Zimmer zu. Sie wollte ihm folgen. „Laß mich jetzt," sagte er ganz milde, „ich will ein wenig allein sein."

Sie blieb auf dem Balkon zurück und starrte tränenlos auf die glitzernde Wasserfläche. Felix war ins Schlafzimmer gegangen und hatte sich dort auf sein Bett geworfen. Er schaute lange zur Decke hinauf. Dann biß er die Lippen zusammen, ballte die Fäuste.

43

Dann flüsterte er mit einer höhnischen Bewegung der Lippen: „Ergebung! Ergebung!" —

Von dieser Stunde an war etwas Fremdes zwischen sie gekommen und zugleich ein nervöses Bedürfnis, viel miteinander zu sprechen. Sie behandelten die alltäglichsten Dinge mit großer Weitschweifigkeit. Es wurde ihnen immer ängstlich, wenn sie zu reden aufhörten. Woher die grauen Wolken kämen, die sich dort über die Berge legten, was man morgen für Wetter erwarten dürfte, warum das Wasser zu verschiedenen Tageszeiten verschiedene Farben zeigte, darüber gab es lange Unterhaltungen. Wenn sie spazieren gingen, verließen sie öfter als bisher den engen Umkreis ihres Hauses und nahmen den Weg dem bewohnteren Ufer zu. Da ergab sich mancherlei Gelegenheit zu Bemerkungen über die Leute, die ihnen begegneten. Wenn es sich traf, daß junge Männer ihnen entgegenkamen, so war Marie in ihrem Benehmen von besonderer Zurückhaltung, und wenn Felix irgendein Wort über das Sommerkostüm irgendeines Rudersportmanns oder Alpinisten fallen ließ, ging sie wohl auch in kaum bewußter Unaufrichtigkeit so weit, zu erwidern, daß sie die Leute gar nicht gesehen, und ließ sich nur mit Mühe dazu bewegen, sie bei neuerlicher Begegnung aufmerksam zu betrachten. Der Blick, mit dem sie sich bei solcher Gelegenheit gestreift fühlte, war ihr peinlich. Dann geschah es wieder, daß sie viertelstundenlang schweigsam nebeneinander hergingen. Manchmal saßen sie auch wortlos auf ihrem Balkon beisammen, bis Marie häufig genug, aber ohne die Absichtlichkeit verbergen zu können, auf das Auskunftsmittel geriet, ihm aus der Zeitung vorzulesen. Auch wenn sie merkte, daß er nicht mehr zuhörte, las sie weiter, froh über den Ton ihrer Stimme, froh, daß es nur überhaupt nicht ganz still zwischen ihnen war. Und doch, trotz aller dieser aufreibenden Mühe waren sie beide nur mit ihren eigenen Gedanken beschäftigt.

Felix gestand sich ein, daß er neulich Marie gegenüber eine lächerliche Komödie gespielt hatte. Wäre es ihm ernst gewesen mit jenem Wunsch, ihr das kommende Elend zu ersparen, so hätte er wohl am besten getan, einfach von ihrer Seite zu verschwinden. Es hätte sich schon ein stilles Plätzchen finden lassen, um dort in Ruhe zu sterben. Er wunderte sich selbst, daß er diese Dinge mit völligem Gleichmute überlegte. Als er aber begann, ernstlich über die Ausführung dieses Planes nachzudenken, als er in einer fürchterlich langen, durchwachten Nacht die Einzelheiten der Ausführung vor seine Seele brachte: wie er im nächsten Morgengrauen auf und davon wollte, ohne Abschied, in die Einsamkeit und in den nahen Tod und Marie zurücklassen inmitten des sonnigen, lachenden und für ihn verlorenen Lebens, da fühlte er seine ganze Ohnmacht, fühlte tief, daß er es nicht konnte, nimmer können würde. Was also, was? Der Tag kommt ja, unerbittlich, immer näher kommt er heran, an dem er davon und sie zurücklassen muß. Sein ganzes Dasein ist ja ein Erwarten dieses Tages, nichts anderes als eine qualvolle Frist, ärger als der Tod selbst. Wenn er nur nicht von Jugend auf gelernt hätte, sich selbst zu beobachten! Alle Zeichen seiner Krankheit hätten sich ja noch übersehen oder doch gering achten lassen. Sein Gedächtnis rief ihm das Bild von Leuten zurück, die er gekannt, an denen dieselbe Todeskrankheit gezehrt hatte, wie an ihm, und die noch wenige Wochen vor ihrem Tode heiter und hoffnungsfreudig der Zukunft entgegengeblickt hatten. Wie verfluchte er die Stunde, da ihn seine Ungewißheit zu jenem Arzt geführt, dem er so lange mit Lügen und falscher Würde zugesetzt hatte, bis ihm die volle, unerbittliche Wahrheit geworden. Und so lag er nun da, ein hundertfach Verdammter, nicht besser daran als ein Verurteilter, dem jeden Morgen der Henker nahen kann, ihn auf den Richtplatz zu führen, und er begriff, daß er sich doch eigentlich keinen Augenblick über den ganzen Schrecken seiner Existenz klar zu werden vermochte. In irgendeinem Winkel seines Herzens lauerte tückisch und schmeichlerisch die Hoffnung, die ihn nie völlig verlassen wollte. Aber seine Vernunft war stärker, und die gab ihm einen klaren und kalten Rat, gab ihn wieder und immer wieder, und er hörte es zehn- und hundert- und tausendmal in den endlosen Nächten, die er wach lag, und in den eintönigen Tagen, die doch allzu schnell verstrichen, daß es nur einen Ausweg und eine Rettung für ihn gäbe: nicht mehr warten, keine Stunde, keine Sekunde mehr, selber ein Ende machen; — das wäre minder kläglich. Und es war ja fast ein Trost, daß es keinen Zwang gab, zu warten. In jedem Augenblicke, wenn er nur wollte, konnte er ein Ende machen.

Aber sie, sie! Bei Tage insbesondere, wenn sie neben ihm einherging, oder wenn sie ihm vorlas, da war es ihm oft, als wäre es gar nicht so schwer, von diesem Geschöpfe zu scheiden. Sie war ihm nicht mehr als ein Teil des Daseins überhaupt. Sie gehörte zum Leben ringsherum, das er nun doch einmal lassen mußte, nicht zu ihm. In anderen Momenten aber, ganz besonders nachts, wenn sie tief schlafend mit schwer geschlossenen Lidern in ihrer Jugendschönheit neben ihm ruhte, da liebte er sie grenzenlos, und je ruhiger sie schlief, je weltabgeschiedener ihr Schlummer, je ferner ihre träumende Seele seinen wachen Qualen schien, um so wahnsinniger betete er sie an. Und einmal, es war in der Nacht, bevor sie den See verlassen sollten, überkam ihn eine kaum bezwingbare Lust, sie aus diesem köstlichen Schlafe, der ihm eine hämische Untreue dünkte, aufzurütteln und ihr ins Ohr zu schreien: „Wenn du mich lieb hast, stirb mit mir, stirb jetzt." Aber er ließ sie weiter schlummern, morgen wollte er ihr's sagen, morgen, — vielleicht.

Öfter, als er ahnte, hatte sie in jenen Nächten seine Augen auf sich gefühlt. Öfter, als er ahnte, spielte sie die Schlafende, weil eine lähmende Angst sie davon abhielt, die Lider, zwischen denen sie zuweilen in das Halbdunkel des Schlafzimmers und auf seine im Bette aufrecht sitzende Gestalt blinzelte, vollends zu öffnen. Die Erinnerung an jene letzte, ernste Unterredung wollte sie nicht verlassen, und sie zitterte vor dem Tage, an dem er die Frage wieder an sie richten wollte. Warum nur zitterte sie davor? Stand doch die Antwort so klar vor ihr. Bei ihm ausharren bis zur letzten Sekunde, nicht von seiner Seite weichen, ihm jeden Seufzer von den Lippen, jede Schmerzensträne von den Wimpern küssen! Zweifelte er denn an ihr? War eine andere Antwort möglich? Wie? Welche? Etwa die: „Du hast recht, ich will dich verlassen. Ich will nur die Erinnerung an den interessanten Kranken bei mir bewahren. Ich lasse dich nun allein, um dein Gedächtnis besser lieben zu können?" Und dann? Unwiderstehlich zwang es sie, alles auszudenken, was nach dieser Antwort kommen mußte. Sie sieht ihn vor sich, kühl, lächelnd. Er streckt ihr die Hand entgegen und sagt: „Ich danke dir." Dann wendet er sich von ihr ab, und sie eilt davon. Ein Sommermorgen ist es, glänzend in tausend erwachenden Freuden. Und immer weiter in die goldene Frühe eilt sie, nur um möglichst rasch von ihm wegzukommen. Und mit einem Male ist aller Bann von ihr getan. Sie ist wieder allein, sie ist des Mitleids ledig. Sie spürt nicht mehr den traurigen, den fragenden, den sterbenden Blick auf sich ruhen, der sie die ganzen letzten Monate so fürchterlich gepeinigt hat. Sie gehört der Freude, dem Leben, sie darf wieder jung sein. Sie eilt davon, und der Morgenwind flattert ihr lachend nach.

Und wie doppelt elend kam sie sich vor, wenn dieses Bild ihrer wirren Träume wieder untertauchte! Sie litt darunter, daß es überhaupt erschienen war.

Und wie das Mitleid mit ihm an ihrem Herzen nagte, wie sie schauderte, wenn sie seines Wissens, seiner Hoffnungslosigkeit dachte! Und wie sie ihn liebte, wie sie ihn immer inniger liebte, je näher der Tag kam, an dem sie ihn verlieren mußte. Ach, es konnte ja kein Zweifel sein, wie ihre Antwort lauten würde. An seiner Seite ausharren, mit ihm leiden, wie wenig war das! Ihn das Sterben erwarten sehen, diese monatelange Todesangst mit ihm durchkosten, alles das war wenig. Sie will mehr für ihn tun, das Beste, das Höchste. Wenn sie ihm verspräche, sich auf seinem Grabe zu töten, so ging er mit dem Zweifel dahin, ob sie wirklich es auch tun würde. Mit ihm, nein — vor ihm will sie sterben. Wenn er die Frage an sie richten wird, so wird sie die Kraft haben, zu sagen: „Machen wir der Pein ein Ende! Sterben wir zusammen, und sterben wir gleich!“ Und während sie sich an dieser Idee berauschte, erschien ihr jenes Weib, dessen Bild sie eben noch gesehen, — das durch die Felder eilte, vom kosenden Morgenwind umspielt, hinstürmend, dem Leben und der Freude entgegen, und das sie selbst war, — erbärmlich und gemein.

Der Tag, an welchem sie abreisen wollten, brach an. Ein wunderbar milder Morgen, als kehrte der Frühling wieder. Marie saß schon auf der Terrasse, und das Frühstück war bereit, als Felix aus dem Wohnzimmer trat. Er atmete tief auf. „Ah, ist das ein herrlicher Tag!" —

„Nicht wahr?"

„Ich will dir was sagen, Marie!"

„Was?" Und rasch setzte sie fort, als wollte sie ihm die Antwort vom Munde nehmen: „Wir bleiben noch hier?"

„Das nicht, aber wir wollen nicht gleich nach Wien zurück. Ich befinde mich heute nicht übel, gar nicht so übel. Wir wollen uns noch irgendwo auf dem Wege aufhalten."

„Wie du willst, mein Schatz." Ihr wurde mit einem Male innerlich so wohl, wie lange nicht. So unbefangen hatte er die ganze Woche über nicht gesprochen.

„Ich denke, Kind, wir halten uns in Salzburg auf."

„Ganz, wie du willst."

„Nach Wien kommen wir noch immer früh genug, wie? Auch ist mir die Eisenbahnfahrt zu lang."

„Nun ja," meinte Marie lebhaft, „wir haben ja auch keine Eile."

„Nicht wahr, Miez, es ist alles gepackt?"

„Aber längst, wir können auf der Stelle weg."

„Ich denke, wir fahren mit dem Wagen. Eine Fahrt von vier bis fünf Stunden, und viel angenehmer als mit der Bahn. Da liegt immer noch in den Kupees die Hitze von gestern."

„Ganz, wie du willst, mein Schatz." Sie forderte ihn auf, sein Glas Milch zu trinken, und dann machte sie ihn auf den schönen, silbernen Schimmer aufmerksam, der auf den Kämmen der Wellen spielte. Sie sprach viel und überlustig. Er antwortete freundlich und harmlos. Endlich erbot sie sich, den Wagen zu bestellen, mit dem sie mittags nach Salzburg fahren wollten. Er nahm lächelnd an, sie setzte rasch den breiten Strohhut auf, küßte Felix ein paarmal auf den Mund und lief dann auf die Straße.

Er hatte nicht gefragt — und er wird auch nicht fragen. Das stand deutlich auf seiner heiteren Stirne. Es lag auch heute nichts Lauerndes in seiner Freundlichkeit wie sonst zuweilen, wenn er ein harmloses Gespräch so recht absichtlich mit einem bösen Wort zerschnitt. Wenn so etwas kommen sollte, hatte sie's immer früher gewußt, und nun war ihr, als hätte er ihr eine große Gnade erwiesen. In seiner Milde war etwas Schenkendes und Versöhnendes gewesen.

Als sie auf den Balkon zurückkehrte, fand sie ihn, die Zeitung lesend, die während ihres Fortseins angelangt war.

„Marie," rief er, indem er sie mit den Augen näher heranwinkte, „etwas Sonderbares, etwas Sonderbares."

„Was denn?"

„Lies doch! — Der Mann — na, der Professor Bernard ist gestorben."

„Wer?"

„Der — nun der, bei dem ich — ach der, der mir so trübe Aussichten gestellt hat."

Sie nahm ihm die Zeitung aus der Hand. „Wie, der Professor Bernard?" Auf den Lippen lag ihr: „Geschieht ihm schon recht!" aber sie sprach es nicht aus. Beiden war es zumute, als hätte dieses Ereignis für sie eine große Bedeutung. Ja, er, der mit der ganzen vorlauten Weisheit seiner unerschütterlichen Gesundheit dem Hilfesuchenden jede Hoffnung genommen, nun war er selbst in ein paar Tagen hingerafft worden. In diesem Augenblick erst fühlte Felix, wie er diesen Mann gehaßt, — und daß ihn die Rache des Geschicks ereilt hatte, schien dem Kranken eine Vorbedeutung günstigster Art. Es war ihm, als wiche ein unheilvolles Gespenst aus seinem Kreise. Marie warf das Zeitungsblatt hin und sagte: „Ja, was wissen wir Menschen von der Zukunft?"

Er griff das Wort begierig auf. „Was wissen wir von morgen? Wir wissen nichts, nichts!" Nach einer kurzen Pause sprang er plötzlich auf einen anderen Gegenstand über. „Du hast den Wagen bestellt?"

„Ja," sagte sie, „für elf Uhr."

„Da könnten wir ja vorher noch ein bißchen hinaus aufs Wasser, wie?"

Sie nahm seinen Arm, und beide spazierten zur Schiffshütte hin. Sie hatten das Gefühl, als wäre ihnen eine wohlverdiente Genugtuung geworden.

Im Spätnachmittag fuhren sie in Salzburg ein. Zu ihrer Verwunderung fanden sie die meisten Häuser der Stadt beflaggt; die Leute, die ihnen begegneten, waren im Festkleide, einzelne waren mit Kokarden geschmückt. Im Hotel, in welchem sie abstiegen und ein Zimmer mit der Aussicht auf den Mönchsberg nahmen, klärte man sie auf, daß in der Stadt ein großes Sängerfest abgehalten werde, und bot ihnen Karten zu dem Konzert an, das um acht Uhr im Kurparke bei großartiger Beleuchtung stattfinden sollte. Ihr Zimmer war im ersten Stock gelegen, unter ihrem Fenster floß die Salzach vorbei. Sie hatten beide auf der Herfahrt viel geschlummert und fühlten sich so frisch, daß sie nur kurze Zeit zu Hause blieben und sich noch vor Anbruch der Dämmerung wieder auf die Straße hinunter begaben.

Durch die ganze Stadt ging eine freudige Bewegung. Die Einwohner der Stadt schienen fast alle auf der Straße zu sein, die Sänger, mit ihren Abzeichen geschmückt, spazierten in fröhlichen Gruppen unter ihnen. Auch viele Fremde waren zu sehen, und selbst aus den Dörfern ringsum war ein Zufluß von Gästen gekommen, die im bäuerischen Sonntagsstaat sich zwischen den anderen hin und her schoben. Von den

Giebeln wehten Flaggen in den Farben der Stadt, in den Hauptstraßen standen Triumphpforten mit Blumen geschmückt, durch alle Gassen wogte der unruhige Menschenstrom, und über ihm in behaglicher Milde flutete ein duftiger Sommerabend hin.

Vom Ufer der Salzach aus, wo eine wohlige Stille sie umgeben, waren Felix und Marie in das bewegtere Treiben der Stadt geraten, und nachdem sie eine so einförmige Zeit an ihrem ruhigen See hingebracht hatten, machte sie das ungewohnte Geräusch beinahe wirr. Aber bald hatten sie die Überlegenheit der erfahrenen Großstädter gewonnen und konnten das ganze Treiben unbefangen auf sich wirken lassen. Felix wurde von der Fröhlichkeit der Masse — wie auch in früherer Zeit — nicht sehr angenehm berührt. Marie aber schien sich bald wohl zu fühlen, und wie ein Kind blieb sie bald stehen, um ein paar Weibern in Salzburger Tracht, dann wieder um einigen hochgewachsenen, mit Schärpen geschmückten Sängern nachzusehen, die an ihnen vorüberschlenderten. Manchmal schaute sie auch in die Höhe und bewunderte die besonders prächtige Dekoration irgend eines Gebäudes. An Felix, der ziemlich teilnahmslos an ihrer Seite dahinschritt, wandte sie sich zuweilen mit einem lebhaften „Sieh doch, wie hübsch!" ohne eine andere Antwort zu erhalten als ein stummes Kopfnicken.

„Nun sag' aber im Ernst," meinte sie endlich, „haben wir's nicht wirklich gut getroffen?"

Er sah sie mit einem Blick an, aus dem sie nicht recht klug werden konnte. Endlich sprach er: „Du möchtest wohl auch am liebsten in den Kurpark zum Konzert?"

Sie lächelte nur. Dann erwiderte sie: „Na, wir dürfen nicht gleich anfangen zu lumpen."

Ihn ärgerte dieses Lächeln. „Du wärest wirklich imstande, das von mir zu verlangen!"

„Aber was fällt dir ein!" sagte sie ganz erschreckt und hatte die Augen gleich wieder auf der anderen Seite der Gasse, wo eben ein elegantes und hübsches Paar, allem Anschein nach Hochzeitsreisende, in lächelndem Gespräch vorüberging. Marie spazierte neben Felix einher, aber ohne seinen Arm zu nehmen. Nicht selten wurden sie durch die Menschenflut auf Sekunden getrennt, und dann fand sie ihn wieder, wie er an den Mauern der Häuser weiterschlich in einem offenbaren Widerwillen, mit allen diesen Leuten in eine nähere Berührung zu kommen. Indessen wurde es dunkler, die Lichter in den Straßenlaternen brannten, und an einzelnen Stellen der Stadt, insbesondere den Triumphbogen entlang, hatte man farbige Lampions angebracht. Der Hauptzug der Menschen nahm nun die Richtung gegen das Kurhaus. Die Stunde des Konzerts nahte. Anfangs wurden Felix und Marie mitgezogen, dann nahm er plötzlich ihren Arm, und durch eine engere Seitengasse abbiegend, waren sie bald in einen stilleren, auch weniger hell beleuchteten Teil der Stadt gelangt. Nach ein paar Minuten schweigenden Weiterwandelns befanden sie sich an einer ganz verlorenen Partie des Salzachufers, wo das Rauschen des Flusses eintönig zu ihnen heraufdrang.

„Was wollen wir denn da?" fragte sie.

„Ruhe," sagte er fast gebieterisch. Und als sie nichts darauf erwiderte, fuhr er im Tone nervöser Gereiztheit fort: „Wir gehören nicht dorthin. Für uns sind nicht mehr die bunten Lichter und die singende Fröhlichkeit und die Menschen, die lachen und jung sind. Hier ist der Platz für uns, wo von dem Jubel nichts herabklingt, wo wir einsam sind; hier gehören wir her," und dann aus dem gepreßten Tone wieder in den eines kalten Hohnes verfallend: — „Ich wenigstens."

Wie er das aussprach, fühlte sie, daß sie nicht so

tief gerührt war als sonst. Aber sie erklärte sich das; sie hatte es nun oft gehört, und dann übertrieb er ja offenbar. — Und sie antwortete ihm im Tone versöhnlicher Milde: „Das verdien' ich nicht, nein."

Er darauf, wie schon so oft, hämisch: „Entschuldige." Sie sprach weiter, indem sie seinen Arm faßte und fest an sich drückte: „Und wir beide gehören nicht hierher."

„Ja!" schrie er beinahe.

„Nein," antwortete sie sanft. „Ich will ja auch nicht zurück ins Menschengewühl. Mir wäre das gerade so zuwider wie dir. Aber was haben wir denn für einen Grund zu fliehen, als wären wir Ausgestoßene?"

In diesem Augenblick schallte der volle Orchesterklang durch die reine, windstille Luft zu ihnen herüber. Fast Ton für Ton konnte man deutlich vernehmen. Es waren feierliche Posaunenstöße, eine Fest-Ouvertüre, die offenbar das Konzert einzuleiten bestimmt war.

„Gehen wir", sagte Felix plötzlich, nachdem er eine Weile mit ihr stehen geblieben war und zugehört hatte. „Musik aus der Ferne, das macht mich trauriger als irgend etwas anderes auf der Welt."

„Ja," stimmte sie bei, „es klingt sehr melancholisch."

Sie gingen rasch der Stadt zu. Hier hörte man die Musik weniger deutlich als unten am Flußufer, und wie sie wieder in den erleuchteten, menschenbelebten Straßen waren, fühlte Marie die alte Zärtlichkeit des Mitleids für den Geliebten wiederkehren. Sie verstand ihn wieder, und sie verzieh ihm alles. „Wollen wir nach Hause?" fragte sie.

„Nein, wozu denn, bist du schläfrig?"

„Oh nein!"

„Wir wollen doch noch ein wenig im Freien bleiben, ja?"

„Sehr gerne, — wie du willst. — Ob es nur nicht zu kühl ist?"

„Es ist ja schwül. Es ist ja geradezu heiß," erwiderte er nervös, „wir wollen im Freien nachtmahlen."

„Sehr gerne."

Sie kamen in die Nähe des Kurparkes. Das Orchester hatte sein einleitendes Stück beendet, und man hörte nun aus dem taghell erleuchteten Parke das hundertfältige Geraun einer plaudernden und vergnügten Menge. Einzelne Leute, die noch zum Konzert wollten, eilten vorbei. Auch zwei Sänger, die sich verspätet hatten, streiften sehr rasch an ihnen vorüber. Marie sah ihnen nach und gleich darauf, nicht ohne Ängstlichkeit, als hätte sie ein Vergehen gutzumachen, auf Felix. Der nagte an den Lippen, und auf seiner Stirne lag ein mühsam zurückgedrängter Zorn. Sie glaubte, er müßte nun etwas sagen, aber er schwieg. Und von ihr weg wandte sich sein verdüsterter Blick wieder jenen zwei Männern zu, die eben am Eingang des Parkes verschwanden. Er wußte, was er empfand. Hier vor ihm schritt, was er am tödlichsten haßte. Ein Stück von dem, was noch hier sein wird, wenn e r nicht mehr ist, etwas, das noch jung und lebendig sein und lachen wird, wenn er nicht mehr lachen und weinen kann. Und auch neben ihm, jetzt im Schuldbewußtsein heftiger als früher an seinen Arm gepreßt, ging so ein Stück lachender, lebendiger Jugend, das diese Verwandtschaft unbewußt empfand. Und e r wußte es, und es wühlte mit rasender Pein in ihm. Lange Sekunden sprachen sie beide nichts. Endlich kam aus seinem Munde ein tiefer Seufzer. Sie wollte sein Gesicht sehen, aber er hatte es abgewandt. Mit einem Male sagte er: „Hier wär es ganz gut." Sie wußte anfangs nicht, was er meinte. „Was?"

Sie standen vor einem Gartenrestaurant, ganz nahe dem Kurparke, mit hohen Bäumen, die ihre Wipfel über die weißgedeckten Tische breiteten, und spärlich brennenden Laternen. Hier war es heute nur schwach besucht. Sie hatten reichliche Auswahl unter den Plätzen und ließen sich endlich in einem Winkel des Gartens nieder. Im ganzen waren kaum zwanzig Leute da. Ganz in ihrer Nähe saß das junge, elegante Paar, dem sie heute bereits einmal begegnet waren. Marie erkannte es sofort. Im Parke drüben setzte der Chor ein. Etwas abgeschwächt, aber in vollendetem Wohllaute drangen die Stimmen zu ihnen herüber, und es war, als bewegten sich die Blätter der Bäume, über die der mächtige Schall fröhlicher Stimmen hinstrich. Felix hatte einen guten Rheinwein auftragen lassen, und mit halbgeschlossenen Lidern saß er da, die Tropfen auf der Zunge zergehen lassend, dem Zauber der Musik hingegeben, ohne Gedanken, woher sie kam. Marie war nahe zu ihm gerückt, und er spürte die Wärme ihres Knies neben dem seinen. Nach der furchtbaren Erregung der letzten Augenblicke war mit einem Male eine wohltuende Gleichgültigkeit über ihn gekommen, und er freute sich, daß er es durch seinen Willen dazu gebracht hatte, so gleichgültig zu sein. Denn gleich, wie sie sich an den Tisch gesetzt hatten, war er zu dem festen Entschlusse gekommen, seinen stechenden Schmerz zu überwinden. Er war zu abgespannt, näher zu untersuchen, wieviel sein Wille zu dieser Überwindung beigetragen. Jetzt aber beschwichtigten ihn manche Erwägungen: daß er jenen Blick Mariens schlimmer gedeutet, als er verdient, daß sie irgendwen anderen vielleicht nicht anders angeschaut hätte und nur das fremde Paar am benachbarten Tische auch nicht anders betrachtete, als früher jene Sänger.

Der Wein war gut, schmeichelnd klang die Musik herüber, der Sommerabend war berauschend mild, und wie Felix zu Marie hinüberschaute, sah er aus ihren Augen einen Schein unendlicher Güte und Liebe strahlen. Und er wollte sich mit seinem ganzen Wesen in den gegenwärtigen Moment versenken. Er stellte eine letzte Anforderung an seinen Willen, von allem befreit zu sein, was Vergangenheit und Zukunft war. Er wollte glücklich sein oder wenigstens trunken. Und plötzlich, ganz unvermutet, kam ihm eine ganz neue Empfindung, die etwas wunderbar Befreiendes für ihn hatte; daß es ihm nämlich jetzt kaum einen Entschluß kosten würde, sich das Leben zu nehmen. Ja, jetzt gleich. Und das stände ihm ja immer frei; solche Stimmung wie die jetzige fände sich bald. Musik und ein leichtes Trunkensein, und so ein süßes Mädel an der Seite — ach ja, es war Marie. Er überlegte. Irgend eine andere wäre ihm nun vielleicht geradeso lieb gewesen. Auch sie schlürfte mit vielem Behagen von dem Weine. Felix mußte bald eine neue Flasche bestellen. Er war so zufrieden wie lange nicht. Er erläuterte sich selbst, daß im Grunde alles das auf das bißchen Alkohol über seine Gewohnheit zurückzuführen war. Aber was verschlug es? Wenn es nur überhaupt so was gab. Wahrhaftig, der Tod hatte keine Schrecken mehr für ihn. Ach, alles war so einerlei.

„Was, Miez?" sagte er.

Sie schmiegte sich an ihn.

„Was willst du denn wissen?"

„So einerlei ist alles! Nicht?"

„Ja, alles," erwiderte sie, „außer daß ich dich lieb hab in alle Ewigkeit."

Es kam ihm ganz sonderbar vor, wie sie das jetzt so ernsthaft sagte. Ihre Persönlichkeit war ihm beinahe gleichgültig. Sie floß mit allem anderen zusammen.

Ja, so war es recht, so mußte man überhaupt die Dinge behandeln. Ach nein, es ist nicht der Wein, der ihm das vorzaubert, der Wein nimmt nur irgend etwas von uns weg, das uns sonst schwerfällig und feig macht; — er nimmt die Wichtigkeit von den Dingen und Menschen. Da, jetzt ein kleines weißes Pulver und da hinein ins Glas — wie einfach wäre das! Und dabei spürte er, wie ihm ein paar Tränen ins Auge kamen. Er war ein wenig gerührt über sich.

Drüben der Chor endete. Nun hörte man den Applaus herüberklingen und Bravorufe, dann ein gedämpftes Lärmen, und bald setzte das Orchester wieder ein mit der feierlichen Heiterkeit einer Polonaise. Felix schlug mit der Hand den Takt dazu. Es fuhr durch seinen Kopf: „Ach, das bißchen Leben noch, ich will es leben, so gut ich kann." Aber es wohnte dieser Idee nichts Schauriges inne, eher etwas Stolzes, Königliches. Wie? Ängstlich den letzten Atemzug erwarten, der ja doch jedem bestimmt ist? Die Tage und Nächte ich vergällen mit schalen Grübeleien, wo er es ja bis ins innerste Mark fühlt, daß er noch für alle Genüsse reif und kräftig ist, wo er fühlt, daß ihn die Musik begeistert, daß ihm der Wein köstlich schmeckt und daß er dieses blühende Mädel am liebsten auf seinen Schoß nehmen und abküssen möchte? Nein, es ist noch etwas zu früh an der Zeit, sich die Laune verbittern zu lassen! Und wenn die Stunde kommt, in der es keine Begeisterung, kein Verlangen mehr für ihn gibt, — ein rasches Ende aus eigenem Willen, stolz und königlich! Er nahm Mariens Hand und behielt sie lange in der seinen. Er ließ den Hauch seines Mundes langsam über sie streichen.

„Aber," flüsterte Marie mit einem Ausdruck der Befriedigung.

Er schaute sie lange an. Und schön war sie, — schön! „Komm," sagte er dann.

Sie erwiderte unbefangen: „Wollen wir uns nicht noch ein Lied anhören?"

„O ja," sagte er. „Wir werden unser Fenster aufmachen und uns das Lied vom Wind ins Zimmer tragen lassen."

„Bist du schon müde?" fragte sie leicht besorgt.

Er strich ihr scherzend übers Haar und lachte. „Ja."

„So gehen wir."

Sie standen auf und verließen den Garten. Sie nahm seinen Arm, hing sich fest darein und lehnte ihre Wange an seine Schulter. Auf dem Heimwege begleitete die beiden, immer ferner und ferner klingend, der Chor, den die Sänger eben angestimmt hatten. Heiter, im Walzertempo, im Refrain übermütig, so daß man leichtere und freiere Schritte zu machen gedrängt war. Das Hotel war kaum ein paar Minuten weit entfernt. Wie sie über die Stiege hinaufgingen, war von der Musik nichts mehr zu hören. Kaum traten sie aber ins Zimmer, so schallte ihnen wieder der Refrain des Walzerliedes mit seiner ganzen Ausgelassenheit entgegen.

Sie fanden das Fenster weit geöffnet, und die blaue Mondnacht floß in weichen Fluten herein. Gegenüber zeichnete sich der Mönchsberg mit dem Schloß in scharfen Umrissen ab. Es war nicht notwendig, ein Licht anzuzünden, über dem Boden lag ein breiter Streifen silbernen Mondglanzes, und nur die Ecken des Zimmers blieben im Dunkeln. In der einen, dem Fenster nahe, stand ein Lehnstuhl. Auf den warf sich Felix und zog Marie heftig an sich. Er küßte sie, und sie küßte ihn wieder. Im Park drüben hatte das Lied geendet, aber es war so lange Beifall geklatscht worden, bis sie das Ganze von vorne anfingen. Plötzlich erhob sich Marie und eilte zum Fenster. Felix ihr nach. „Was hast du denn?" fragte er.

„Nein, nein!"

Er stampfte mit dem Fuße auf den Boden. „Warum denn nein?"

„Felix!" Sie faltete bittend die Hände.

„Nein?" sagte er mit zusammengepreßten Zähnen. „Nein? Ich soll mich wohl lieber würdig auf den Tod vorbereiten?"

„Aber, Felix!" Und schon war sie vor ihm niedergesunken und hatte seine Knie umschlungen.

Er zog sie zu sich empor. „Du bist ja ein Kind," flüsterte er. Und dann ihr ins Ohr: „Ich hab dich lieb, weißt du's? Und wir wollen glücklich sein, solange das bißchen Leben währt. Ich verzichte auf ein Jahr in Jammer und Angst, ich will nur mehr ein paar Wochen, ein paar Tage und Nächte. Aber ich will sie auch leben, ich will mir nichts versagen, nichts, und dann da hinunter, wenn du willst" — und er wies, während er sie mit dem einen Arm umschlungen hielt, mit dem anderen zum Fenster hinaus, an dem der Fluß vorbeiglitt. Die Sänger hatten ihr Lied geendet, und nun konnte man ihn leise rauschen hören.

Marie erwiderte nichts. Sie hatte mit beiden Händen fest seinen Hals umfangen. Felix trank den Duft ihres Haares. Wie betete er sie an! Ja, noch ein paar Tage des Glücks und dann —

Ringsum war es still geworden, und Marie war an seiner Seite eingeschlummert. Längst war das Konzert zu Ende, und unter dem Fenster gingen noch die letzten Nachzügler des Festes laut redend und lachend vorbei. Und Felix dachte, wie sonderbar es sei, daß diese johlenden Menschen wohl dieselben waren, deren Gesang ihn so tief ergriffen hatte. Auch die letzten

Stimmen verklangen endlich vollends, und nun hörte er nur mehr das klagende Rauschen des Flusses. — Ja, noch ein paar Tage und Nächte und dann — Doch sie lebte zu gerne. Würde sie es je wagen? Sie brauchte aber nichts zu wagen, nicht einmal irgend etwas zu wissen. In irgend einer Stunde wird sie in seinen Armen eingeschlafen sein wie jetzt — und nicht mehr erwachen. Und wenn er dessen ganz sicher sein wird, — ja, dann kann auch er davon. Aber er wird ihr nichts sagen, sie lebt zu gerne! Sie bekäme Angst vor ihm, und er muß am Ende allein — Entsetzlich! Das beste wäre, jetzt gleich — — Sie schläft so gut! Ein fester Druck hier am Halse, und es ist geschehen. Nein, es wäre dumm! Noch steht ihm manche Stunde der Seligkeit bevor; er wird wissen, welche die letzte zu sein hat. Er betrachtete Marie, und ihm war, als hielte er seine schlafende Sklavin in den Armen. —

Der Entschluß, den er endlich gefaßt hatte, beruhigte ihn. Ein schadenfrohes Lächeln spielte um seine Lippen, wenn er in den nächsten Tagen mit Marie in den Straßen herumwandelte und ab und zu eines Mannes Auge sie bewundernd streifen sah. Und wenn sie zusammen spazieren fuhren, wenn sie des Abends im Garten saßen, und des Nachts, wenn er sie umschlungen hielt, da hatte er ein so stolzes Gefühl des Besitzes wie nie zuvor. Nur eines störte ihn manchmal, daß sie nicht freiwillig mit ihm davon sollte. Aber er hatte Zeichen dafür, daß ihm auch das gelingen würde. Sie wagte nicht mehr, sich gegen sein stürmisches Begehren aufzulehnen, sie war niemals von so träumerischer Hingebung gewesen wie in den letzten Nächten, und mit zitternder Freude sah er den Augenblick nahen, wo er es wagen dürfte, ihr zu sagen: „Heute werden wir sterben." Aber er verschob diesen Augenblick. Er hatte zuweilen ein Bild vor sich in romantischen Farben: wie er ihr den Dolch ins Herz stoßen wollte und wie sie, den letzten Seufzer aushauchend, seine geliebte Hand küssen würde. Er fragte sich immer, ob sie wohl schon so weit wäre. Aber daran mußte er noch zweifeln.

Eines Morgens, als Marie aufwachte, erschrak sie heftig: Felix war nicht an ihrer Seite. Sie richtete sich im Bette auf, und da sah sie ihn im Lehnstuhle am Fenster sitzen, totenblaß, den Kopf herabgesunken und das Hemd über der Brust offen. Von einer wütenden Angst ergriffen, stürzte sie zu ihm hin. „Felix!"

Er schlug die Augen auf. „Was? Wie?" Er griff sich an die Brust und stöhnte.

„Warum hast du mich nicht geweckt?" rief sie mit gerungenen Händen.

„Jetzt ist's ja gut," sagte er. Sie eilte zum Bett hin, nahm die Decke und breitete sie über seine Knie. „Ja, sag, um Himmels willen, wie kommst du nur her?"

„Ich weiß nicht, ich muß geträumt haben. Irgend was packte mich am Hals. Ich konnte nicht atmen. Ich dachte gar nicht an dich! Hier beim Fenster wurde es besser."

Marie hatte rasch ein Kleid umgeworfen und das Fenster geschlossen. Ein unangenehmer Wind hatte sich erhoben, und nun begann von dem grauen Himmel ein feiner Regen herunterzurieseln, der eine Luft von tückischer Feuchtigkeit in die Stube brachte. Die hatte mit einem Male alle Traulichkeit der Sommernacht verloren, war grau und fremd. Ein trostloser Herbstmorgen war mit einem Male da, der allen Zauber weghöhnte, den sie da hereingeträumt hatten.

Felix war vollkommen ruhig. „Warum machst du so erschreckte Augen? Was ist denn weiter? Böse Träume hab' ich auch in gesunden Tagen gehabt."

62

Sie ließ sich nicht beruhigen. „Ich bitte dich, Felix, fahren wir zurück, fahren wir nach Wien."

„Aber —"

„Es ist nun sowieso mit dem Sommer aus. Schau nur da hinaus, wie öd, wie trostlos! Es ist auch gefährlich, wenn es nun kalt wird."

Er hörte aufmerksam zu. Zu seinem eigenen Erstaunen hatte er gerade jetzt eine ganz wohlige Empfindung, wie die eines ermüdeten Rekonvaleszenten. Sein Atem ging leicht, und in der Mattigkeit, die ihn umhüllte, war etwas Süßes, Einlullendes. Daß sie die Stadt verlassen sollten, leuchtete ihm vollkommen ein. Der Gedanke an die Ortsveränderung hatte eher etwas Sympathisches für ihn. Er freute sich darauf, im Kupee zu liegen an dem kühlen Regentage, den Kopf an Mariens Brust.

„Gut," sagte er, „fahren wir weg."

„Heute noch?"

„Ja, heute noch. Mit dem Mittagsschnellzug, wenn du willst."

„Aber wirst du nicht müde sein?"

„Ach, was fällt dir ein! Ist doch keine Strapaze, die Reise! Wie? Und du besorgst doch alles, was mir das Reisen zuwider macht, nicht wahr?"

Sie war unendlich froh, ihn so leicht zur Abreise vermocht zu haben. Gleich machte sie sich daran, zu packen, besorgte die Bezahlung der Rechnung, bestellte den Wagen und ließ auf der Bahn ein Kupee reservieren. Felix hatte sich bald angekleidet, verließ das Zimmer nicht und lag den ganzen Vormittag auf dem Diwan ausgestreckt. Er sah Marie zu, wie sie geschäftig im Zimmer hin und her eilte, und lächelte zuweilen. Meistens aber schlummerte er. Er war so matt, so matt, und wenn er die Augen auf sie richtete, freute er sich, daß sie mit ihm bleiben werde, überall, und wie sie zusammen ruhen wollten, das ging ihm wie im Traume durch den Kopf. „Bald, bald," dachte er. Und eigentlich war es ihm nie so fern erschienen.

Und so, wie er sich's in der Frühe vorgestellt hatte, lag Felix nachmittags im Kupee des Zuges, bequem der Länge nach ausgestreckt, den Kopf an Mariens Brust, den Plaid über sich gebreitet. Er starrte durch die geschlossenen Fensterscheiben in den grauen Tag hinaus, er sah den Regen herunterrieseln und tauchte mit seinem Blick in den Nebel unter, aus dem zuweilen nahe Hügel und Häuser hervorkamen. Telegraphenstangen schossen vorbei, die Drähte tanzten auf und nieder, ab und zu hielt der Zug auf einer Station, aber in seiner Lage konnte Felix die Leute nicht sehen, die auf dem Perron sein mochten. Er hörte nur gedämpft die Tritte, die Stimmen, dann Glockengeläute und Trompetensignale. Anfangs ließ er sich von Marie die Zeitung vorlesen, aber sie mußte ihre Stimme zu sehr anstrengen, und bald gaben sie's auf. Beide waren froh, daß es nach Hause ging.

Es dämmerte, und der Regen rieselte. Felix hatte das Bedürfnis, sich vollkommen klar zu werden; aber seine Gedanken wollten keine scharfen Umrisse gewinnen. Er überlegte. Also hier liegt ein schwerkranker Mensch ... Der war jetzt im Gebirge, weil dort die schwerkranken Menschen im Sommer hingehen ... Und da ist seine Geliebte, und die hat ihn treu gepflegt, und nun ist sie müde davon ... So blaß ist sie, oder macht das nur das Licht? ... Ach ja, die Lampe brennt ja schon da oben. Aber draußen ist's noch nicht ganz dunkel .. Und nun kommt der Herbst ... Der Herbst ist so traurig und still ... Heute abend werden wir wieder in unserem Wiener Zimmer sein .. Da wird es mir vorkommen, als wäre ich nie weggewesen ... Ach, es ist gut, daß Marie schläft, ich möchte sie jetzt nicht reden hören ... Ob wohl auch Leute vom Sängerfest im Zuge sind? ... Ich bin nur müde, ich bin gar nicht krank. Es sind viel Kränkere im Zuge als ich ... Ach, tut die Einsamkeit wohl ... Wie ist nur heut der ganze Tag vergangen? War denn das wirklich heute, daß ich in Salzburg auf dem Divan lag? Das ist so lange her ... Ja, Zeit und Raum, was wissen wir davon! ... Das Rätsel der Welt, — wenn wir sterben, lösen wir es vielleicht ... Und nun klang ihm eine Melodie ins Ohr. Er wußte, daß es nur das Geräusch des fahrenden Zuges war ... Und doch war es eine Melodie ... Ein Volkslied ... ein russisches ... eintönig ... sehr schön ...

„Felix, Felix!"

„Was ist nur das?" Marie stand vor ihm und streichelte seine Wangen.

„Gut geschlafen, Felix?"

„Was gibt es denn?"

„In einer Viertelstunde sind wir in Wien."

„Ach, nicht möglich!"

„Das war ein gesunder Schlaf. Der wird dir sehr gut getan haben."

Sie ordnete das Gepäck, der Zug sauste durch die Nacht weiter. Von Minute zu Minute ertönte helles, gedehntes Pfeifen, und durch die Scheiben blitzte von draußen rasch wieder verglimmender Lichtschein. Man fuhr durch die Stationen in der Nähe Wiens.

Felix setzte sich auf. „Ich bin ganz matt von dem langen Liegen," sagte er. Er setzte sich in die Ecke und schaute zum Fenster hinaus. Da konnte er schon von ferne die schimmernden Straßen der Stadt erblicken. Der Zug fuhr langsamer. Marie öffnete das Kupeefenster und beugte sich hinaus. Man fuhr in die Halle ein. Marie winkte mit der Hand hinaus.

gewesen . . . Ach, es ist gut, daß Marie schläft, ich möchte sie jetzt nicht reden hören . . . Ob wohl auch Leute vom Sängerfest im Zuge sind ? . . . Ich bin nur müde, ich bin gar nicht krank. Es sind viel Kränkere im Zuge als ich . . . Ach, tut die Einsamkeit wohl . . . Wie ist nur heut der ganze Tag vergangen ? War denn das wirklich heute, daß ich in Salzburg auf dem Divan lag ? Das ist so lange her . . . Ja, Zeit und Raum, was wissen wir davon ! . . . Das Rätsel der Welt, — wenn wir sterben, lösen wir es vielleicht . . . Und nun klang ihm eine Melodie ins Ohr. Er wußte, daß es nur das Geräusch des fahrenden Zuges war . . . Und doch war es eine Melodie . . . Ein Volkslied . . . ein russisches . . . eintönig . . . sehr schön . . .

„Felix, Felix!"

„Was ist nur das ?" Marie stand vor ihm und streichelte seine Wangen.

„Gut geschlafen, Felix ?"

„Was gibt es denn ?"

„In einer Viertelstunde sind wir in Wien."

„Ach, nicht möglich!"

„Das war ein gesunder Schlaf. Der wird dir sehr gut getan haben."

Sie ordnete das Gepäck, der Zug sauste durch die Nacht weiter. Von Minute zu Minute ertönte helles, gedehntes Pfeifen, und durch die Scheiben blitzte von draußen rasch wieder verglimmender Lichtschein. Man fuhr durch die Stationen in der Nähe Wiens.

Felix setzte sich auf. „Ich bin ganz matt von dem langen Liegen," sagte er. Er setzte sich in die Ecke und schaute zum Fenster hinaus. Da konnte er schon von ferne die schimmernden Straßen der Stadt erblicken. Der Zug fuhr langsamer. Marie öffnete das Kupeefenster und beugte sich hinaus. Man fuhr in die Halle ein. Marie winkte mit der Hand hinaus.

Dann wandte sie sich zu Felix und rief: „Da ist er, da ist er."

„Wer?"

„Alfred!"

„Alfred?"

Sie winkte immer wieder mit der Hand. Felix war aufgestanden und sah ihr über die Schultern. Alfred näherte sich rasch dem Kupee und reichte Marie die Hand hinauf. „Grüß' euch Gott! Felix, Servus."

„Wie kommst du denn her?"

„Ich hab' ihm telegraphiert," sagte Marie rasch, „daß wir ankommen."

„Bist mir überhaupt ein netter Freund," sagte Alfred, „das Briefschreiben ist für dich wohl eine unbekannte Erfindung. Aber jetzt komm'!"

„Ich hab' so viel geschlafen," sagte Felix, „daß ich noch ganz duselig bin." Er lächelte, wie er die Stufen des Waggons hinunterging und ein wenig wankte.

Alfred nahm seinen Arm, und Marie, als wollte sie sich einhängen, nahm rasch seinen anderen.

„Ihr werdet wohl beide recht müde sein, wie?"

„Ich bin ganz kaput," sagte Marie. „Nicht wahr, Felix, man ist ganz gerädert von der dummen Eisenbahnfahrt?"

Sie stiegen langsam die Treppen hinunter. Marie suchte den Blick Alfreds, er vermied den ihren. Unten winkte er einen Wagen herbei. „Ich bin nur froh, daß ich dich gesehen habe, lieber Felix," sagte er dann. „Morgen früh komme ich zu dir auf einen längeren Plausch."

„Ich bin ganz duselig," wiederholte Felix. Alfred wollte ihm in den Wagen helfen. „Oh, so arg ist es nicht, oh nein!" Er stieg ein und reichte Marie die Hand. „Siehst du?" Marie folgte ihm.

„Also auf morgen," sagte sie, indem sie Alfred

durchs Wagenfenster die Hand zum Abschied reichte. Aus ihrem Blick sprach solche fragende Angst, daß sich Alfred zu einem Lächeln zwang. „Ja, morgen," rief er, „ich frühstücke mit euch!" Der Wagen fuhr davon. Alfred blieb noch eine Weile mit ernster Miene stehen. „Mein armer Freund!" flüsterte er vor sich hin.

Am nächsten Morgen kam Alfred zu sehr früher Stunde, und Marie empfing ihn bei der Türe. „Ich muß mit Ihnen sprechen," sagte sie.

„Lassen Sie mich lieber zu ihm. Wenn ich ihn untersucht habe, wird alles, was wir zu sprechen haben, mehr Sinn haben."

„Ich möchte Sie nur um eins bitten, Alfred! Wie immer Sie ihn finden, ich beschwöre Sie, sagen Sie ihm nichts!"

„Aber was fällt Ihnen nur ein! Na, es wird ja nicht so schlimm sein. Schläft er noch?"

„Nein, er ist wach."

„Wie war die Nacht?"

„Er hat bis vier Uhr morgens fest geschlafen. Dann war er unruhig."

„Lassen Sie mich zuerst allein zu ihm. Sie müssen in dieses kleine, blasse Gesicht ein bißchen Frieden bringen. So dürfen Sie mir nicht zu ihm." Er drückte ihr lächelnd die Hand und trat allein ins Schlafzimmer.

Felix hatte die Decke bis übers Kinn gezogen und nickte seinem Freunde zu. Dieser setzte sich zu ihm aufs Bett und sagte: „Da wären wir ja wieder glücklich zu Hause. Du hast dich ja famos erholt und hoffentlich deine Melancholie in den Bergen gelassen."

„Oh ja!" antwortete Felix, ohne die Miene zu verziehen.

„Willst du dich nicht ein bißchen aufsetzen? So frühe Besuche mach' ich nämlich nur als Arzt."

„Bitte," sagte Felix ganz gleichgültig.

Alfred untersuchte den Kranken, stellte einige Fragen, die kurz beantwortet wurden, und sagte schließlich: „Na, so weit können wir ja zufrieden sein."

„Laß doch den Schwindel," entgegnete Felix verdrossen.

„Laß du lieber deine Narrheiten. Wir wollen die Sache einmal energisch angreifen. Du mußt den Willen haben, gesund zu werden und dich nicht auf den Schicksalsergebenen hinausspielen. Das steht dir nämlich gar nicht gut."

„Was hab' ich also zu tun?"

„Vor allem wirst du mir ein paar Tage im Bett bleiben, verstanden?"

„Hab' sowieso keine Lust zum Aufstehen."

„Um so besser."

Felix wurde lebhafter. „Eins nur möcht' ich wissen. Was das eigentlich gestern mit mir war. Im Ernst, Alfred, das mußt du mir erklären. Wie ein dumpfer Traum ist mir alles. Die Fahrt in der Bahn und die Ankunft, wie ich da herauf und ins Bett gekommen bin —"

„Was ist denn daran zu erklären? Ein Riese bist du nun einmal nicht, und wenn man übermüdet ist, kann einem das schon passieren!"

„Nein, Alfred. So eine Mattigkeit wie die gestrige ist mir etwas ganz Neues. Heut bin ich ja auch noch müde. Aber ich habe die Klarheit des Denkens wieder. Gestern war es gar nicht so unangenehm, aber die Erinnerung daran ist mir entsetzlich. Wenn ich daran denke, daß wieder so etwas über mich kommen könnte —!"

In diesem Augenblick trat Marie ins Zimmer.

„Bedanke dich bei Alfred," sagte Felix. „Er ernennt dich zur Krankenwärterin. Ich muß von heute an liegen bleiben und habe die Ehre, dir hiermit mein Sterbebett vorzustellen."

Marie machte ein entsetztes Gesicht.

„Lassen Sie sich von diesem Narren nicht den Kopf verdrehen," sagte Alfred. „Er hat einige Tage liegen zu bleiben, und Sie werden so gut sein, auf ihn acht zu geben."

„Ach, hättest du eine Ahnung, Alfred," rief Felix mit ironisierender Begeisterung, „was ich für einen Engel an meiner Seite habe."

Alfred gab nun weitläufige Vorschriften über die Art und Weise, wie sich Felix zu pflegen und zu verhalten habe, und sagte endlich: „Ich erkläre dir hiermit, mein lieber Felix, daß ich dir nur jeden zweiten Tag meinen ärztlichen Besuch machen werde. Mehr ist nicht vonnöten. An den anderen Tagen wird über deinen Zustand kein Wort gesprochen. Da komme ich, um mit dir zu plaudern, wie ich's gewohnt bin."

„Ach Gott," rief Felix, „was ist der Mann für ein Psycholog. Aber hebe dir diese Mätzchen für deine anderen Patienten auf, besonders diese ganz primitiven."

„Mein lieber Felix, ich rede zu dir, Mann zu Mann. Hör' mir einmal zu. Es ist wahr, du bist krank. Es ist aber ebenso wahr: bei ordentlicher Pflege wirst du genesen. Ich kann dir weder mehr, noch weniger sagen." Damit stand er auf.

Felix folgte ihm mit mißtrauischem Blick. „Man wäre fast versucht, ihm zu glauben."

„Das ist deine Sache, lieber Felix," erwiderte der Doktor kurz.

„Nun, Alfred, jetzt hast du dir's wieder verdorben", sagte der Kranke. „Dieser brüske Ton gegenüber Schwerkranken — bekannter Tric."

„Auf morgen," sagte Alfred, indem er sich der Tür zuwandte. Marie folgte ihm, wollte ihn hinausbegleiten. „Dableiben," flüsterte er ihr gebietend zu. Sie schloß die Tür hinter dem Weggehenden.

„Komm' zu mir, Kleine!" sagte Felix, wie sie, ein heiteres Lächeln markierend, sich auf dem Tische mit Nähzeug zu schaffen machte. „Ja, daher. So, du bist ein braves, braves, sehr braves Mädel." Diese zärtlichen Worte sprach er mit einem herben, scharfen Ton.

Marie wich die nächsten Tage nicht von seinem Bett und war voll Güte und Hingebung; dabei leuchtete aus ihrem Wesen eine ruhige und ungezierte Heiterkeit, die dem Kranken wohltun sollte und zuweilen auch wirklich wohltat. In manchen Stunden aber reizte ihn die milde Fröhlichkeit, die Marie um ihn zu breiten suchte, und wenn sie da zu plaudern anfing von irgendeiner Neuigkeit, die eben in der Zeitung stand, oder von dem besseren Aussehen, das sie an ihm merkte, oder von der Art und Weise, wie sie nun bald ihr Leben einrichten würden, sobald er erst ganz gesund wäre, da unterbrach er sie mitunter, bat sie, ihn gefälligst in Frieden zu lassen und ihn zu verschonen. Alfred kam täglich, zuweilen auch zweimal, schien sich aber kaum je um das körperliche Befinden seines Freundes zu kümmern. Er sprach von gemeinschaftlichen Freunden, erzählte Geschichten aus dem Krankenhause und ließ sich auch auf künstlerische und literarische Gespräche ein, wobei er es aber einzurichten wußte, daß Felix nicht allzu viel zu reden genötigt war. Beide, die Geliebte und der Freund, gaben sich so unbefangen, daß Felix manchmal mit Mühe die kühnen Hoffnungen abwehren konnte, die zudringlich über ihn kamen. Er sagte sich, daß es ja nur die Pflicht jener beiden sei, ihm die Komödie vorzuspielen, die eben gegenüber Schwerkranken seit jeher mit wechselndem Glück gespielt wird. Aber wenn er auch vermeinte, nur auf ihre Komödie einzugehen und selber mitzuspielen, so ertappte er sich doch wiederholt darauf, daß er von der Welt und den Menschen plauderte, als sei es ihm bestimmt, noch viele Jahre im Licht der Sonne unter den Lebendigen zu wandeln. Und dann erinnerte er sich, daß gerade dieses seltsame Wohlgefühl bei Kranken seiner Art oft als Zeichen des nahen Endes gelten sollte, und wies alle Hoffnung erbittert von sich. Und es kam sogar so weit, daß er unbestimmte Angstgefühle und düstere Stimmungen als Zustände von günstiger Bedeutung aufnahm und nahe daran war, sich über dieselben zu freuen. Dann entdeckte er wieder, wie unsinnig diese Art Logik wäre, — um schließlich einzusehen, daß es hier überhaupt kein Wissen und keine Gewißheit gäbe. Seine Lektüre hatte er wieder aufgenommen, fand aber an den Romanen keinen Gefallen; sie langweilten ihn, und manche, besonders solche, wo sich weite Blicke in ein blühendes und ereignisreiches Dasein auftaten, verstimmten ihn tief. Er wandte sich den Philosophen zu und ließ sich von Marie Schopenhauer und Nietzsche aus dem Bücherschrank geben. Aber nur für kurze Zeit strahlte diese Weisheit ihren Frieden über ihn aus.

Eines Abends traf ihn Alfred an, wie er eben einen Band Schopenhauer auf seine Bettdecke hatte sinken lassen und mit verdüsterter Miene vor sich hinschaute. Marie saß neben ihm mit einer Handarbeit beschäftigt.

„Ich will dir was sagen, Alfred," rief er dem Eintretenden mit fast erregter Stimme entgegen. „Ich werde doch wieder Romane lesen."

„Was gibt es denn?"

„Es ist wenigstens eine aufrichtige Fabelei. Gut oder schlecht, von Künstlern oder Stümpern. Diese Herren da aber," und er wies mit den Augen auf den Band, der auf der Decke lag, „sind niederträchtige Poseure."

„Oh!"

Felix richtete sich im Bette auf. „Das Leben verachten, wenn man gesund ist wie ein Gott, und dem Tod ruhig ins Auge schauen, wenn man in Italien spazieren fährt und das Dasein in den buntesten Farben ringsum blüht, — das nenn' ich ganz einfach Pose. Man sperre einmal so einen Herren in eine Kammer, verurteile ihn zu Fieber und Atemnot, sage ihm, zwischen dem 1. Januar und 1. Februar nächsten Jahres werden Sie begraben sein, und lasse sich dann etwas von ihm vorphilosophieren."

„Geh' doch!" sagte Alfred. „Was sind das für Paradoxe!"

„Das verstehst du nicht. Das kannst du nicht verstehen! Mich widert's geradezu an. Alle sind sie Poseure!"

„Und Sokrates?"

„War ein Komödiant. Wenn man ein natürlicher Mensch ist, so hat man vor dem Unbekannten Angst; bestenfalls kann man sie verbergen. Ich will dir's ganz ehrlich sagen. Man fälscht die Psychologie der Sterbenden, weil sich alle weltgeschichtlichen Größen, deren Tod man kennt, verpflichtet gefühlt haben, für die Nachwelt eine Komödie aufzuführen. Und ich! Was tu' ich denn? Was? Wenn ich da ruhig mit euch rede von allen möglichen Dingen, die mich nichts mehr angehen, was tu' ich denn?"

„Geh, red' nicht so viel, insbesondere solchen Unsinn."

„Auch ich fühle mich verpflichtet, mich zu verstellen, und in Wirklichkeit hab' ich doch eine grenzenlose, wütende Angst, von der sich gesunde Menschen keinen Begriff machen können, und Angst haben sie alle, auch die Helden und auch die Philosophen, nur daß sie eben die besten Komödianten sind."

„So beruhige dich doch, Felix," bat Marie.

„Ihr zwei glaubt wohl auch," fuhr der Kranke fort, „daß ihr der Ewigkeit ruhig ins Auge schaut, weil ihr eben noch keinen Begriff von ihr habt. Man muß verurteilt sein wie ein Verbrecher — oder wie ich, dann kann man darüber reden. Und der arme Teufel, der gefaßt unter den Galgen schreitet, und der große Weise, der Denksprüche erfindet, nachdem er den Schierlingsbecher geleert hat, und der gefangene Freiheitsheld, der lächelnd die Flinten auf seine Brust gerichtet sieht, sie alle heucheln, ich weiß es, — und ihre Fassung, ihr Lächeln ist Pose, denn sie alle haben Angst, gräßliche Angst vor dem Tode; die ist so natürlich wie das Sterben selbst!"

Alfred hatte sich ruhig aufs Bett gesetzt, und als Felix geendet, erwiderte er: „Für alle Fälle ist es unvernünftig von dir, daß du so viel und so laut sprichst. Zweitens bist du abgeschmackt wie die Möglichkeit und ein arger Hypochonder!"

„Es geht dir ja jetzt so gut," rief Marie aus.

„Glaubt sie das am Ende wirklich?" fragte Felix, zu Alfred gewendet. „Kläre sie doch endlich einmal auf, ja?"

„Lieber Freund," erwiderte der Doktor, „einer Aufklärung bist nur du hier bedürftig. Aber du bist heute widerspenstig, und ich muß darauf verzichten. In zwei bis drei Tagen, wenn du inzwischen keine längeren Reden halten solltest, wirst du wohl aufstehen können, und dann wollen wir auch über deinen Gemütszustand eine ordentliche Beratung halten."

„Wenn ich dich nur nicht so vollkommen durchschauen könnte," sagte Felix.

„Ja, ja, schon gut," erwiderte Alfred. „Machen Sie kein so gekränktes Gesicht," wandte er sich dann zu Marie. „Auch dieser Herr wird wieder einmal zur Vernunft kommen. Jetzt sagt mir aber einmal, warum ist denn kein Fenster offen? Draußen ist ja der schönste Herbsttag, den man sich denken kann."

Marie stand auf und öffnete ein Fenster. Eben begann es zu dunkeln, und die hereinbrechende Luft war so erfrischend, daß Marie das Verlangen empfand, sich länger von ihr umschmeicheln zu lassen. Sie blieb beim Fenster stehen und beugte den Kopf hinaus. Ihr war mit einem Male, als hätte sie das Zimmer selbst verlassen. Sie fühlte sich im Freien und allein. Schon viele Tage hatte sie keine so angenehme Empfindung gehabt. Nun, wie sie den Kopf wieder zurück ins Zimmer wandte, strömte ihr die ganze Dumpfheit der Krankenstube entgegen und legte sich ihr beklemmend auf die Brust. Sie sah, wie Felix und Alfred miteinander sprachen, konnte die Worte nicht genau hören, hatte aber auch gar kein Bedürfnis, sich an dem Gespräche zu beteiligen. Wieder lehnte sie sich hinaus. Die Gasse war ziemlich still und leer, und nur von der nahegelegenen Hauptstraße hörte man ein gedämpftes Wagenrollen. Ein paar Spaziergänger wanderten gemächlich drüben auf dem Trottoir. Vor dem Haustore gegenüber standen ein paar Dienstmädchen, die plauschten und lachten. Eine junge Frau im Hause gegenüber schaute wie Marie selbst zum Fenster hinaus. Marie konnte in diesem Augenblicke nicht begreifen, warum die Frau nicht lieber spazieren ginge. Sie beneidete alle Menschen, alle waren glücklicher als sie.

Weiche, behagliche Septembertage zogen ins Land. Die Abende kamen früh, blieben aber warm und windstill.

Marie hatte die Gewohnheit angenommen, ihren Stuhl vom Bette des Kranken wegzurücken, so oft es anging, und sich ans offene Fenster zu setzen. Da saß sie, besonders wenn Felix schlummerte, stundenlang. Eine tiefe Abspannung war über sie gekommen, eine Unfähigkeit, sich über die Verhältnisse vollkommen klar zu werden, ja eine ausgesprochene Unlust, zu denken. Es gab ganze Stunden, wo es weder Erinnerungen, noch Zukunftsideen für sie gab. Mit offenen Augen träumte sie da vor sich hin und war schon zufrieden, wenn von der Straße her ein bißchen frische Luft über ihre Stirne geweht kam. Dann wieder, wenn ein leises Stöhnen vom Krankenbette zu ihr hindrang, schrak sie auf. Sie entdeckte, wie ihr die Gabe des Mitfühlens allmählich abhanden gekommen war. Ihr Mitleid war nervöse Überreizung und ihr Schmerz ein Gemisch von Angst und Gleichgültigkeit geworden. Sie hatte sich gewiß nichts vorzuwerfen, und wenn sie der Doktor, wie neulich einmal, in vollem Ernst einen Engel nannte, so durfte sie sich kaum beschämt fühlen. Aber sie war müde, grenzenlos müde. Nun hatte sie schon zehn oder zwölf Tage das Haus nicht verlassen. Warum nur? Warum? Sie mußte darüber nachdenken. Nun ja, fuhr es ihr wie eine Erleuchtung durch den Kopf, weil es Felix gekränkt hätte! Und sie blieb ja gern bei ihm, ja. Sie betete ihn an, nicht weniger als früher. Nur müde war sie, und das war ja endlich menschlich. Und ihre Sehnsucht nach ein paar Stunden im Freien wurde immer drängender. Sie war kindisch, sich die Erfüllung zu versagen. Auch er mußte es schließlich einsehen. Und nun wurde ihr wieder klar, wie unbegrenzt sie ihn doch lieben mußte, da sie selbst den ungewissen Schatten einer Kränkung von ihm fernhalten wollte. Sie hatte ihr Nähzeug zur Erde gleiten lassen und warf einen Blick auf das Bett, das schon ganz im Dunkel der Zimmerwand stand. Es war Dämmerung,

und der Kranke war nach einem ruhigeren Tage eingeschlummert. Jetzt hätte sie sogar gehen können,
ohne daß er etwas davon wissen mußte. Ach ja, da
hinunter, und dort um die Ecke, und wieder einmal
mitten unter Menschen und in den Stadtpark und dann
auf den Ring und an der Oper vorbei, wo die elek-
trischen Lampen leuchteten, mitten ins Gedränge,
und nach Gedränge sehnte sie sich so sehr. Aber wann
würde das wiederkommen? Es kann ja nur wieder
kommen, wenn Felix wieder gesund wird; und was
ist ihr auch die Straße und der Park und die Menschen!
was ist ihr alles Leben ohne ihn!

Sie blieb zu Hause. Sie rückte ihren Sessel an sein
Bett. Sie nahm die Hand des Schlummernden und
weinte stille, traurige Tränen darauf und weinte noch
weiter, wie sie längst mit ihren Gedanken weitab von
dem Manne gekommen war, auf dessen bleiche Hand
ihre Tränen fielen.

Als Alfred am Nachmittage darauf seinen Besuch
bei Felix machte, fand er ihn frischer, als die
letzten Tage. „Wenn es so weiter geht," sagte er ihm,
„werd' ich dich in ein paar Tagen aufstehen lassen."
Wie alles, was zu ihm gesprochen wurde, faßte der
Kranke auch das mit Mißtrauen auf und antwortete mit
einem verdrossenen „Ja, ja". Alfred aber kehrte sich
zu Marie um, die beim Tische saß, und sprach: „Sie
könnten eigentlich auch ein bißchen besser aussehen."

Auch Felix, der auf diese Worte hin Marie näher
betrachtete, fiel ihre besondere Blässe auf. Er war es
gewohnt, die Gedanken, die ihm zuweilen über ihre
aufopfernde Güte kamen, bald von sich zu scheuchen.
Manchmal wollte ihm dieses Märtyrertum nicht vollkommen echt erscheinen, und er ärgerte sich über die
geduldige Miene, die sie zur Schau trug. Er wünschte

manchmal, sie möchte ungeduldig werden. Er spähte nach einem Moment, in dem sie sich mit einem Worte, mit einem Blick verraten würde und er ihr mit boshafter Rede ins Gesicht schleudern könnte, daß er sich keine Minute lang habe täuschen lassen, daß ihn ihre Heuchelei anwiderte und daß sie ihn in Ruhe sterben lassen sollte.

Jetzt, da Alfred von ihrem Aussehen gesprochen hatte, errötete sie ein wenig und lächelte. „Ich fühle mich ganz wohl", sagte sie.

Alfred trat näher zu ihr hin. „Nein, das ist nicht so einfach. Ihr Felix wird wenig von seiner Genesung haben, wenn Sie dann krank werden wollen."

„Aber ich bin wirklich ganz wohl."

„Sagen Sie doch, gehen Sie gar nicht ein bißchen in die frische Luft?"

„Ich fühle nicht das Bedürfnis darnach."

„Sag' doch einmal, Felix, sie rührt sich gar nicht weg von dir?"

„Du weißt ja," sagte Felix, „sie ist ein Engel."

„Aber entschuldigen Sie, Marie, das ist ja ganz einfach dumm. Es ist nutzlos und kindisch, sich in dieser Weise aufzureiben. Sie müssen in die Luft. Ich erkläre, daß es notwendig ist."

„Aber was wollen Sie denn von mir?" sagte Marie mit schwachem Lächeln, „ich sehne mich durchaus nicht darnach."

„Das ist vollkommen gleichgültig. Ist auch schon ein schlechtes Zeichen, daß Sie sich nicht danach sehnen. Sie werden heute noch hinaus. Setzen Sie sich doch auf eine Stunde in den Stadtpark. Oder, wenn Ihnen das unangenehm ist, nehmen Sie sich einen Wagen und fahren Sie spazieren, in den Prater zum Beispiel. Es ist jetzt herrlich unten."

„Aber —"

„Es gibt kein Aber. Wenn Sie's so weiter treiben und ganz Engel sind, so ruinieren Sie sich. Ja, schauen Sie nur einmal da in den Spiegel hinein. Sie ruinieren sich."

Felix verspürte, wie Alfred diese Worte sagte, einen stechenden Schmerz im Herzen. Eine verbissene Wut wühlte in ihm. Er glaubte, in Mariens Zügen einen Ausdruck bewußten Duldens wahrzunehmen, der nach Mitleid verlangte; und wie eine Wahrheit, an der zu rütteln vermessen wäre, zuckte es ihm durchs Gehirn, daß ja dieses Weib verpflichtet sei, mit ihm zu leiden, mit ihm zu sterben. Sie ruiniert sich; nun ja, selbstverständlich. Hatte sie vielleicht die Absicht, rote Wangen und glühende Augen zu behalten, während er seinem Ende zueilte? Und glaubt Alfred wirklich, daß dieses Weib, welches seine Geliebte ist, das Recht hat, über die Stunde hinauszudenken, die seine letzte sein wird? Und wagt vielleicht sie selbst —

Mit begierigem Zorne studierte Felix den Ausdruck in Mariens Antlitz, während der Doktor in unmutiger Rede das früher Gesagte immer und immer wiederholte. Endlich ließ er sich von Marie das Versprechen geben, daß sie heute noch ins Freie wolle, und erklärte ihr, daß die Erfüllung dieses Versprechens geradeso zu ihren Wartepflichten gehörte, wie alle anderen. „Weil ich überhaupt nicht mehr rechne", dachte Felix. „Weil man eben den verkommen läßt, der ja so wie so verloren ist." Er reichte Alfred ganz nachlässig die Hand, als dieser endlich ging. Er haßte ihn.

Marie begleitete den Doktor nur bis zur Zimmertür und kehrte gleich zu Felix zurück. Dieser lag mit zusammengepreßten Lippen da, eine tiefe Zornesfalte auf der Stirne. Marie verstand ihn, sie verstand ihn so ganz. Sie beugte sich zu ihm und lächelte. Er

atmete, er wollte sprechen, wollte ihr irgend eine un-
erhörte Beleidigung ins Gesicht schleudern. Ihm war,
als hätte sie das verdient. Sie aber, mit der Hand über
seine Haare streichend und immer das müde, geduldige
Lächeln in den Zügen, flüsterte, ganz nahe seinen
Lippen, zärtlich: „Ich geh' ja nicht."
Er erwiderte nichts. Den ganzen, langen Abend
bis tief in die Nacht hinein blieb sie an seinem Bette
sitzen und schlief endlich auf ihrem Sessel ein.

Als Alfred am darauffolgenden Tage kam, versuchte Marie ein Gespräch mit ihm zu vermeiden. Doch schien er heute an ihrem Aussehen
kein Interesse zu nehmen und beschäftigte sich nur
mit Felix. Er sprach aber nichts von baldigem Aufstehen, und den Kranken hielt eine Scheu ab, ihn zu
fragen. Er fühlte sich heute schwächer als die vorhergegangenen Tage. Es war in ihm eine Unlust, zu
sprechen, wie noch nie, und er war froh, als ihn der
Doktor verlassen hatte. Auch auf Mariens Fragen gab
er kurze und mißmutige Antworten. Und als sie ihn
nach stundenlangem Schweigen am Spätnachmittage
wieder fragte: „Wie geht's dir jetzt?" entgegnete er:
„Ist ja gleichgültig." Er hatte die Arme über den
Kopf verschränkt, schloß die Augen und schlummerte
bald ein. Marie weilte einige Zeit neben ihm, indem
sie ihn betrachtete, dann verschwammen ihre Gedanken,
und sie kam ins Träumen. Als sie nach einiger Zeit
wieder zu sich kam, spürte sie ein merkwürdiges Wohlbehagen ihre Glieder durchfließen, als wäre sie nach
einem gesunden, tiefen Schlafe erwacht. Sie erhob
sich und zog die Fenstervorhänge, die heruntergelassen
waren, in die Höhe. Es war, als hätte sich heute in
die enge Straße von dem nahen Park ein Duft ver-
späteter Blüten verirrt. So herrlich war ihr die Luft

nie erschienen, die nun ins Zimmer flutete. Sie sah sich nach Felix um, der lag schlafend dort wie früher und atmete ruhig. Sonst war es in solchen Augenblicken wie Rührung über sie gekommen, die sie ins Zimmer bannte, über ihr ganzes Wesen eine träge Schwermut verbreitete. Heute blieb sie ruhig, freute sich, daß Felix schlummerte, und faßte ohne inneren Kampf, so selbstverständlich, als geschehe es täglich, den Entschluß, auf eine Stunde ins Freie zu gehen. Sie ging auf den Fußspitzen in die Küche, gab der Bedienerin den Auftrag, im Krankenzimmer zu verweilen, nahm rasch Hut und Schirm und flog mehr, als sie ging, die Treppe hinunter. Da stand sie nun auf der Straße, und nach einem raschen Gang durch ein paar stille Gassen gelangte sie zum Parke und war froh, wie sie zu ihren Seiten Sträucher und Bäume und oben den dämmerblauen Himmel schaute, nach dem sie sich so lange gesehnt hatte. Sie setzte sich auf eine Bank, neben ihr und auch auf den Bänken in ihrer Nähe saßen Kindermädchen und Bonnen. In den Alleen spielten kleine Kinder. Da es aber zu dunkeln begann, war dieses Treiben seinem Ende nahe, die Mädchen riefen nach den Kleinen, nahmen sie wohl auch bei der Hand und verließen den Park. Bald war Marie fast allein, ein paar Leute kamen noch vorüber, ab und zu wandte sich ein Herr nach ihr um.

Also nun war sie da, war im Freien. Ja, wie war nun eigentlich alles? Es schien ihr nun der Moment gekommen, mit einem ungestörten Blick die Gegenwart zu überschauen. Für ihre Gedanken wollte sie deutliche Worte finden, die sie innerlich aussprechen konnte. Ich bin bei ihm, weil ich ihn liebe. Ich bringe kein Opfer, denn ich kann ja nicht anders. Und was soll nun werden? Wie lange wird es noch dauern? Es gibt keine Rettung. — Und was dann? — Was dann?

Ich hab einmal mit ihm sterben wollen. — Warum sind wir uns jetzt so fremd? — Er denkt nur mehr an sich. Möchte er denn auch noch mit mir sterben? Und da durchdrang sie die Gewißheit, daß er es wohl mochte. Aber es erschien ihr nicht das Bild eines zärtlichen Jünglings, der sie an seiner Seite betten mochte für die Ewigkeit. Nein, ihr war, als risse er sie zu sich nieder, eigensinnig, neidisch, weil sie nun einmal ihm gehörte.

Ein junger Mann hatte neben ihr auf der Bank Platz genommen und machte eine Bemerkung. Sie war so zerstreut, daß sie zuerst „Wie?" fragte. Dann aber stand sie auf und ging rasch fort. Im Parke wurden ihr die Blicke der Begegnenden unangenehm. Sie ging auf den Ring hinaus, winkte einen Wagen herbei und ließ sich spazieren fahren. Es war Abend geworden, sie lehnte sich bequem in die Ecke zurück und hatte ihre Freude an der angenehmen, mühelosen Bewegung und an den wechselnden, ins Zwielicht der Nacht und der flackernden Gasflammen getauchten Bildern, die an ihr vorüberzogen. Der schöne Septemberabend hatte eine große Menge auf die Straße gelockt. Als Marie am Volksgarten vorüberfuhr, hörte sie die frischen Töne einer Militärmusik herausklingen, und sie mußte unwillkürlich an jenen Abend in Salzburg zurückdenken. Vergeblich suchte sie sich zu überreden, daß all dieses Leben um sie etwas Nichtiges, Vergängliches sei, daß nichts daran gelegen wäre, daraus zu scheiden. Sie konnte das Wohlbehagen, das allmählich in sie zu dringen begann, nicht aus ihren Sinnen treiben. Ihr war nun einmal wohl. Daß dort das feierliche Theater stand mit seinen weißleuchtenden Bogenlampen, daß dort aus den Alleen des Rathausparkes die Leute gemächlich schlendernd über die Straße kamen, daß dort vor dem Kaffeehaus Leute saßen, daß es überhaupt Menschen gab, von deren Sorgen sie nichts wußte oder die vielleicht gar keine hatten; daß die Luft so milde und warm um sie strich, daß sie noch viele solche Abende, noch tausend herrliche Tage und Nächte schauen durfte, daß ein Gefühl lebensfreudiger Gesundheit durch ihre Adern floß, das alles tat ihr wohl. Wie? Wollte sie sich's vielleicht zum Vorwurf machen, daß sie nach ungezählten Stunden tödlicher Abspannung auf eine Minute sozusagen zu sich kam? War es nicht ihr gutes Recht, ihrer Existenz überhaupt nur inne zu werden? Sie war ja gesund, sie war jung, und von überall her, wie aus hundert Quellen auf einmal, rann die Freude des Daseins über sie. So natürlich war das, wie ihr Atem und der Himmel über ihr — und sie will sich dessen schämen? Sie denkt an Felix. Wenn ein Wunder geschieht und er gesund wird, wird sie gewiß mit ihm weiter leben. Sie denkt seiner mit einem milden, versöhnlichen Schmerz. Es ist bald Zeit, zu ihm zurückzukehren. Ist es ihm denn nur recht, wenn sie bei ihm ist? Würdigt er denn ihre Zärtlichkeit? Wie herb sind seine Worte! Wie stechend sein Blick! Und sein Kuß! Wie lange nur haben sie einander nicht geküßt! Sie muß an seine Lippen denken, die nun immer so blaß und trocken sind. Sie will ihn auch nur mehr auf die Stirne küssen. Seine Stirne ist kalt und feucht. Wie häßlich das Kranksein ist!

Sie lehnte sich in den Wagen zurück. Sie wandte ihre Gedanken mit Bewußtsein von dem Kranken ab. Und um nicht an ihn denken zu müssen, sah sie eifrig auf die Straße hinaus und betrachtete alles so genau, als müßte sie sich's fest ins Gedächtnis einprägen.

Felix schlug die Augen auf. Eine Kerze brannte neben seinem Bette und verbreitete ein schwaches Licht. Neben ihm saß die alte Frau, die Hände im Schoß, gleichgültig. Sie fuhr zusammen, als der Kranke sie anrief: „Wo ist sie?" Die Frau erklärte ihm, daß Marie weggegangen sei und gleich wiederkommen werde.

„Sie können gehen!" antwortete Felix. Und als die Angeredete zögerte: „Gehen Sie doch. Ich brauche Sie nicht."

Er blieb allein. Eine Unruhe, qualvoll wie nie zuvor, befiel ihn.

Wo ist sie, wo ist sie? Er hielt es im Bett kaum aus, aber er wagte es doch nicht, aufzustehen. Plötzlich fuhr es ihm durch den Kopf: Am Ende ist sie auf und davon! Sie will ihn allein lassen, für immer allein. Sie erträgt das Leben an seiner Seite nicht mehr. Sie fürchtet sich vor ihm. Sie hat in seinen Gedanken gelesen. Oder er hat einmal im Schlaf gesprochen und hat es laut gesagt, was immerwährend in der Tiefe seines Bewußtseins ruht, auch wenn er es tagelang selbst nicht deutlich faßt. Und sie will eben nicht mit ihm sterben. — Die Gedanken jagten durch sein Hirn. Das Fieber war da, das allabendlich zu kommen pflegte. Er hat ihr schon so lange kein freundliches Wort gesagt, vielleicht ist es nur das! Er hat sie mit seinen Launen gequält, mit seinem mißtrauischen Blicke, mit seinen bitteren Reden, und sie brauchte Dankbarkeit! — Nein, nein, nur Gerechtigkeit! Oh! Wenn sie nur da wäre! Er muß sie haben! Mit brennendem Schmerze erkennt er es: er kann sie nicht entbehren. Er wird ihr alles abbitten, wenn es sein muß. Er wird wieder zärtliche Augen auf ihr ruhen lassen und Worte tiefer Innigkeit für sie finden. Er wird durch keine Silbe verraten, daß er leidet. Er wird lächeln, wenn es sich ihm schwer auf die Brust legt. Er wird ihr die Hand küssen, wenn er nach Atem ringt. Er wird ihr erzählen, daß er Unsinn träumt, und was sie ihn im Schlafe reden hört, seien Fieberphantasien. Und er wird ihr schwören, daß er sie anbetet, daß er ihr ein langes, glückliches Leben gönnt, wünscht; sie soll nur bei ihm bleiben bis zuletzt, nur von seinem Bette soll sie nicht weichen, nicht allein sterben darf sie ihn lassen. Er wird ja der entsetzlichen Stunde in Weisheit und Frieden entgegensehen, wenn er nur weiß, daß sie bei ihm ist! Und diese Stunde kann so bald kommen, jeden Tag kann sie kommen. Darum muß sie immer bei ihm sein; denn er hat Angst, wenn er ohne sie ist.

Wo ist sie? Wo ist sie? Das Blut wirbelte ihm durch den Kopf, seine Augen wurden trübe, der Atem ging schwerer, und niemand war da. Ach, warum hatte er nur jenes Weib weggeschickt? Es war doch eine menschliche Seele. Nun war er hilflos, hilflos. Er richtete sich auf, er fühlte sich kräftiger, als er gedacht, nur der Atem, der Atem. Es war schrecklich, wie ihn das quälte. Er hielt es nicht aus, er sprang aus dem Bett und, kaum bekleidet, wie er war, zum Fenster hin. Da war Luft, Luft. Er tat ein paar tiefe Züge, wie war das gut! Er nahm den weiten Talar um, der über der Bettlehne hing, und sank auf einen Stuhl. Ein paar Sekunden lang verwirrten sich alle seine Gedanken, dann schoß immer der eine, immer derselbe blitzend hervor. Wo ist sie? Wo ist sie? Ob sie schon oftmals ihn so verlassen hat, während er schlief? Wer weiß? Wo mag sie da hingehen? Will sie nur auf ein paar Stunden dem Dunst der Krankenstube entfliehen, oder will sie ihm entfliehen, weil er krank ist? Ist ihr seine Nähe widerwärtig? Ängstigt sie sich vor den Schatten des Todes, die schon hier schweben? Sehnt sie sich nach dem Leben? Sucht sie das Leben? Bedeutet er selber ihr das Leben nicht mehr? Was sucht sie? Was will sie? Wo ist sie? Wo ist sie?

Und die fliegenden Gedanken wurden zu geflüsterten Silben, zu stöhnenden, lauten Worten. Und er schrie,

84

und er kreischte: „Wo ist sie?“ Und er sah sie vor sich, wie sie wohl die Treppe heruntereilen mochte, das Lächeln der Befreiung auf den Lippen, und davon, irgendwohin, wo die Krankheit, der Ekel, das langsame Sterben nicht war, zu irgend was Unbekanntem, zu irgend etwas, wo es ein Duften und Blühen gab. Er sah sie verschwinden, in einen lichten Nebel untertauchen, der sie verbarg und aus dem ihr klirrendes Lachen hervorklang, ein Lachen des Glücks, der Freude. Und die Nebel zerteilten sich, und er sah sie tanzen. Und sie wirbelte weiter und weiter, und sie verschwand. Und dann kam ein dumpfes Rollen, immer näher, und hielt plötzlich ein. Wo ist sie? Er schrak auf. Zum Fenster eilte er hin. Es war das Rollen eines Wagens gewesen, und vor dem Haustore, da stand er stille. Ja, gewiß, er konnte ihn ja sehen. Und aus dem Wagen, ja — Marie war es! Sie war es! Er mußte ihr entgegen, er stürzte ins Vorzimmer, das aber völlig dunkel war. Er vermochte nicht, die Türklinke zu finden. Da drehte sich der Schlüssel im Schloß, die Türe sprang auf, Marie trat ein, und vom Gang her spielte das schwache Gaslicht um sie. Sie stieß ihn an, ohne ihn sehen zu können, und schrie laut auf. Er packte sie bei den Schultern und zerrte sie ins Zimmer hinein. Er öffnete den Mund und konnte nicht sprechen.

„Was hast du denn?“ rief sie entsetzt aus; „bist du denn wahnsinnig?“ Sie machte sich von ihm los. Er blieb aufrecht stehen. Es war, als ob seine Gestalt wüchse. Endlich fand er Worte.

„Woher kommst du? — woher?“

„Um Gottes willen, Felix, komm doch zu dir. Wie konntest du —! Ich bitte dich, setz dich wenigstens.“

„Woher kommst du?“ Er sprach es leiser, wie verloren. „Woher? woher?“ flüsterte er. Sie faßte ihn bei den Händen, die waren glühend heiß. Er ließ sich willig, fast bewußtlos, von ihr leiten bis zum Divan, in dessen Ecke sie ihn langsam niederdrückte. Er schaute um sich, als müßte er seine Besinnung allmählich wiedergewinnen. Dann sagte er wieder, ganz vernehmlich, aber in derselben eintönigen Weise: „Woher kommst du?"

Sie hatte ihre Ruhe teilweise zurückerlangt, sie warf den Hut hinter sich auf einen Stuhl, setzte sich auf den Diwan neben ihn, und schmeichelnd sagte sie ihm: „Mein Schatz, ich bin nur auf eine Stunde in der Luft gewesen. Ich fürchtete, selbst krank zu werden. Was hättest du dann von mir gehabt? Ich hab' mir auch einen Wagen genommen, um nur bald wieder bei dir zu sein."

Er lag in seiner Ecke, jetzt ganz erschlafft. Er sah sie von der Seite an und antwortete nichts.

Sie sprach weiter, indem sie ihm die heißen Wangen kosend streichelte. „Nicht wahr, du bist mir doch nicht böse? Ich hab' ja übrigens der Bedienerin den Auftrag gegeben, bis zu meiner Rückkunft bei dir zu bleiben. Hast du sie nicht gesehen? Wo ist sie denn?"

„Ich hab' sie weggeschickt."

„Warum denn, Felix? Sie sollte ja nur so lange warten, bis ich zurückkäme. Ich hab' mich ja so nach dir gesehnt! Was hilft mir denn die frische Luft draußen, wenn ich dich nicht habe."

„Miez, Miez!" Er legte den Kopf an ihre Brust, wie ein krankes Kind. Wie in früheren Tagen glitten ihre Lippen über seine Haare. Da sah er zu ihr auf mit bittenden Augen. „Miez," sagte er, „du mußt immer bei mir bleiben, immer, ja?"

„Ja", entgegnete sie und küßte sein wirres, feuchtes Haar. Ihr war so weh, so grenzenlos weh! Gern hätte sie geweint, aber in ihrer Rührung war irgend was

86

Dürres, Welkes. Von nirgendher kam ihr Trost, nicht einmal aus ihrem eigenen Schmerz. Und sie beneidete ihn, denn sie sah Tränen über seine Wangen fließen.

Nun saß sie wieder alle folgenden Tage und Abende an seinem Bett, brachte ihm seine Mahlzeiten, flößte ihm Medizin ein und las ihm, wenn er frisch genug war, um danach zu verlangen, aus der Zeitung, wohl auch ein Kapitel aus irgend einem Romane vor. Den Morgen nach ihrem Spaziergang hatte es zu regnen begonnen, und ein vorschneller Herbst brach an. Und nun rieselten stunden-, tagelang fast unaufhörlich die dünnen, grauen Streifen an den Fenstern vorbei. In der letzten Zeit hörte Marie zuweilen den Kranken nachts zusammenhangloses Zeug reden. Und da strich sie dann wohl ganz mechanisch mit den Händen über seine Stirne und Haare und flüsterte: „Schlaf, Felix, schlaf, Felix!" so wie man ein unruhiges Kind beschwichtigt. Er wurde zusehends schwächer, litt aber nicht viel, und wenn die kurzen Anfälle von Atemnot vorüber waren, die ihn heftig an seine Krankheit erinnerten, versank er meist in einen Zustand der Erschlaffung, über den er sich selbst keine Rechenschaft mehr geben konnte. Nur das kam ihm zuweilen vor, daß er sich ein bißchen wunderte. „Warum ist mir denn alles so gleichgültig?" Wenn er dann draußen den Regen herunterrieseln sah, dachte er wohl: „Ach ja, der Herbst" und forschte nach dem Zusammenhang nicht weiter. Er dachte eigentlich an keine Veränderung, die möglich wäre. Nicht ans Ende, nicht an die Gesundheit. Und auch Marie verlor in diesen Tagen ganz den Ausblick auf die Möglichkeit eines Anderswerdens. Auch die Besuche Alfreds hatten etwas Gewohnheitsmäßiges angenommen. Für diesen freilich, der von draußen kam, für den das Leben weiter rollte, war das Bild der Krankenstube täglich verändert. Für ihn war jede Hoffnung dahin. Er merkte wohl, daß nun sowohl für Felix, wie für Marie ein Zeitabschnitt begonnen hatte, wie er bei Menschen, welche die tiefsten Erregungen durchgemacht, zuweilen eintritt, ein Zeitabschnitt, in dem es keine Hoffnung und keine Furcht gibt, wo die Empfindung der Gegenwart selbst, dadurch, daß ihr der Ausblick auf die Zukunft und die Rückschau ins Vergangene fehlt, dumpf und unklar wird. Er selbst trat stets mit einem Gefühl schweren Unbehagens in die Krankenstube und war sehr froh, wenn er beide so wiederfand, wie er sie verlassen. Denn endlich mußte ja wieder eine Stunde kommen, wo sie gezwungen waren, an das zu denken, was bevorstand.

Wie er wieder einmal mit dieser Überlegung die Treppe hinaufgestiegen war, fand er Marie mit bleichen Wangen und händeringend im Vorzimmer stehen. „Kommen Sie, kommen Sie," rief sie. Er folgte ihr rasch. Felix saß aufrecht im Bette; er heftete böse Blicke auf die Eintretenden und rief: „Was habt ihr eigentlich mit mir vor?"

Alfred trat rasch zu ihm. „Was fehlt dir denn, Felix?" fragte er.

„Was du mit mir vorhast? möcht' ich wissen."

„Was sind denn das für kindische Fragen?"

„Verkommen laßt ihr mich, elend verkommen," rief Felix mit fast schreiender Stimme.

Alfred trat ganz nahe zu ihm und wollte seine Hand erfassen. Der Kranke aber zog dieselbe heftig zurück. „Laß mich, und du, Marie, laß das Händeringen. Ich möchte wissen, was ihr vorhabt. Wie das weitergehen soll, will ich wissen."

„Es ginge viel besser weiter," sagte Alfred ruhig, „wenn du dich nicht unnütz aufregtest."

„Nun ja, da lieg' ich nun, wie lange, wie lange! Ihr schaut zu und laßt mich liegen. Was hast du eigentlich mit mir vor?" Er wandte sich plötzlich an den Doktor.

„So rede doch keinen Unsinn."

„Es geschieht ja gar nichts mit mir, gar nichts. Es bricht über mich herein; man rührt keine Hand, es abzuwenden!"

„Felix," begann Alfred mit eindringlicher Stimme, indem er sich aufs Bett setzte und wieder seine Hand zu fassen suchte.

„Nun ja, du gibst mich einfach auf. Du läßt mich daliegen und Morphium nehmen."

„Du mußt noch ein paar Tage Geduld haben —"

„Aber du siehst ja, daß es mir nichts nutzt! Ich fühle ja, wie's mir geht! Warum laßt ihr mich denn so rettungslos verkommen? Ihr seht doch, daß ich hier zugrunde gehe. Ich halt' es ja nicht aus! Und es muß doch noch eine Hilfe geben, irgendeine Möglichkeit einer Hilfe. So denk doch nach, Alfred, du bist doch ein Arzt, es ist ja deine Pflicht."

„Gewiß gibt es eine Hilfe," sagte Alfred.

„Und wenn nicht eine Hilfe, vielleicht ein Wunder. Aber hier wird kein Wunder geschehen. Ich muß fort, ich will fort."

„Du wirst ja, sobald du etwas gekräftigt bist, das Bett verlassen."

„Alfred, ich sag' dir, es wird zu spät. Warum soll ich denn in diesem entsetzlichen Zimmer bleiben? Ich will fort, aus der Stadt will ich fort. Ich weiß, was ich brauche. Ich brauche den Frühling, ich brauche den Süden. Wenn die Sonne wieder scheint, werd' ich gesund."

„Das ist ja alles ganz vernünftig," sagte Alfred. „Selbstverständlich wirst du in den Süden, aber du mußt ein wenig Geduld haben. Heute kannst du nicht reisen, und morgen auch nicht. Sobald es irgend angeht."

„Ich kann heute reisen, ich fühl' es. Sobald ich nur aus diesem entsetzlichen Sterbezimmer da heraus bin, werd' ich ein anderer Mensch sein. Jeder Tag, den du mich länger hier läßt, ist eine Gefahr."

„Lieber Freund, du mußt doch bedenken, daß ich als dein Arzt —"

„Du bist ein Arzt und urteilst nach der Schablone. Die Kranken wissen selbst am besten, was ihnen not tut. Es ist ein Leichtsinn und eine Gedankenlosigkeit, mich daliegen und verkommen zu lassen. Im Süden geschehen manchmal Wunder. Man legt die Hände nicht in den Schoß, wenn nur eine Spur von Hoffnung da ist, und es ist immer noch eine Hoffnung da. Es ist unmenschlich, jemanden seinem Schicksal zu überlassen, wie ihr es mit mir tut. Ich will in den Süden, in den Frühling will ich zurück."

„Das sollst du ja," sagte Alfred.

„Nicht wahr," warf Marie hastig drein, „wir können morgen reisen."

„Wenn mir Felix verspricht, sich drei Tage ruhig zu halten, so schick' ich ihn weg. Aber heute, jetzt — das wäre ein Verbrechen! Das lasse ich nicht zu, unter keiner Bedingung. Schauen Sie doch nur," wandte er sich an Marie, „dieses Wetter. Es stürmt und regnet; nicht dem Gesündesten möchte ich heute zum Abreisen raten."

„Also morgen!" rief Felix.

„Wenn es sich ein wenig aufheitert," sagte der Doktor, „in zwei bis drei Tagen, mein Wort darauf."

Der Kranke sah ihn fest und forschend an. Dann fragte er: „Dein Ehrenwort?"

„Ja!"

„Nun, hörst du?" rief Marie aus.

„Du glaubst nicht," sagte der Kranke, zu Alfred gewendet, „daß es noch eine Rettung für mich gibt? Du hast mich in der Heimat sterben lassen wollen? — Das ist eine falsche Humanität! Wenn man am Sterben ist, gibt's keine Heimat mehr. Das Leben-können, das ist die Heimat. Und ich will nicht, ich will nicht so wehrlos sterben."

„Mein lieber Felix, du weißt ja ganz gut, daß es meine Absicht ist, dich den ganzen Winter im Süden verbringen zu lassen. Aber ich kann dich doch nicht bei solchem Wetter abreisen lassen."

„Marie," sagte der Kranke, „mach' alles bereit." Marie sah den Doktor ängstlich fragend an.

„Nun ja," meinte dieser, „das kann ja nicht schaden."

„Alles mach' bereit. Ich will in einer Stunde auf-stehen. Wir reisen ab, sobald der erste Sonnenstrahl hervorkommt."

Felix stand nachmittags auf. Es schien beinahe, als übte der Gedanke an eine Veränderung des Aufent-halts eine wohltätige Wirkung auf ihn aus. Er war wach, lag die ganze Zeit auf dem Divan, aber er hatte weder Ausbrüche von Verzweiflung, noch verfiel er in die dumpfe Teilnahmslosigkeit der vorhergegangenen Tage. Er interessierte sich für die Vorbereitungen, die Marie traf, er gab Ratschläge, ordnete an, be-zeichnete Bücher aus seiner Bibliothek, die er mithaben wollte, und nahm einmal selbst aus seinem Schreib-tische einen ganzen großen Pack von Schriften hervor, die auch in den Koffer sollten. „Ich will meine alten Sachen durchsehen," sagte er zu Marie, und später, als sie die Schriften im Koffer unterzubringen ver-suchte, kam er wieder darauf zurück. „Wer weiß, ob diese Zeit der Ruhe meinem Geiste nicht sehr wohlgetan hat! Ich fühle mich geradezu reif werden.

Eine wunderbare Klarheit strahlt zu manchen Stunden über alles, was ich bisher gedacht."

Schon am Tage nach jenem Sturm- und Regenwetter war es schön geworden. Und im Laufe des nächsten Tages wurde es so warm, daß man die Fenster öffnen konnte. Nun glitt der Glanz eines warmen und freundlichen Herbstnachmittages über den Boden hin, und wenn Marie vor dem Koffer kniete, so legten sich die Sonnenstrahlen in ihr welliges Haar.

Alfred kam eben dazu, wie Marie die Papiere sorgsam in dem Koffer verwahrte, und wie Felix, auf dem Sofa liegend, über seine Pläne zu sprechen begann.

„Auch das soll ich schon gestatten?" fragte Alfred lächelnd, „na, ich hoffe, du bist ängstlich genug, nicht vorzeitig mit der Arbeit anzufangen."

„Oh," sagte Felix, „es wird keine Arbeit für mich sein. Tausend neue und frische Lichter gleiten über alle Gedankengänge hin, die mir bisher im Dunkeln waren."

„Das ist ja sehr schön," sagte Alfred gedehnt, indem er den Kranken betrachtete, der mit starrem Blick ins Leere schaute.

„Du darfst mich nicht mißverstehen," fuhr dieser fort. „Ich hab' eigentlich gar keine fest umrissene Idee. Aber es ist, als wenn sich etwas vorbereitete."

„So, so."

„Weißt du, mir ist, wie wenn ich Instrumente eines Orchesters stimmen hörte. Das hat auch in Wirklichkeit immer stark auf mich gewirkt. Und in einem der nächsten Momente werden sich da wohl reine Harmonien hervorbringen, und alle Instrumente fallen richtig ein." Und, plötzlich abspringend, fragte er: „Hast du das Kupee bestellt?"

„Ja," erwiderte der Doktor.

„Also morgen früh," rief Marie mit guter Laune aus. Sie war immerfort beschäftigt, ging von der

92

Kommode zum Koffer, von dort zum Bücherschrank, dann wieder zum Koffer, ordnete und packte. Alfred fühlte sich sonderbar berührt. War er bei fröhlichen, jungen Leuten, die eine Lustreise vorbereiteten? So hoffnungsfreudig, so ungetrübt beinahe schien die Stimmung, die heute über dieser Stube lag. Als er sich entfernte, begleitete ihn Marie hinaus. „Ach Gott," rief sie aus, „wie gescheit ist es, daß wir weg kommen! Ich freue mich sehr! Und er ist ja förmlich ausgewechselt, seit es ernst wird."

Alfred wußte nichts zu erwidern. Er reichte ihr die Hand und wandte sich zum Gehen. Dann aber, sich nochmals umwendend, sagte er zu Marie: „Sie müssen mir versprechen —"

„Was denn?"

„Ich meine, ein Freund ist ja doch immer noch mehr als ein Arzt. Sie wissen, ich stehe Ihnen immer zur Verfügung. Sie brauchen nur zu telegraphieren."

Marie war ganz erschrocken. „Sie glauben, es könnte notwendig sein?"

„Ich sag' es nur für alle Fälle." Damit ging er.

Sie blieb noch eine Weile nachsinnend stehen, dann trat sie rasch in die Stube, ängstlich, daß Felix über ihr minutenlanges Wegbleiben besorgt sein könnte. Der aber schien auf ihr Hereinkommen nur gewartet zu haben, um in seinen früheren Erörterungen fortzufahren.

„Weißt du, Marie," sagte er, „die Sonne hat stets einen guten Einfluß auf mich. Wenn es kälter wird, gehen wir noch südlicher, an die Riviera, und dann später, wie denkst du — nach Afrika?! Ja? Unter dem Äquator würde mir das Meisterwerk gelingen, das ist sicher."

So plauderte er weiter, bis endlich Marie zu ihm hintrat, ihm die Wangen streichelte und lächelnd meinte:

„Nun ist's aber genug. Nicht gleich wieder leichtsinnig sein. Auch sollst du jetzt ins Bett, denn morgen heißt's früh aufstehen." Sie sah, daß seine Wangen hoch gerötet waren und seine Augen beinahe funkelten, und wie sie seine Hände faßte, um ihm beim Aufstehen vom Divan behilflich zu sein, waren sie brennend heiß.

Schon beim ersten Morgengrauen wachte Felix auf. Er war in der freudigen Erregung eines Kindes, das auf Ferien geht. Schon zwei Stunden, bevor sie zur Bahn fahren sollten, saß er zur Reise völlig bereit auf dem Divan. Auch Marie war längst mit allem fertig. Sie hatte den grauen Staubmantel um, den Hut mit blauem Schleier, und stand so am Fenster, um früh genug den bestellten Wagen kommen zu sehen. Felix fragte alle fünf Minuten, ob der schon da sei. Er wurde ungeduldig. Er sprach davon, um einen anderen zu schicken, als Marie ausrief: „Da ist er, da ist er."

„Du," setzte sie gleich hinzu, „Alfred ist auch da."

Alfred war zugleich mit dem Wagen um die Ecke gebogen und grüßte freundlich herauf. Bald darauf trat er ins Zimmer. „Ihr seid ja schon fix und fertig," rief er aus. „Was wollt Ihr schon so früh auf dem Bahnhofe machen, um so mehr, als ihr schon gefrühstückt habt, wie ich sehe."

„Felix ist so ungeduldig," sagte Marie. Alfred trat vor ihn hin, und der Kranke lächelte ihm heiter zu. „Prachtvolles Reisewetter," meinte er.

„Ja, ihr werdet es wunderschön haben," meinte der Doktor. Dann nahm er ein Stück Zwieback vom Tische. „Man darf doch?"

„Haben Sie am Ende noch gar nicht gefrühstückt?" rief Marie ganz erschrocken aus.

„Doch, doch. Ein Glas Kognak hab ich getrunken."

94

„Warten Sie, in der Kanne ist noch Kaffee drin." Sie ließ es sich nicht nehmen, ihm noch den Rest des Kaffees in die Tasse einzugießen, dann entfernte sie sich, um der Bedienerin im Vorzimmer einige Weisungen zu geben. Alfred brachte die Tasse lange nicht von seinen Lippen weg. Es war ihm peinlich, mit seinem Freunde allein zu sein, und er hätte nicht sprechen können. Nun trat Marie wieder herein und kündigte an, daß nichts mehr dem Verlassen der Wohnung im Wege stehe. Felix erhob sich und ging als erster zur Tür. Er hatte einen grauen Havelock umgeworfen, einen weichen, dunklen Hut auf dem Kopf, in der Hand hielt er einen Stock. Auch auf den Stufen wollte er als erster hinabschreiten. Aber kaum hatte er das Geländer mit der Hand berührt, als er zu schwanken begann. Alfred und Marie waren gleich hinter ihm und stützten ihn. „Mir schwindelt ein wenig," sagte Felix.

„Das ist ja ganz natürlich," meinte Alfred. „Wenn man nach soundsoviel Wochen das erstemal aus dem Bette ist." Er nahm den Kranken bei einem, Marie nahm ihn beim andern Arm; so führten sie ihn hinunter. Der Kutscher des Wagens nahm den Hut ab, als er den Kranken erblickte.

An den Fenstern des Hauses gegenüber wurden einige mitleidige Frauengesichter sichtbar. Und wie Alfred und Marie den totenblassen Mann in den Wagen hineinhoben, beeilte sich auch der Hausmeister, näher zu treten und seine Hilfe anzubieten. Als der Wagen davonfuhr, warfen sich der Hausmeister und die mitleidigen Frauen verständnisvolle, gerührte Blicke zu.

Alfred plauderte, auf dem Trittbrett des Waggons stehend, bis zum letzten Glockenzeichen mit Marie. Felix hatte sich in eine Ecke gesetzt und schien teilnahmslos. Erst als der Pfiff der Lokomotive ertönte, schien er wieder aufmerksam zu werden und nickte seinem Freunde zum Abschied zu. Der Zug setzte sich in Bewegung. Alfred blieb noch eine Weile auf dem Perron stehen und schaute ihm nach. Dann wandte er sich langsam zum Gehen.

Kaum war der Zug aus der Halle, als sich Marie ganz nahe zu Felix hinsetzte und ihn fragte, was er für Wünsche habe. Ob sie die Kognakflasche öffnen, ob sie ihm ein Buch reichen, ob sie ihm aus der Zeitung vorlesen sollte. Er schien für so viel Freundlichkeit Dank zu empfinden und drückte ihr die Hand. Dann fragte er: „Wann kommen wir denn in Meran an?" und er ließ sich endlich, wie sie nicht die genaue Stunde der Ankunft wußte, von ihr aus dem Reisehandbuch alle wichtigen Daten vorlesen. Er wollte wissen, wo die Mittagsstation wäre, an welchem Ort die Nacht hereinbräche, und interessierte sich für eine Menge nebensächlicher Dinge, die ihm sonst ganz gleichgültig waren. Er suchte zu berechnen, wieviel Leute im ganzen Zuge sein mochten, und bedachte, ob wohl auch junge Ehepaare darunter wären. Nach einiger Zeit verlangte er Kognak, doch reizte ihn der so sehr zum Husten, daß er Marien ganz ärgerlich ersuchte, ihm unter keiner Bedingung mehr davon zu geben, selbst wenn er danach verlangen sollte. Später ließ er sich den meteorologischen Bericht aus der Zeitung vorlesen und nickte befriedigt mit dem Kopfe, als sich eine günstige Voraussage ergab. Sie fuhren über den Semmering. Mit Aufmerksamkeit betrachtete er Hügel, Wälder, Wiesen und Berge; aber was er äußerte, beschränkte sich auf ein leises „hübsch, sehr schön", dem die Betonung der Freude vollkommen fehlte. Zu Mittag nahm er ein wenig von den kalten Speisen, mit welchen sie sich vorgesehen hatten, und wurde sehr zornig, als ihm Marie den Kognak verweigerte. Sie mußte sich endlich entschließen, ihm welchen zu geben. Er vertrug ihn ganz gut, wurde frischer und begann an allen möglichen Dingen Teilnahme zu zeigen. Und bald kam er wieder im Sprechen von dem, was an den Kupeefenstern vorüberflog, was er in den Stationen sah, auf sich selbst zurück. Er sagte: „Ich habe von Somnambulen gelesen, denen im Traum irgendein Heilmittel erschien, auf das kein Arzt verfallen war und durch dessen Anwendung sie genasen. Der Kranke soll seiner Sehnsucht folgen, sag' ich."

„Gewiß," erwiderte Marie.

„Süden! Luft des Südens! Sie meinen, der ganze Unterschied ist, daß es dort warm ist und daß es das ganze Jahr Blumen gibt und vielleicht mehr Ozon und keine Stürme und keinen Schnee. Wer weiß, was in dieser Luft des Südens schwebt! Geheimnisvolle Elemente, die wir noch gar nicht kennen."

„Sicher wirst du dort gesund," sagte Marie, indem sie eine Hand des Kranken zwischen ihre Hände nahm und an ihre Lippen führte.

Er sprach noch weiter über die vielen Maler, die man in Italien träfe, über die Sehnsucht, die so viele Künstler und Könige nach Rom getrieben, und über Venedig, wo er einmal gewesen, lange bevor er Marie gekannt. Endlich wurde er müde und begehrte danach, sich der Länge nach auf die Sitze des Kupees hinzustrecken. So blieb er, meist in leichten Schlummer versunken, bis der Abend anbrach.

Sie saß ihm gegenüber und betrachtete ihn. Sie fühlte sich ruhig. Nur ein mildes Bedauern war in ihr. Er war so bleich. Und so alt war er geworden. Wie hatte sich dieses schöne Antlitz seit dem Frühjahr verändert! Das war doch eine andere Blässe als diejenige, welche ihr nun selbst auf den Wangen lag. Die ihre machte sie jünger, jungfräulich beinahe. Um wieviel besser war sie doch daran als er! Noch nie war ihr dieser Gedanke mit solcher Deutlichkeit gekommen. Warum ist dieser Schmerz nicht peinigender! Ach, es ist gewiß nicht Mangel an Teilnahme, es ist ganz einfach grenzenlose Müdigkeit, die seit Tagen nicht mehr von ihr weicht, auch wenn sie sich zu Zeiten scheinbar frischer fühlt. Sie freut sich ihrer Müdigkeit, denn sie hat Angst vor den Schmerzen, die kommen werden, wenn sie aufhört, müde zu sein.

Marie schrak plötzlich aus dem Schlaf auf, in den sie versunken war. Sie sah um sich, es war fast ganz dunkel. Der Schleier war über die Lampe gezogen, die oben glimmte, und so ergoß sich nur ein matt-grünlicher Schimmer ins Kupee. Und draußen vor den Fenstern Nacht, Nacht! Es war, als führen sie durch einen langen Tunnel. Warum war sie nur so heftig aufgeschreckt? Es war doch fast ganz still, nur das gleichförmige Knarren der Räder dauerte fort. Allmählich gewöhnte sie sich an das matte Licht, und nun konnte sie wieder die Gesichtszüge des Kranken ausnehmen. Er schien ganz ruhig zu schlafen, lag un-beweglich dort. Plötzlich seufzte er tief, unheimlich, klagend. Ihr klopfte das Herz. Gewiß hatte er auch früher so gestöhnt, und das hatte sie erweckt. Aber was war das? Sie blickte näher auf ihn hin. Er schlief ja nicht. Mit weit, weit offenen Augen lag er da, ganz deutlich konnte sie's nun sehen. Sie hatte Angst vor diesen Augen, welche ins Leere, ins Weite, ins Dunkle starrten. Und wieder ein Stöhnen, noch klagender als früher. Er bewegte sich, und nun seufzte er wieder auf, aber nicht schmerzlich, eher wild. Und mit einem Male hatte er sich aufgerichtet, mit beiden Händen auf die Polster gestützt, dann schleuderte er den grauen Mantel, der ihn zudeckte, mit den Füßen auf den Boden und versuchte aufzustehen. Aber die Bewegung des Zuges ließ es nicht zu, und er sank in die Ecke zurück. Marie war aufgesprungen und wollte den grünen Schleier von der Lampe entfernen. Sie fühlte sich aber mit einem Male von seinen Armen umschlungen, und nun zog er die Bebende auf seine Knie nieder. „Marie, Marie!" sagte er mit heiserer Stimme.

Sie wollte sich frei machen, es gelang ihr nicht. All seine Kraft schien ihm wiedergekehrt, er preßte sie heftig an sich. „Bist du bereit, Marie?" flüsterte er, seine Lippen ganz nahe an ihrem Halse. Sie verstand nicht, sie hatte nur die Empfindung einer grenzenlosen Angst. Wehrlos war sie, sie wollte schreien. „Bist du bereit?" fragte er nochmals, während er sie weniger krampfhaft festhielt, so daß ihr seine Lippen, sein Atem, seine Stimme wieder ferner waren und sie freier atmen konnte.

„Was willst du?" fragte sie angstvoll.

„Verstehst du mich nicht?" entgegnete er.

„Laß mich, laß mich," schrie sie, aber das verhallte im Brausen des weiterrollenden Zuges.

Er achtete gar nicht darauf. Er ließ die Hände sinken, sie erhob sich von seinen Knien und setzte sich in die Ecke gegenüber.

„Verstehst du mich nicht?" fragte er wieder.

„Was willst du?" flüsterte sie aus ihrer Ecke heraus.

„Eine Antwort will ich," erwiderte er.

Sie schwieg, sie zitterte, sie sehnte sich nach dem Tag.

„Die Stunde rückt näher," sagte er leiser, indem er sich vorbeugte, so daß sie deutlicher seine Worte vernehmen konnte. „Ich frage dich, ob du bereit bist?"

„Welche Stunde?"

„Unsere! Unsere!"

Sie verstand ihn. Die Kehle war ihr zugeschnürt.

„Erinnerst du dich, Marie?" fuhr er fort, und der Ton seiner Stimme nahm etwas Mildes, beinahe etwas Bittendes an. Er nahm ihre beiden Hände in die seinen. „Du hast mir ein Recht gegeben, so zu fragen," flüsterte er weiter. „Erinnerst du dich?"

Sie hatte nun einige Fassung wiedergewonnen, denn wenn es auch entsetzliche Worte waren, die er sprach, seine Augen hatten das Starre, seine Stimme das Drohende verloren. Ein Bittender schien er zu sein. Und wieder fragte er, beinahe weinend: „Erinnerst du dich?" Da hatte sie schon die Kraft zu erwidern, wenn auch mit bebenden Lippen: „Du bist ja ein Kind, Felix!"

Er schien es gar nicht zu hören. In gleichmäßigen Tönen, als käme ihm Halbvergessenes mit neuer Deutlichkeit zurück, sprach er: „Nun geht es zu Ende, und wir müssen davon, Marie; unsere Zeit ist um." Etwas Bannendes, Bestimmtes und Unentrinnbares lag in diesen Worten, so leise sie geflüstert wurden. Er hätte lieber drohen sollen, da hätte sie sich besser wehren können. Einen Augenblick, wie er noch näher an sie heranrückte, kam die ungeheure Furcht über sie, er würde auf sie stürzen und sie erwürgen. Sie dachte schon daran, an das andere Ende des Kupees zu fliehen, das Fenster zu zerschlagen, um Hilfe zu rufen. Aber in demselben Moment ließ er ihre Hände aus den seinen und lehnte sich zurück, als hätte er nichts weiter zu sagen. Da sprach sie:

„Was für Dinge redest du denn, Felix! Jetzt, wo wir in den Süden fahren, wo du vollkommen gesund werden sollst." Er lehnte drüben, schien in Gedanken versunken. Sie stand auf und schob rasch den grünen Schleier von der Lampe weg. Oh, wie ihr das wohltat! Licht war es nun mit einem Male, ihr Herz begann langsamer zu schlagen, und ihre Furcht verschwand.

Sie setzte sich wieder in ihre Ecke, er hatte zu Boden geschaut und erhob jetzt wieder die Augen zu ihr. Dann sagte er langsam:

„Marie, mich wird der Morgen nicht mehr täuschen und auch der Süden nicht. Heute weiß ich."

Warum spricht er jetzt so ruhig, dachte Marie. Will er mich in Sicherheit wiegen? Hat er Angst, daß ich mich zu retten versuche? Und sie nahm sich vor, auf ihrer Hut zu sein. Sie beobachtete ihn ununterbrochen, sie hörte kaum mehr auf seine Worte, verfolgte eine jede seiner Bewegungen, jeden seiner Blicke. Er sagte:

„Du bist ja frei, auch dein Schwur bindet dich nicht. Kann ich dich zwingen? — Willst du mir nicht die Hand reichen?"

Sie gab ihm die Hand, aber so, daß die ihre über der seinen ruhte.

„Wär' nur der Tag da!" flüsterte er.

„Ich will dir etwas sagen, Felix," meinte sie jetzt. „Versuche doch, wieder ein wenig zu schlafen! Der Morgen kommt bald; in ein paar Stunden sind wir in Meran."

„Ich kann nicht mehr schlafen!" erwiderte er und schaute auf. In diesem Augenblick trafen sich ihre Blicke. Er merkte das Mißtrauische, Lauernde in den ihren. In demselben Moment war ihm alles klar. Sie wollte ihn zum Schlafen bringen, um in der nächsten Station unbemerkt aussteigen und entfliehen zu können. „Was hast du vor?" schrie er auf.

Sie zuckte zusammen. „Nichts."

Er versuchte aufzustehen. Kaum gewahrte sie das, als sie sich aus ihrer Ecke in die andere flüchtete, weit von ihm.

„Luft!" schrie er, „Luft!" Er öffnete das Fenster und streckte seinen Kopf in die Nachtluft hinaus.

Marie war beruhigt, es war nur Atemnot, die ihn so plötzlich gezwungen hatte, sich zu erheben. Sie kam wieder zu ihm und zog ihn sanft vom Fenster zurück. „Das kann dir ja nicht gut tun," sagte sie. Er sank wieder in seine Ecke, mühsam atmend. Sie blieb eine Weile vor ihm stehen, die eine Hand auf den Rand der Fensteröffnung stützend, dann nahm sie wieder ihm gegenüber den früheren Platz ein. Nach einer Weile beruhigte sich sein Atem; ein leises Lächeln kam über seine Lippen. Sie sah ihn verlegen, ängstlich an. „Ich werde das Fenster schließen," sagte sie. Er nickte. „Der Morgen! Der Morgen!" rief er aus. Am Horizont zeigten sich graurötliche Streifen.

Nun saßen sie lange schweigend einander gegenüber. Endlich sprach er, während wieder jenes Lächeln um seinen Mund spielte: „Du bist nicht bereit!" Sie wollte irgend etwas in ihrer gewöhnlichen Art erwidern, daß er ein Kind sei oder dergleichen. Sie konnte nicht. Dieses Lächeln wies jede Antwort ab.

Der Zug fuhr langsamer. Nach ein paar Minuten war er in der Frühstücksstation eingelangt. Auf dem Perron liefen Kellner umher mit Kaffee und Gebäck. Viele Reisende verließen den Wagen; es gab ein Lärmen und Rufen. Marie war es, als wäre sie aus einem schweren Traum erwacht. Die Trivialität dieses Bahnhoftreibens tat ihr sehr wohl. Im Gefühle vollkommener Sicherheit erhob sie sich und sah auf den Perron hinaus. Endlich winkte sie einen Kellner herbei und ließ sich eine Tasse Kaffee hereinreichen. Felix sah ihr zu, wie sie den Kaffee schlürfte, schüttelte aber den Kopf, als sie ihm davon anbieten wollte.

Bald darauf setzte sich der Zug wieder in Bewegung, und wie sie aus der Halle herausfuhren, war es völlig licht geworden. Und schön! Und dort ragten die Berge, vom Frührot übergossen! Marie faßte den

Entschluß, sich niemals wieder vor der Nacht zu fürchten. Felix sah angelegentlich zum Fenster hinaus, er schien ihre Blicke vermeiden zu wollen. Ihr war, als müßte er sich der vergangenen Nacht ein wenig schämen.

Der Zug hielt nun einige Male in kurzen Zwischenräumen an, und es war ein herrlicher, sommerwarmer Morgen, als er in die Halle von Meran einfuhr. „Da sind wir," rief Marie aus, „endlich, endlich!"

Sie hatten einen Wagen gemietet und fuhren herum, um eine passende Wohnung ausfindig zu machen. „Zu sparen brauchen wir nicht," sagte Felix, „so lange reicht mein Vermögen noch." Bei einzelnen Villen ließen sie den Kutscher anhalten, und während Felix im Wagen verblieb, besichtigte Marie die Wohnräume und die Gärten. Bald hatten sie ein passendes Haus gefunden. Es war ganz klein, halbstockhoch, mit einem kleinen Garten. Marie bat die Vermieterin, mit ihr hinauszutreten, um dem im Wagen sitzenden jungen Mann die verschiedenen Vorzüge der Villa zu erläutern. Felix erklärte sich mit allem einverstanden, und ein paar Minuten später hatte das Paar die Villa bezogen.

Felix hatte sich, ohne an dem geschäftigen Interesse Mariens für das Haus Anteil zu nehmen, ins Schlafzimmer zurückgezogen. Er hielt eine flüchtige Umschau darin. Es war geräumig und freundlich, mit sehr lichten, grünlichen Tapeten und einem großen Fenster, das nun offen stand, so daß das ganze Zimmer von dem Duft des Gartens erfüllt war. Dem Fenster gegenüber standen die Betten; Felix war so erschöpft, daß er sich der Länge nach auf eines hinwarf.

Unterdessen ließ sich Marie von der Vermieterin herumführen und freute sich besonders des Gärtchens, das von einem hohen Gitter umschlossen war und in das man auch von dem an der Rückseite gelegenen Türchen herein konnte, ohne das Haus betreten zu müssen. An der Rückseite selbst ging ein breiter Weg hin, der direkt und in kürzerer Zeit zum Bahnhof führte als die Fahrstraße, an welcher das Haus lag.

Als Marie wieder ins Zimmer zurückkam, in dem sie Felix verlassen hatte, fand sie ihn auf dem Bette liegen. Sie rief ihn an, er antwortete nicht. Sie trat näher heran, er war noch blässer als sonst. Sie rief wieder; keine Antwort; — er rührte sich nicht. Ein entsetzlicher Schrecken überkam sie, sie rief die Frau herein und sandte sie um einen Arzt. Kaum war die Frau fort, als Felix die Augen aufschlug. Aber in dem Moment, als er etwas sprechen wollte, erhob er sich mit angstverzerrtem Gesicht, sank gleich wieder zurück und röchelte. Von seinen Lippen herab floß etwas Blut. Marie beugte sich ratlos, verzweifelt über ihn. Dann eilte sie wieder zur Türe, um zu sehen, ob der Arzt schon käme, dann stürzte sie wieder zu ihm zurück und rief seinen Namen. Wäre nur Alfred da! dachte sie.

Endlich kam der Doktor, ein ältlicher Herr mit grauem Backenbart. „Helfen Sie! helfen Sie!" rief ihm Marie entgegen. Dann gab sie ihm Auskunft, so gut es in ihrer Aufregung ging. Der Arzt betrachtete den Kranken, fühlte nach seinem Puls, sagte, daß er jetzt gleich nach dem Blutsturze nicht untersuchen könnte und ordnete das Nötige an. Marie begleitete ihn hinaus, fragte ihn, was sie zu erwarten habe. „Kann ich noch nicht sagen," erwiderte der Doktor, „nur ein wenig Geduld! wir wollen hoffen." Er versprach, noch heute Abend wiederzukommen und grüßte Marie, die im Hause stehen geblieben war, so freundlich und unbefangen aus dem Wagen heraus, als hätte er einen konventionellen Besuch gemacht.

Marie stand nur eine Sekunde ratlos da; in der nächsten schon kam ihr eine Idee, die ihr Rettung zu versprechen schien, und sie eilte aufs Postamt, um ein Telegramm an Alfred abzusenden. Nachdem sie es abgeschickt hatte, fühlte sie sich erleichtert. Sie dankte der Frau, welche sich um den Kranken während ihres Fortseins bemüht hatte, entschuldigte sich bei ihr wegen der Ungelegenheit, die man ihr schon am ersten Tage bereite, und versprach, daß man sich sehr erkenntlich erweisen werde.

Felix lag noch immer angekleidet ohne Bewußtsein auf dem Bett ausgestreckt, sein Atem aber war ruhig geworden. Während sich Marie am Kopfende des Bettes niederließ, sprach ihr die Frau Trost zu, erzählte von den vielen Schwerkranken, die in Meran wieder genesen waren, teilte ihr mit, daß sie selbst in ihrer Jugend leidend gewesen und sich — wie man ja sehen könne — wunderbar erholt hätte. Und dabei das viele Unglück, das sie betroffen. Ihr Mann, der nach zweijähriger Ehe gestorben, die Söhne, die draußen in der Welt seien, — ja, alles hätte anders kommen können, aber sie sei nun ganz froh, die Stelle in diesem Hause zu haben. Und über den Besitzer könne man sich um so weniger beklagen, als er höchstens zweimal im Monat aus Bozen herüberkäme, zu sehen, ob alles in Ordnung sei. So kam sie vom Hundertsten ins Tausendste und war von überströmender Freundlichkeit. Sie erbot sich, die Koffer auszupacken, was von Marie dankend angenommen wurde, und brachte später das Mittagessen aufs Zimmer. Milch für den Kranken stand schon bereit, und leichte Bewegungen, die an ihm wahrzunehmen waren, schienen ein baldiges Erwachen anzuzeigen.

Endlich kam Felix wieder zum Bewußtsein, wandte einige Male den Kopf hin und her und blieb mit seinem Blick auf Marie haften, die sich über ihn gebeugt hatte. Da lächelte er und drückte ihr schwach die Hand. „Was war denn nur mit mir?" fragte er. — Der Arzt, der nachmittags kam, fand ihn bereits viel besser und gestattete, daß man ihn auskleidete und ins Bett legte. Felix ließ alles mit Gleichmut über sich ergehen.

Marie rührte sich vom Bett des Kranken nicht weg. Was war das für ein endloser Nachmittag! Durch das Fenster, welches auf ausdrücklichen Befehl des Doktors offen geblieben war, kamen die milden Düfte des Gartens herein, — und so stille war es! Marie verfolgte mechanisch das Flimmern der Sonnenstrahlen auf dem Fußboden. Felix hielt fast ununterbrochen ihre Hand umfaßt. Die seine war kühl und feucht, was Marien eine unangenehme Empfindung verursachte. Manchmal unterbrach sie das Schweigen mit ein paar Worten, zu denen sie sich eigentlich zwingen mußte. „Schon besser, nicht wahr? — Na, siehst du! — Nicht reden! — Du darfst nicht! — Übermorgen wirst du schon in den Garten gehen!" Und er nickte und lächelte. Dann berechnete Marie, wann Alfred kommen könnte. Morgen, abends konnte er hier sein. Also noch eine Nacht und ein Tag. Wenn er nur erst da wäre!

Endlos, endlos dehnte sich der Nachmittag. Die Sonne verschwand, das Zimmer selbst begann in Dämmerung zu liegen, aber wenn Marie in den Garten hinausschaute, sah sie noch auf den weißen Kieswegen und dort auf den Gitterstäben die gelblichen Strahlen hingleiten. Plötzlich, wie sie eben den Blick hinausgerichtet hatte, hörte sie die Stimme des Kranken: „Marie." Sie drehte rasch den Kopf nach ihm.

„Nun ist mir viel besser," sagte er ganz laut.

„Du sollst nicht laut sprechen," wehrte sie zärtlich ab.

„Viel besser," flüsterte er. „Es ist diesmal gut gegangen. Vielleicht war es die Krisis."

„Gewiß!" bekräftigte sie.

„Ich hoffe auf die gute Luft. Aber es darf nicht noch einmal kommen, sonst bin ich verloren."

„Aber! Du siehst ja, daß du dich schon wieder frisch fühlst."

„Du bist brav, Marie, ich danke dir. Aber pflege mich nur gut. Gib acht, gib acht!"

„Mußt du mir das sagen?" erwiderte sie mit leisem Vorwurf.

Er aber fuhr flüsternd fort: „Denn, wenn ich davon muß, nehm ich dich mit."

Eine tödliche Angst durchzuckte sie, wie er das aussprach. Warum nur? Es konnte ja keine Gefahr von ihm kommen, zu einer Gewalttat war er zu schwach. Sie war jetzt zehnmal stärker als er. Woran konnte er nur denken? Was suchte er mit seinen Augen in der Luft, an der Wand, im Leeren? Er konnte sich auch nicht erheben und hatte ja keine Waffen mit. Aber vielleicht Gift. Er konnte sich Gift verschafft haben, vielleicht trug er es bei sich und wollte es ihr in das Glas träufeln, aus dem sie trank. Aber wo konnte er es denn verwahren? Sie selbst hatte ihn auskleiden geholfen. Vielleicht hatte er ein Pulver in seiner Brieftasche? Die war aber in seinem Rock. Nein, nein, nein! Das waren Worte, die ihm das Fieber eingab, und die Lust, zu quälen, weiter nichts. — Aber wenn das Fieber solche Worte eingeben kann und solche Gedanken, warum nicht auch die Tat? Vielleicht wird er auch nur einen Augenblick benützen, in dem sie schläft, um sie zu erwürgen. Dazu braucht es ja so wenig Kraft. Sie kann gleich ohnmächtig werden, und dann ist sie wehrlos. Oh, sie wird heute Nacht nicht schlafen, — und morgen ist Alfred da! —

Der Abend rückte vor, die Nacht kam. Felix hatte kein Wort mehr gesprochen, aber auch das Lächeln war von seinen Lippen völlig verschwunden; mit gleichförmig düsterem Ernst blickte er vor sich hin. Wie es dunkel wurde, brachte die Frau brennende Kerzen herein und schickte sich an, das Bett neben dem des Kranken zurecht zu machen. Marie gab ihr mit der Hand ein Zeichen, daß das nicht notwendig wäre. Felix hatte es bemerkt. „Warum nicht?" fragte er. Und gleich setzte er hinzu: „Du bist zu gut, Marie, du sollst schlafen gehen, ich fühle mich ja besser." Ihr schien es, als klänge Hohn durch diese Worte. Sie ging nicht schlafen. Die lange, schleichende Nacht verbrachte sie an seinem Bette, ohne ein Auge zuzutun. Felix lag fast immer ganz ruhig da. Zuweilen kam ihr die Idee, ob er sich vielleicht nur schlummernd stellte, um sie in Sicherheit zu wiegen. Sie schaute näher hin, aber das ungewisse Licht der Kerze täuschte zuckende Bewegungen um die Lippen und die Augen des Kranken vor, die sie verwirrten. Einmal trat sie auch zum Fenster und schaute in den Garten hinaus. Er war in ein mattes Blaugrau getaucht, und wenn sie sich ein wenig vorbeugte und aufsah, konnte sie den Mond erblicken, der gerade über den Bäumen hinzuschweben schien. Kein Lufthauch rührte sich, und in der unendlichen Stille und Unbeweglichkeit, die sie umhüllte, kam es ihr vor, als wenn sich die Gitterstäbe, die sie ganz deutlich wahrnehmen konnte, langsam vorwärts bewegten und dann wieder stille hielten. Nach Mitternacht erwachte Felix. Marie ordnete ihm die Polster, und einer plötzlichen Eingebung gehorchend, suchte sie bei dieser Gelegenheit mit ihren Fingern, ob er nicht zwischen den Polstern irgend was verborgen hätte. Es klang ihr im Ohr: „Ich nehm dich mit!

Ich nehm dich mit!" Aber hätte er es denn gesagt, wenn es ihm ernst damit wäre? Wenn er überhaupt die Fähigkeit hätte, sich mit einem Plane zu beschäftigen? Zu allererst wäre ihm dann die Idee gekommen, sich nicht zu verraten. Sie war wahrhaftig recht kindisch, sich von den untergeordneten Phantasien eines Kranken in Furcht versetzen zu lassen. Sie wurde schläfrig und rückte ihren Sessel weit vom Bette weg, — für alle Fälle. Aber sie wollte nicht einschlafen! Nur ihre Gedanken begannen die Klarheit zu verlieren, und aus dem lichten Bewußtsein des Tages flatterten sie in das Dämmer grauer Träume. Erinnerungen stiegen auf. Von Tagen und Nächten blühenden Glücks. Erinnerungen von Stunden, wo er sie in seinen Armen gehalten, während über sie durchs Zimmer der Hauch des jungen Frühlings zog. Sie hatte die unklare Empfindung, als wagte der Duft des Gartens nicht, hier hereinzufließen. Sie mußte wieder zum Fenster hin, um davon zu trinken; aus den feuchten Haaren des Kranken schien ein süßlich fader Duft zu strömen, der die Luft des Zimmers widerlich durchdrang. Was nun? Wenn's nur vorüber wäre! Ja, vorüber! Sie schrak nicht mehr vor dem Gedanken zurück, das tückische Wort fiel ihr ein, das aus dem fürchterlichsten der Wünsche ein heuchlerisches Mitleid macht: „Wär er doch erlöst!" — Und was dann? Sie sah sich auf einer Bank unter einem hohen Baum sitzen da draußen im Garten, blaß und verweint. Aber diese Zeichen der Trauer lagen nur auf ihrem Antlitz. Über ihre Seele war eine so wonnige Ruhe gekommen, wie seit lange, lange nicht. Und dann sah sie die Gestalt, die sie selbst war, sich erheben und auf die Straße treten und langsam davon gehen. Denn nun konnte sie ja hingehen, wohin sie wollte.

Aber inmitten dieser Träumerei behielt sie Wachheit genug, um dem Atem des Kranken zu lauschen, der zuweilen zum Stöhnen wurde. Endlich nahte zögernd der Morgen. Schon in seinem ersten Grauen zeigte sich die Vermieterin an der Tür und bot sich freundlich an, für die kommenden Stunden Marie abzulösen. Diese nahm mit wahrer Freude an. Nach einem flüchtigen letzten Blick auf Felix verließ sie das Zimmer und betrat den Nebenraum, wo ein Divan bequem zur Ruhe hergerichtet war. Ah! wie wohl war ihr da! Angekleidet warf sie sich darauf hin und schloß die Augen.

Nach vielen Stunden erst wachte sie auf. Ein angenehmes Halbdunkel umgab sie. Durch die Ritzen der geschlossenen Fensterläden fielen nur die schmalen Streifen des Sonnenlichts. Rasch erhob sie sich und hatte sofort die klare Auffassung des Moments. Heute mußte Alfred kommen! Das machte sie der dumpfen Stimmung der nächsten Stunden mutiger entgegensehen. Ohne Zögern begab sie sich ins Nebenzimmer. Wie sie die Tür öffnete, war sie eine Sekunde lang geblendet von der weißen Decke, die über das Lager des Kranken gebreitet war. Dann aber gewahrte sie die Vermieterin, welche den Finger an den Mund legte, sich von ihrem Sessel erhob und auf den Zehenspitzen der Eintretenden entgegenging. „Er schläft fest," flüsterte sie und erzählte dann weiter, daß er bis vor einer Stunde in heftigem Fieber wach gelegen sei und ein paarmal nach der gnädigen Frau gefragt habe. Schon am frühen Morgen sei der Doktor dagewesen und habe den Zustand des Kranken unverändert gefunden. Da habe sie die gnädige Frau aufwecken wollen, doch der Doktor selbst habe es nicht zugegeben; er würde übrigens im Laufe des Nachmittags wiederkommen.

Marie hörte der guten Alten aufmerksam zu, dankte ihr für ihre Fürsorge und nahm dann ihren Platz ein. Es war ein warmer, beinahe schwüler Tag. Die Mittagsstunde war nahe. Über dem Garten lag stiller und schwerer Sonnenglanz. Wie Marie aufs Bett hineinblickte, sah sie zuerst die beiden schmalen Hände des Kranken, welche, zuweilen leicht zuckend, auf der Bettdecke lagen. Das Kinn war herabgesunken, das Gesicht war totenblaß mit leicht geöffneten Lippen. Sein Atem setzte sekundenlang aus. Dann kamen wieder oberflächliche, schlürfende Züge. „Am Ende stirbt er, bevor Alfred kommt," fuhr es Marie durch den Sinn. Wie Felix jetzt dalag, hatte sein Antlitz wieder den Ausdruck leidender Jugendlichkeit gewonnen, und eine Schlaffheit wie nach namenlosen Schmerzen, eine Ergebung wie nach hoffnungslosen Kämpfen sprach sich darin aus. Marie war es plötzlich klar, was diese Züge in der letzten Zeit so furchtbar verändert hatte und ihnen in diesem Augenblicke fehlte. Es war die Bitterkeit, die sich in ihnen ausprägte, wenn er sie betrachtete. Nun war gewiß kein Haß in seinen Träumen, und er war wieder schön. Sie wünschte, daß er aufwachte. So wie sie ihn jetzt sah, fühlte sie sich von einem unsäglichen Gram erfüllt, von einer Angst um ihn, die sie verzehrte. Es war ja wieder der Geliebte, den sie hier sterben sah. Mit einem Male begriff sie wieder, was das eigentlich bedeutete. Der ganze Jammer dieses Unabwendbaren und Fürchterlichen kam über sie, und alles verstand sie wieder, alles. Daß er ihr Glück und ihr Leben gewesen und daß sie mit ihm hatte in den Tod gehen wollen, und daß nun der Augenblick unheimlich nahe, wo alles unwiederbringlich vorbei sein mußte. Und die starre Kälte, die sich über ihr Herz gelagert, die Gleichgültigkeit ganzer Tage und Nächte flossen für sie in ein dumpfes Unbegreifliches zusammen. Und jetzt, jetzt ist es ja eigentlich noch gut. Er lebt ja noch, er atmet, er träumt vielleicht. Aber dann wird er starr daliegen, tot, man wird ihn begraben, und er wird tief in der Erde ruhen auf einem stillen Friedhof, über den die Tage gleichförmig hinziehen werden, während er vermodert. Und sie wird leben, sie wird unter Menschen sein, während sie doch draußen ein stummes Grab weiß, wo er ruht, — er! den sie geliebt hat! Ihre Tränen flossen unaufhaltsam, endlich schluchzte sie laut auf. Da bewegte er sich, und wie sie noch rasch mit dem Taschentuche über ihre Wangen fuhr, schlug er die Augen auf und sah sie lange an mit einer Frage im Blick, aber er sagte nichts. Dann nach einigen Minuten flüsterte er: „Komm!" Da erhob sie sich von ihrem Sessel, beugte sich über ihn, und er hob die Arme, als wollte er ihren Hals umschlingen. Er ließ die Arme aber wieder sinken und fragte:

„Hast du geweint?"

„Nein," erwiderte sie hastig, indem sie sich die Haare von der Stirn zurückstrich.

Er schaute wieder lange und ernst auf sie, dann wandte er sich ab. Er schien nachzugrübeln.

Marie dachte nach, ob sie dem Kranken etwas von ihrem Telegramm an Alfred sagen sollte. Sollte sie ihn darauf vorbereiten? Nein, wozu? Das beste wird sein, wenn sie sich selbst von Alfreds Ankunft überrascht stellt. Der ganze Rest des Tages verfloß in der dumpfen Spannung der Erwartung. Die äußerlichen Vorkommnisse zogen wie im Nebel an ihr vorüber. Der Besuch des Arztes war bald abgetan. Er fand den Kranken vollkommen apathisch, nur selten aus einem stöhnenden Halbschlummer zu gleichgültigen Fragen und Wünschen erwachend. Er fragte nach der Stunde, verlangte nach Wasser; die Vermieterin ging aus und

112

ein, Marie verbrachte die ganze Zeit im Zimmer, meist auf dem Sessel neben dem Kranken. Zuweilen stand sie am Fußende des Bettes, mit den Armen sich auf die Lehne stützend, manchmal ging sie auch zum Fenster und schaute in den Garten, in dem die Baumschatten allmählich länger wurden, bis endlich die Dämmerung über Wiesen und Wege schlich. Es war ein schwüler Abend geworden, und das Licht der Kerze, die auf dem Nachttische zu Häupten des Kranken stand, regte sich kaum. Nur als es völlig Nacht geworden und über den graublauen Bergen, die weit hinten zu sehen waren, der Mond hervorkam, erhob sich ein leichter Luftzug. Marie fühlte sich sehr erfrischt, als er um ihre Stirne wehte, und auch dem Kranken schien er wohl zu tun. Er bewegte den Kopf und wandte die weitgeöffneten Augen dem Fenster zu. Und endlich atmete er tief, tief auf.

Marie ergriff seine Hand, die er zu seiten der Decke herunterhängen ließ. „Willst du etwas?" fragte sie.

Er entzog ihr langsam die Hand und sagte: „Marie, komm!"

Sie rückte näher und brachte ihren Kopf seinem Polster ganz nahe. Da legte er seine Hand wie segnend über ihre Haare und ließ sie darauf ruhen. Dann sagte er leise: „Ich danke dir für all deine Liebe." Sie hatte nun ihren Kopf neben dem seinen auf dem Polster ruhen und fühlte wieder ihre Tränen kommen. Es wurde ganz still im Zimmer. Von ferne her nur klang das verhallende Pfeifen eines Eisenbahnzuges. Dann wieder die Stille des schwülen Sommerabends, schwer und süß und unbegreiflich. Da plötzlich richtete sich Felix im Bette auf, so rasch, so heftig, daß Marie erschrak. Sie erhob sich vom Polster und starrte Felix ins Gesicht. Der faßte den Kopf Mariens mit beiden Händen, wie er oft in wilder Zärtlichkeit getan. „Marie," rief er aus, „nun will ich dich erinnern."

„Woran?" fragte sie und wollte ihren Kopf seinen Händen entwinden. Er aber schien alle seine Kraft wieder zu haben und hielt sie fest.

„Ich will dich an dein Versprechen erinnern," sagte er hastig, „daß du mit mir sterben willst." Er war ihr mit diesen Worten ganz nah gekommen. Sie fühlte seinen Atem über ihren Mund streichen und konnte nicht zurück. Er sprach so nah zu ihr, als sollte sie seine Worte mit ihren Lippen trinken müssen. „Ich nehme dich mit, ich will nicht allein weg. Ich liebe dich und laß dich nicht da!"

Sie war vor Angst wie gelähmt. Ein heiserer Schrei, so erstickt, daß sie ihn selbst kaum hörte, kam aus ihrer Kehle. Ihr Kopf war unbeweglich zwischen seinen Händen, die ihn krampfhaft an den Schläfen und Wangen zusammenpreßten. Er redete immer weiter, und sein heißer, feuchter Atem glühte sie an.

„Zusammen! Zusammen! Es war ja dein Wille! Ich hab auch Furcht, allein zu sterben. Willst du? Willst du?"

Sie hatte mit den Füßen den Sessel unter sich weggeschoben, und endlich, als müßte sie sich von einem eisernen Reif befreien, riß sie ihren Kopf aus der Umklammerung seiner beiden Hände. Er hielt die Hände noch immer in der Luft, als wäre ihr Kopf noch dazwischen, und starrte sie an, als könnte er nicht begreifen, was geschehen.

„Nein, nein," schrie sie auf. „Ich will nicht!" und rannte zur Türe. Er erhob sich, als wollte er zum Bett hinausspringen. Aber jetzt verließen ihn die Kräfte, und wie eine leblose Masse sank er mit einem dumpfen Aufschlag aufs Lager zurück. Sie aber sah es nicht mehr; sie hatte die Tür aufgerissen und lief durchs Nebengemach in die Hausflur. Sie war ihrer Sinne nicht mächtig. Er hatte sie erwürgen wollen! Noch fühlte sie seine herabgleitenden Finger auf ihren Schläfen, auf ihren Wangen, auf ihrem Halse. Sie stürzte vor das Haustor, niemand war da. Sie erinnerte sich, daß die Frau fortgegangen war, ein Abendessen zu besorgen. Was sollte sie tun? Sie stürzte wieder zurück und durch die Hausflur in den Garten. Als würde sie verfolgt, so rannte sie über Weg und Wiesen hin, bis sie ans andere Ende gelangte. Nun wandte sie sich um und konnte das offene Fenster des Zimmers sehen, aus dem sie eben kam. Sie sah den Kerzenschein darin zittern, sonst gewahrte sie nichts. „Was war das? Was war das?" sagte sie vor sich hin. Sie wußte nicht, was sie tun sollte. Sie ging planlos auf den Wegen neben dem Gitter hin und her. Jetzt fuhr es ihr durch den Kopf. Alfred! Er kommt jetzt! Jetzt muß er kommen! Sie schaute zwischen die Gitterstäbe durch auf den mondbeschienenen Weg hinaus, der vom Bahnhof herführte. Sie eilte zur Gartentür und öffnete sie. Da lag der Weg vor ihr, weiß, menschenleer. Vielleicht aber kommt er die andere Straße. Nein, nein, — dort, dort naht ein Schatten, immer näher, rasch, immer rascher, die Gestalt eines Mannes. Ist er's? Sie eilte ihm ein paar Schritte weit entgegen: „Alfred!" „Sind Sie's, Marie?" Er war es. Sie hätte weinen mögen vor Freude. Wie er bei ihr war, wollte sie ihm die Hand küssen. „Was gibt's?" fragte er. Und sie zog ihn nur mit sich, ohne zu antworten.

Felix war nur einen Moment regungslos dagelegen, dann erhob er sich und blickte um sich. Sie war fort, er war allein! Eine schnürende Angst kam über ihn. Nur eines war ihm klar, daß er sie da haben müßte, da, bei sich. Mit einem Sprunge war er aus dem Bette. Aber er konnte sich nicht aufrecht halten und fiel wieder nach rückwärts auf das Bett hin. Er fühlte ein Summen und Dröhnen im Kopf. Er stützte sich auf den Stuhl, und indem er ihn vor sich hinschob, bewegte er sich vorwärts. „Marie, Marie!" murmelte er. „Ich will nicht allein sterben, ich kann nicht!" Wo war sie? Wo konnte sie sein? Er war, immer den Sessel vor sich herschiebend, bis zum Fenster gekommen. Da lag der Garten und drüber der bläuliche Glanz der schwülen Nacht. Wie sie flimmerte und schwirrte! Wie die Gräser und Bäume tanzten! Oh, das war ein Frühling, der ihn gesund machen sollte. Diese Luft, diese Luft! Wenn immer solche Luft um ihn wehte, mußte es wohl eine Genesung geben. Ah! dort! was war dort? Und er sah vom Gitter her, das tief in einem Abgrund zu liegen schien, eine weibliche Gestalt kommen, über den weißen, schimmernden Kiesweg, vom bläulichen Glanze des Mondes umhaucht. Wie sie schwebte, wie sie flog, und kam doch nicht näher! Marie! Marie! Und gleich hinter ihr ein Mann. Ein Mann mit Marie — ungeheuer groß —. Nun begann das Gitter zu tanzen und tanzte ihnen nach, und der schwarze Himmel dahinter auch, und alles, alles tanzte ihnen nach. Und ein Tönen und Klingen und Singen kam von ferne, so schön, so schön. Und es wurde dunkel. —

Marie und Alfred kamen heran. Sie liefen beide. Beim Fenster angelangt, blieb Marie stehen und schaute angstvoll ins Zimmer hinein. „Er ist nicht da!" schrie sie. „Das Bett ist leer." Plötzlich kreischte sie auf und sank zurück, in Alfreds Arme. Der beugte sich, indem er sie sanft wegdrängte, über die Brüstung, und da sah er gleich am Fenster den Freund auf dem Boden liegen, im weißen Hemde, lang ausgestreckt, mit weit auseinandergespreizten Beinen und neben ihm einen umgestürzten Sessel, dessen Lehne er mit der einen Hand festhielt. Vom Munde floß ein Streifen Blut über das Kinn herab. Die Lippen schienen zu zucken und auch die Augenlider. Aber wie Alfred aufmerksamer hinschaute, war es nur der trügerische Mondglanz, der über dem bleichen Antlitz spielte.

BLUMEN

Da bin ich nun den ganzen Nachmittag in den Straßen herumspaziert, auf die stiller weißer Schnee langsam herunterschwebte, — und bin nun zu Hause, und die Lampe brennt, und die Zigarre ist angezündet, und die Bücher liegen da, und alles ist bereit, daß ich mich so recht behaglich fühlen könnte ... Aber es ist ganz vergeblich, und ich muß immer nur an dasselbe denken.

War sie nicht längst für mich gestorben? ... ja, tot, oder gar, wie ich mit dem kindischen Pathos der Betrogenen dachte, „schlimmer als tot“? ... Und nun, seit ich weiß, daß sie nicht „schlimmer als tot“ ist, nein, einfach tot, so wie die vielen anderen, die draußen liegen, tief unter der Erde, immer, immer, wenn der Frühling da ist, und wenn der schwüle Sommer kommt, und wenn der Schnee fällt wie heute ... so ohne jede Hoffnung des Wiederkommens — seither weiß ich, daß sie auch für mich um keinen Augenblick früher gestorben ist als für die anderen Menschen. Schmerz? — Nein. Es ist ja doch nur der allgemeine Schauer, der uns faßt, wenn etwas ins Grab sinkt, das uns einmal gehört hat, und dessen Wesen uns noch immer ganz deutlich vor Augen steht, mit dem Leuchten des Blickes und mit dem Klang der Stimme.

Es war ja gewiß sehr traurig, als ich damals ihren Betrug entdeckte; ... aber was war da noch alles dabei! ... Die Wut und der plötzliche Haß und der Ekel vor dem Dasein und — ach ja gewiß! — die gekränkte Eitelkeit; — ich bin ja erst nach und nach auf den Schmerz gekommen! Und dann war ein Trost da, der zur Wohltat wurde: daß sie selbst leiden mußte. — Ich habe sie noch alle, jeden Augenblick kann ich sie wieder lesen, die Dutzende Briefe, die um Verzeitung flehten, schluchzten, jammerten! — — Und ich sehe sie selbst noch vor mir, in dem dunkeln, englischen Kleide, mit dem kleinen Strohhut, wie sie an der Ecke der Straße stand, in der Abenddämmerung, wenn ich aus dem Haustor trat, ... und mir nachschaute... Und auch an jenes letzte Wiedersehen denk' ich noch, wie sie vor mir stand mit den großen, staunenden Augen in dem runden Kindergesicht, das nun so blaß und verhärmt war ... Ich habe ihr nicht die Hand gegeben, als sie ging; — als sie zum letzten Male ging. — Und vom Fenster aus hab' ich sie noch bis zur Straßenecke gehen sehen, und da ist sie verschwunden — — — für immer. Jetzt kann sie nicht wiederkommen ...

Daß ich es überhaupt weiß, ist ein Zufall. Es hätte auch noch Wochen, Monate dauern können. Ich begegnete vormittags ihrem Onkel, den ich wohl ein Jahr lang nicht gesehen hatte, und der sich nur selten in Wien aufhält. Nur ein paarmal hatte ich ihn früher gesprochen. Zuerst, vor drei Jahren, an einem „Kegelabend", zu welchem auch sie mit ihrer Mutter hingekommen war. — Und dann im Sommer drauf: da war ich mit ein paar Freunden im Prater, in der „Csarda". Und an dem Tisch neben uns saß der Onkel mit zwei oder drei Herren, sehr gemütlich, beinahe fidel, und trank mir zu. Und bevor er den Garten verließ, blieb er noch bei mir stehen, und, wie ein großes Geheimnis, teilte er mir mit, daß seine Nichte für mich schwärme! — Und mir kam das so im Halbdusel eigentümlich und lustig und beinahe abenteuerlich vor, daß der alte Mann mir das hier erzählte, unter den Klängen des Cymbals und der hellen Geigen, — mir, der ich das so gut wußte, und dem noch der Duft ihres letzten Kusses auf den Lippen lag ... Und nun, heute vormittag! Fast wär ich an ihm vorbeigegangen. Ich fragte ihn nach seiner Nichte, mehr aus Höflichkeit als aus Interesse ... . Ich wußte ja nichts mehr von ihr; auch die Briefe waren schon längst nicht mehr gekommen; nur Blumen schickte sie regelmäßig. Erinnerungen an einen unserer seligsten Tage; einmal jeden Monat kamen sie; kein Wort dazu, schweigende, demütige Blumen ... — Und wie ich den Alten fragte, war er ganz erstaunt. Sie wissen nicht, daß das arme Kind vor einer Woche gestorben ist? Ich erschrak heftig. — Er erzählte mir dann noch mehr. Daß sie lange gekränkelt habe, daß sie aber kaum acht Tage zu Bett gelegen sei ... Und was ihr gefehlt habe? ... „Gemütskrankheit ... Blutarmut ... Die Ärzte wissen ja nie was Rechtes." —

Ich bin noch lange auf der Stelle stehen geblieben, wo mich der alte Mann verlassen hatte; — ich war abgespannt, als lägen große Mühen hinter mir. — Und jetzt ist mir, als müßte ich den heutigen Tag als einen betrachten, der einen Abschnitt meines Lebens bedeutete. Warum? — Warum? Mir ist nur etwas Äußerliches begegnet. Ich habe nichts mehr für sie empfunden, ich habe kaum noch ihrer gedacht. Und daß ich alles dies niederschrieb, hat mir wohlgetan: ich bin ruhiger geworden ... Ich beginne die Behaglichkeit meines Heims zu empfinden. — Es ist überflüssig und selbstquälerisch, weiter darüber zu denken ... Es wird schon irgendwen geben, der tieferen Grund hat, heute zu trauern, als ich.

Ich habe einen Spaziergang gemacht. Heiterer Wintertag. Der Himmel so blaß, so kalt, so weit .. Und ich bin sehr ruhig. Der alte Mann, den ich gestern traf, ... mir ist, als wenn es vor vielen Wochen gewesen wäre. — Und wenn ich an sie denke, kann ich sie mir in eigentümlich scharfen, fertigen Umrissen vorstellen; und nur eins fehlt: der Zorn, der sich noch bis in die letzte Zeit meiner Erinnerung beigesellte. Eine wirkliche Vorstellung davon, daß sie nicht mehr auf der Welt ist, daß sie in einem Sarg liegt, daß man sie begraben hat, habe ich eigentlich nicht ... Es ist gar kein Weh in mir. Die Welt kam mir heute stiller vor. Ich habe in irgend einem Augenblick gewußt, daß es überhaupt weder Freuden noch Schmerzen gibt; — nein, es gibt nur Grimassen der Lust und der Trauer; wir lachen und weinen und laden unsere Seele dazu ein. Ich könnte mich nun hinsetzen und sehr tiefe, ernste Bücher lesen, und dränge bald in all, ihre Weisheit ein. Oder ich könnte vor alte Bilder treten, die mir früher nichts gesagt, und jetzt ginge mir ihre dunkle Schönheit auf ... Und wenn ich mancher lieben Menschen denke, die mir gestorben sind, so krampft sich das Herz nicht wie sonst — der Tod ist etwas Freundliches geworden; er geht unter uns herum und will uns nichts Böses tun.

Schnee, hoher, weißer Schnee auf allen Straßen. Da ist das kleine Gretel zu mir gekommen und hat gefunden, wir müssen endlich einmal eine Schlitten-partie machen. Und da waren wir nun auf dem Land und sind auf glatten, hellen Wegen mit Schellen-geklingel hingesaust, den blaßgrauen Himmel über uns, rasch, rasch dahin, zwischen weißen, glänzenden Hügeln. Und Gretel lehnte mir an der Schulter; sah mit vergnügten Augen auf die lange Straße vor uns. Wir kamen in ein Wirtshaus, das wir gut vom Sommer her kannten, aus der Zeit, da es mitten im Grünen lag, und das nun so verändert aussah, so einsam, so ohne Zusammenhang mit der übrigen Welt, als müßte man's erst von neuem entdecken. Und der geheizte Ofen in der Wirtsstube glühte, daß wir den Tisch weit

weg rücken mußten; weil die linke Wange und das
Ohr der kleinen Gretel ganz rot geworden waren. Da
mußt ich ihr die blassere Wange küssen. Dann die
Rückfahrt, schon im halben Dunkel. Wie sich Gretel
ganz nahe an mich schmiegte und meine beiden Hände
in die ihren nahm. — Dann sagte sie: Heut hab ich
dich endlich wieder. Sie hatte so ohne alles Grübeln
das rechte Wort gefunden, was mich ganz froh machte.
Vielleicht auch hat die herbe Schneeluft auf dem Lande
meine Sinne wieder freier gemacht, denn freier und
leichter fühle ich mich, als alle die letzten Tage. —

Neulich wieder einmal, während ich nachmittags
auf dem Divan im Halbschlummer lag, be-
schlich mich ein sonderbarer Gedanke. Ich kam mir
kalt und hart vor. Wie einer, der ohne Tränen, ja
ohne jede Fähigkeit des Fühlens an einem Grabe
steht, in das man ein geliebtes Wesen gesenkt hat. Wie
einer, der so hart geworden ist, daß ihn nicht einmal
die Schauer eines jungen Todes versöhnen ... Ja, un-
versöhnlich, das war es ...

Vorbei, ganz vorbei. Das Leben, das Vergnügen
und das bißchen Liebe jagt all das dumme Zeug
davon. Ich bin wieder mehr unter Menschen. Ich
habe sie gern, sie sind harmlos, sie plaudern von allen
möglichen heiteren Dingen. Und Gretel ist ein liebes,
zärtliches Geschöpf, und am schönsten ist sie, wenn sie
so bei mir in der Fensternische steht, nachmittags, und
auf ihrem blonden Kopf die Sonnenstrahlen glitzern.

Etwas Seltsames ist heute geschehen ... Es ist der
Tag, an welchem sie mir allmonatlich die Blumen
schickte ... Und die Blumen sind wieder gekommen,
als ... als hätte sich nichts verändert. — Sie kamen

frühmorgens mit der Post in einem weißen, langen, schmalen Karton. Es war noch ganz früh; noch lag mir der Schlaf über Stirn und Augen. Und erst wie ich daran war, den Karton zu öffnen, kam mir die volle Besinnung ... Da bin ich beinahe erschrocken ... Und da lagen, zierlich durch einen Goldfaden zusammengehalten, Nelken und Veilchen ... Wie in einem Sarge lagen sie da. Und wie ich die Blumen in die Hand nahm, ging mir ein Schauer durchs Herz. — Ich weiß, wieso sie auch heute noch gekommen sind. Als sie ihre Krankheit nahen, als sie vielleicht schon eine Ahnung des nahen Todes fühlte, hat sie noch den gewohnten Auftrag in der Blumenhandlung gegeben. Ich sollte ihre Zärtlichkeit nicht vermissen. — Gewiß, so ist die Sendung zu erklären; als etwas völlig Natürliches, als etwas Rührendes vielleicht ... Und doch, wie ich sie in der Hand hielt, diese Blumen, und wie sie zu zittern und sich zu neigen schienen, da mußt ich sie wider alle Vernunft und allen Willen als etwas Gespenstisches empfinden, als kämen sie von ihr, als wär es ihr Gruß ... als wollte sie noch immer, auch jetzt noch, als Tote, von ihrer Liebe, von ihrer — verspäteten Treue erzählen. — Ach, wir verstehen den Tod nicht, nie verstehen wir ihn; und jedes Wesen ist in Wahrheit erst dann tot, wenn auch alle die gestorben sind, die es gekannt haben ... Ich habe die Blumen heute auch anders in die Hand genommen als sonst, zarter, als könnte man ihnen ein Leids antun, wenn man sie zu hart anfaßte ... als könnten ihre stillen Seelen leise zu wimmern anfangen. Und wie sie jetzt vor mir auf dem Schreibtisch stehen, in einem schlanken, mattgrünen Glas, da ist mir, als neigten sich die Blüten zu traurigem Dank. Das ganze Weh einer nutzlosen Sehnsucht duftet mir aus ihnen entgegen, und ich glaube, daß sie mir etwas erzählen könnten, wenn wir die Sprache alles Lebendigen und nicht nur die alles — Redenden verständen.

Ich will mich nicht beirren lassen. Es sind Blumen, weiter nichts. Es sind Grüße aus dem Jenseits . . . Es ist kein Rufen, nein, kein Rufen aus dem Grabe. — Blumen sind es, und irgend eine Verkäuferin in einem Blumengeschäft hat sie ganz mechanisch zusammengebunden, ein bißchen Watte drum getan, in die weiße Schachtel gelegt und dann auf die Post gegeben. — Und nun sind sie eben da, warum denk ich drüber nach? —

Ich bin viel im Freien, mache weite, einsame Spaziergänge. Wenn ich unter Menschen bin, fühle ich keinen rechten Zusammenhang mit ihnen; die Fäden alle reißen ab. Das merk ich auch, wenn das liebe, blonde Mädel in meinem Zimmer sitzt und mir da alles Mögliche vorplaudert von . . . ja, ich weiß gar nicht wovon. Denn wie sie wieder fort ist, da ist sie gleich, im ersten Augenblicke schon, so fern, als wäre sie weit weg, als nähme die Flut der Menschen sie gleich auf immer mit, als wäre sie spurlos verschwunden. Wenn sie nicht wiederkäme, könnte ich mich kaum wundern.

Die Blumen stehen in dem schlanken, grün schimmernden Glas, ihre Stengel ragen ins Wasser, und das Zimmer duftet davon. — Sie duften noch immer, — obwohl sie schon eine Woche in meinem Zimmer sind und langsam zu welken beginnen. — Und ich begreife allen möglichen Unsinn, den ich belacht habe, ich begreife das Zwiesprachpflegen mit Gegenständen der Natur . . . ich begreife, daß man auf Antwort warten kann, wenn man mit Wolken und Quellen spricht; denn auch ich starre ja diese Blumen an und warte, daß sie anfangen zu reden ... Ach nein, ich weiß ja, daß sie immer reden ... auch jetzt ... daß sie immerfort reden und klagen, und daß ich nahe daran bin, sie zu verstehen.

Wie froh bin ich, daß nun der starre Winter zu Ende geht. Schon schwimmt ein Ahnen des nahen Frühlings in der Luft. Die Zeit geht ganz eigen hin. Ich lebe nicht anders als sonst, und doch ist mir manchmal, als wären die Umrisse meines Daseins weniger fest gezeichnet. Schon das Gestern verschwimmt, und alles, was ein paar Tage zurückliegt, bekommt den Charakter eines unklaren Traumes. Immer von neuem, wenn Gretel mich verläßt, und insbesondere wenn ich sie mehrere Tage nicht sehe, da ist mir, als wäre das eine Geschichte, die längst, längst vorbei ist. Sie kommt immer von so weit, so weit! — Wenn sie dann zu plaudern anfängt, ist's freilich bald wieder beim alten, und ich habe ein deutliches Empfinden der Gegenwart und des Daseins. Und fast sind die Worte dann zu laut und die Farben zu grell; und wie das liebe Kind, kaum daß sie mich verläßt, in eine unsägliche Ferne entrückt ist, so jäh und glühend ist ihre Nähe. Sonst blieb mir doch noch ein Nachklang und ein Nachbild zurück von tönenden und lichten Augenblicken; jetzt aber verhallt und verlischt alles, plötzlich, wie in einer dumpfen Grotte. — Und dann bin ich allein mit meinen Blumen. Sie sind schon welk, ganz welk. Sie haben keinen Duft mehr. Gretel hatte sie bisher nicht beachtet; heute das erstemal weilte ihr Blick lange auf ihnen, und mir war, als wollte sie mich fragen. Und plötzlich schien sie eine geheime Scheu davon abzuhalten; — sie sprach überhaupt kein Wort mehr, nahm bald Abschied von mir und ging.

Sie blättern langsam ab. Ich rühre sie nie an; auch würden sie zwischen den Fingern zu Staub werden. Es tut mir unsäglich weh, daß sie welk sind. Warum ich nicht die Kraft habe, dem blöden Spuk ein Ende zu machen, weiß ich nicht. Sie machen mich krank, diese toten Blumen. Ich kann es zuweilen nicht aushalten, ich stürze davon. Und mitten auf der Straße packt es mich dann, und ich muß zurück, muß nach ihnen sehen. Und da find ich sie dann in demselben grünen Glas, wie ich sie verlassen, müd' und traurig. Gestern Abend hab' ich vor ihnen geweint, wie man auf einem Grabe weint, und habe gar nicht an die gedacht, von der sie eigentlich kommen. — Vielleicht irre ich mich! aber mir ist, als fühlte auch Gretel die Anwesenheit von irgend etwas Seltsamem in meinem Zimmer. Sie lacht nicht mehr, wenn sie bei mir ist. Sie spricht nicht so laut, nicht mit dieser frischen, lebhaften Stimme, die ich gewohnt war. Ich empfange sie freilich nicht mehr wie früher. Auch quält mich eine stete Angst, daß sie mich doch einmal fragen könnte; und ich weiß, daß mir jede Frage unerträglich wäre.

Oft nimmt sie ihre Handarbeit mit zu mir, und wenn ich noch über den Büchern bin, sitzt sie still am Tisch, häkelt oder sickt, wartet geduldig, bis ich die Bücher weglege und aufstehe und zu ihr trete, ihr die Arbeit aus der Hand zu nehmen. Dann entferne ich den grünen Schirm von der Lampe, bei der sie gesessen, und durchs ganze Zimmer fließt das freundliche, milde Licht. Ich habe es nicht gern, wenn die Ecken im Dunkeln sind.

Frühling! — Weit offen steht mein Fenster. Am späten Abend hab' ich mit Gretel auf die dunkle Straße hinausgeschaut. Die Luft um uns war weich und warm. Und wie ich zur Straßenecke hinsah, wo die Laterne ist, die ein schwaches Licht verbreitet, stand plötzlich ein Schatten dort. Ich sah ihn und sah ihn nicht ... Ich weiß, daß ich ihn nicht sah ... Ich schloß die Augen. Und durch die geschlossenen Lider konnte ich plötzlich sehen, und da stand das elende Geschöpf, im schwachen Licht der Laterne, und ich sah das Gesicht unheimlich deutlich, als wenn es von einer gelben Sonne beleuchtet würde, und sah in dem verhärmten, blassen Gesicht die großen, verwunderten Augen ... Da ging ich langsam vom Fenster weg und setzte mich zum Schreibtisch; auf dem flackerte das Kerzenlicht im Windhauch, der von draußen kam. Und ich blieb regungslos sitzen; denn ich wußte, daß das arme Geschöpf an der Straßenecke stand und wartete; und wenn ich gewagt hätte, die toten Blumen anzufassen, so hätt' ich sie aus dem Glas genommen und sie ihr gebracht ... So dacht' ich, dacht' es ganz fest, und wußte zugleich, daß es unsinnig war. Gretel verließ nun auch das Fenster und blieb einen Augenblick hinter meinem Sessel stehen und berührte mit ihren Lippen mein Haar. Dann ging sie, ließ mich allein ...

Ich starrte die Blumen an. Es sind gar keine mehr, es sind fast nur mehr nackte Stengel, dürr und erbärmlich ... Sie machen mich krank und rasend. — Und es muß wohl zu begreifen sein; sonst hätte Gretel mich doch einmal gefragt; aber sie fühlt es ja auch — sie flieht zuweilen, als wenn Gespenster in meinem Zimmer wären. —

Gespenster! — Sie sind, sie sind! — Tote Dinge spielen das Leben. Und wenn welkende Blumen nach Moder riechen, so ist es nur Erinnerung an die Zeit, wo sie blühten und dufteten. Und Gestorbene kommen wieder, so lang wir sie nicht vergessen. —

Was hilft's, daß sie nicht mehr sprechen kann; — ich kann sie ja noch hören! Sie erscheint nicht mehr, aber ich kann sie noch sehen! — — Und der Frühling draußen, und die Sonne, die hell über meinen Teppich fließt, und der Hauch von frischem Flieder, der vom nahen Parke hereinkommt, und die Menschen, die unten vorbeigehen, und die mich nichts kümmern, gerade das ist das Lebendige? Ich kann die Vorhänge herablassen, und die Sonne ist tot. Ich will von all diesen Menschen nichts mehr wissen, und sie sind tot. Ich schließe das Fenster, kein Fliederduft mehr weht um mich, und der Frühling ist tot. Ich bin mächtiger als die Sonne und die Menschen und der Frühling. Aber mächtiger als ich ist die Erinnerung, die kommt, wann sie will, und vor der es kein Fliehen gibt. Und diese dürren Stengel im Glas sind mächtiger als aller Fliederduft und Frühling.

Über diesen Blättern bin ich gesessen, als Gretel hereintrat. Noch nie war sie so früh am Tag gekommen; selten vor Eintritt der Dämmerung. Ich war erstaunt, fast betroffen. Ein paar Sekunden blieb sie in der Tür stehen; und ich schaute sie an, ohne sie zu begrüßen. Da lächelte sie und trat näher. Sie trug einen Strauß frischer Blumen in der Hand. Dann ist sie, ohne ein Wort zu reden, bis zu meinem Schreibtisch gekommen und hat die Blumen vor mich hingelegt. Und in der nächsten Sekunde greift sie nach den verwelkten im grünen Glas. Mir war, als griffe man mir ins Herz; — aber ich konnte nichts sagen... Und wie ich aufstehen will, das Mädel beim Arm packen, schaut sie mich lachend an. Und hält den Arm mit den welken Blumen hoch, eilt hinter dem Schreibtisch zum Fenster, und wirft sie einfach hinunter auf die Straße. Mir ist, als müßt' ich ihnen

nach; aber da steht das Mädel, an die Brüstung ge-
lehnt, das Gesicht mir zugewandt. Und über ihren
blonden Kopf fließt die Sonne, die warme, die lebendige
...Und reicher Fliederduft kommt von drüben.
Und ich sehe auf das leere grüne Glas, das auf dem
Schreibtisch steht; ich weiß nicht, wie mir ist; freier
glaub ich, — viel freier als früher. Da kommt Gretel
herzu, nimmt ihren kleinen Strauß und hält ihn mir
vor's Gesicht; kühlen weißen Flieder... Ein so gesunder frischer Duft; — so weich, so kühl; ich wollte
mein Gesicht ganz darin vergraben. — Lachende,
weiße, küssende Blumen — und ich fühlte, daß der
Spuk vorbei war. — Gretel stand hinter mir und fuhr
mir mit ihren wilden Händen ins Haar. Du lieber
Narr, sagte sie. — Wußte sie, was sie getan?... Ich
nahm ihre Hände und küßte sie. — — Und abends
sind wir ins Freie hinaus, in den Frühling. Eben bin
ich mit ihr zurückgekommen. Die Kerze habe ich angezündet; wir sind viel gegangen, und Gretel ist so
müde geworden, daß sie auf dem Lehnstuhle neben
dem Ofen eingeschlummert ist. Sie ist sehr schön, wie
sie da im Schlummer lächelt.

Vor mir im schlanken grünen Glas steht der Flieder.
— Unten auf der Straße — nein, nein, sie liegen
längst nicht mehr da unten. Schon hat sie der Wind
mit dem andern Staub verweht.

———————————

EIN ABSCHIED

Eine Stunde wartete er schon. Das Herz klopfte ihm, und zuweilen war ihm, als hätte er vergessen zu atmen; dann zog er die Luft in tiefen Zügen ein, aber es wurde ihm nicht wohler. Er hätte eigentlich schon daran gewöhnt sein können, es war ja immer dasselbe; immer mußte er warten, eine Stunde, zwei, drei, und wie oft vergebens. Und er konnte es ihr nicht einmal zum Vorwurf machen, denn wenn ihr Mann länger zu Hause blieb, wagte sie sich nicht fort; und erst wenn der weggegangen war, kam sie hereingestürzt, ganz verzweifelt, ihm rasch einen Kuß auf die Lippen drückend, und gleich wieder davon, die Treppen hinunterfliegend, und ließ ihn wieder allein. Dann, wenn sie fort war, pflegte er sich auf den Divan zu legen, ganz matt von der Aufregung dieser entsetzlichen Wartestunden, die ihn unfähig zu aller Arbeit machten, die ihn langsam ruinierten. Das ging nun schon ein viertel Jahr lang so, seit dem Ende des Frühlings. Jeden Nachmittag von drei Uhr an war er in seinem Zimmer bei heruntergelassenen Rouleaus und konnte nichts beginnen; hatte nicht die Geduld, ein Buch, kaum, eine Zeitung zu lesen, war nicht imstande, einen Brief zu schreiben, tat nichts als Zigaretten rauchen, eine nach der andern, daß das Zimmer ganz im blaugrauen Dunste dalag. Die Tür zum Vorzimmer stand immer offen; und er war ganz allein zu Hause, denn sein Diener durfte nicht da sein, wenn sie kommen sollte; und wenn dann plötzlich die Klingel schrillte, fuhr er immer erschreckt zusammen. Aber wenn nur sie es war, wenn sie es nur endlich wirklich war, da war es ja schon gut! Da war ihm, als löste sich ein Bann, als wäre er wieder ein Mensch geworden, und er weinte manchmal vor lauter Glück, daß sie nur endlich einmal da war, und daß er nicht mehr warten mußte. Dann zog er sie rasch in sein Zimmer, die Tür wurde geschlossen, und sie waren sehr selig.

Es war verabredet, daß er täglich bis punkt sieben zu Hause zu bleiben hatte; denn nachher durfte sie gar nicht mehr kommen — er hatte ihr ausdrücklich gesagt, daß er um sieben immer weggehen würde, weil ihn das Warten so nervös machte. Und doch blieb er immer länger zu Hause, und erst um acht pflegte er auf die Straße hinunterzugehen. — Dann dachte er schaudernd an die verflossenen Stunden und erinnerte sich mit Wehmut des vorigen Sommers, da er seine ganze Zeit für sich gehabt, an schönen Nachmittagen oft aufs Land gefahren, im August schon ins Seebad gereist, und gesund und glücklich gewesen war; — und er sehnte sich nach Freiheit, nach Reisen, nach der Ferne, nach dem Alleinsein, aber er konnte nicht weg von ihr; denn er betete sie an.

Heute schien ihm der ärgste von allen Tagen. Gestern war sie gar nicht gekommen, und er hatte auch keinerlei Nachricht von ihr erhalten. — Es war bald sieben; aber er wurde heute nicht ruhiger. Er wußte nicht, was er beginnen sollte. Das Entsetzliche war, daß er keinen Weg zu ihr hatte. Er konnte nichts anderes tun, als vor ihr Haus gehen und ein paarmal vor den Fenstern auf und ab spazieren; aber er durfte nicht zu ihr, durfte niemand zu ihr schicken, konnte sich bei niemandem nach ihr erkundigen. Denn kein Mensch ahnte nur, daß sie einander kannten. Sie lebten in einer ruhelosen, angstvollen und glühenden Zärtlichkeit hin und hätten gefürchtet, sich vor anderen jeden Augenblick zu verraten. Er fand es wohl schön, daß ihr Verhältnis in tiefster Verborgenheit fortdauerte; aber solche Tage, wie der heutige, waren um so qualvoller.

Es war acht Uhr geworden — sie war nicht gekommen. Die letzte Stunde war er ununterbrochen an der Türe gestanden und hatte durchs Guckfensterchen auf den Gang hinausgeschaut. Eben waren die Gasflammen auf der Stiege angezündet worden. Jetzt ging er in sein Zimmer zurück, und todmüde warf er sich auf den Divan. Es war ganz dunkel im Zimmer, er schlummerte ein. Nach einer halben Stunde erhob er sich und entschloß sich, fortzugehen. Er hatte Kopfschmerzen, und die Beine taten ihm weh, als wäre er stundenlang herumgelaufen.

Er nahm den Weg zu ihrem Hause. Es war ihm wie eine Beruhigung, als er die Rouleaus in allen Fenstern heruntergelassen sah. Durch die des Speisezimmers und die des Schlafzimmers schimmerte ein Lichtschein. — Er spazierte ein halbe Stunde auf dem gegenüberliegenden Trottoir hin und her, immer den Blick auf die Fenster geheftet. Die Straße war wenig belebt. Erst als sich einige Stubenmädchen und die Hausmeisterin vor dem Tore zeigten, entfernte er sich, um nicht aufzufallen. In dieser Nacht schlief er fest und gut.

Am nächsten Vormittag blieb er lange im Bette liegen; er hatte einen Zettel ins Vorzimmer gelegt, man dürfe ihn nicht wecken. Um zehn Uhr klingelte er. Der Diener brachte ihm das Frühstück; auf der Untertasse lag die eingelaufene Post; von ihr war kein Brief da. Aber er sagte sich gleich, daß sie nun um so sicherer selber am Nachmittag bei ihm sein werde, und so verbrachte er die Zeit bis drei Uhr ziemlich ruhig.

Punkt drei, aber auch nicht eine Minute früher, kam er vom Mittagessen nach Hause. Er setzte sich auf einen Sessel im Vorzimmer, um nicht immer hin- und herlaufen zu müssen, wenn er ein Geräusch im

Stiegenhaus vernahm. Aber er war ganz froh, wenn er nur überhaupt Schritte in der Flur unten hörte; es war doch immer wieder eine neue Hoffnung. Doch jede war vergebens. Es wurde vier — fünf — sechs — sieben — sie kam nicht. Dann lief er in seinem Zimmer hin und her und stöhnte leise, und als ihm schwindlig wurde, warf er sich aufs Bett. Er war völlig verzweifelt; das war nicht mehr zu ertragen — das beste: fort, fort — dieses Glück war doch zu teuer bezahlt!... Oder er mußte wieder eine Änderung treffen — z. B. nur eine Stunde warten — oder zwei — aber so konnte das nicht weiter gehen, da mußte alles in ihm zu Grunde gerichtet werden, die Arbeitskraft, die Gesundheit, schließlich auch die Liebe. Er merkte, daß er an sie überhaupt gar nicht mehr dachte; seine Gedanken wirbelten wie in einem wüsten Traum. Er sprang vom Bett herunter. Er riß das Fenster auf, sah auf die Straße hinab, in die Dämmerung .... Ah... da ... dort an der Ecke ... in jeder Frau glaubte er sie zu erkennen. Er entfernte sich wieder vom Fenster; sie durfte ja nicht mehr kommen; die Zeit war ja überschritten. Und plötzlich kam es ihm unerhört albern vor, daß er nur diese wenigen Stunden zum Warten bestimmt hatte. Vielleicht hätte sie gerade jetzt Gelegenheit gehabt .... vielleicht wäre es ihr heute vormittags möglich gewesen, zu ihm zu kommen — und schon hatte er auf den Lippen, was er nächstens sagen wollte, und flüsterte es vor sich hin: „Den ganzen Tag werde ich von jetzt an zu Hause sein und dich erwarten; von früh bis in die Nacht." Aber wie er es ausgesprochen, begann er selbst zu lachen, und dann flüsterte er vor sich hin: „Aber ich werde ja toll, toll, toll!" — Wieder stürzte er zu ihrem Hause. — Es war alles wie gestern. Lichter schimmerten durch die geschlossenen Rouleaus. Wieder spazierte er eine halbe Stunde auf

dem gegenüberliegenden Trottoir hin und her —
wieder entfernte er sich, als die Hausmeisterin und
einige Dienstmädchen aus dem Tore traten. Es kam
ihm heute vor, als sähen ihn die an, und er war überzeugt, daß sie sich über ihn unterhielten und sagten:
Das ist derselbe Herr, der gestern hier um dieselbe
Zeit auf und ab gegangen ist. Er spazierte in nahen
Gassen umher, aber als es von den Türmen zehn Uhr
schlug und die Tore geschlossen wurden, kam er
wieder und starrte zu den Fenstern hinauf. Nur durch
das letzte, wo das Schlafzimmer lag, schimmerte ein
Lichtstrahl. Er sah hin wie gebannt. — Nun stand er
hilflos da und konnte nichts tun und nicht fragen. —
Ihn schauderte vor den Stunden, die ihm bevorstanden.
Eine Nacht, ein Morgen, ein Tag bis drei Uhr. —
Ja, bis drei — und dann ... wenn sie wieder nicht
käme? ... Ein leerer Wagen fuhr vorbei, er winkte
dem Kutscher und ließ sich in den nächtlichen Straßen
langsam hin- und herfahren.... Er erinnerte sich des
letzten Zusammenseins mit ihr ... nein, nein, sie
hatte nie aufgehört, ihn zu lieben — nein, das gewiß
nicht! — Oder sollte man bei ihr zu Hause einen Verdacht gefaßt haben? ... Nein, das war ja nicht möglich ... es war bisher auch nicht eine Spur davon aufgetaucht — und sie war ja so vorsichtig. — Es konnte
also nur einen Grund geben: sie war leidend und lag
zu Bette. Und deswegen konnte sie auch keine Nachricht an ihn gelangen lassen ... Und morgen würde
sie aufstehen und vor allem anderen ein paar Zeilen
an ihn senden, ihn zu beruhigen. ... Ja, wenn sie aber
erst in zwei Tagen oder noch später das Bett verlassen
konnte ... wenn sie ernstlich krank ... um Himmels
willen ... wenn sie schwer krank wäre ... Nein, nein,
nein ... warum denn gleich schwer krank! ...
Plötzlich kam ihm ein Gedanke, der ihm ein er-

erlösender erschien. Da sie ganz sicher krank war, konnte er ja morgen zu ihr hinaufschicken und nach ihrem Befinden fragen lassen. Der Bote brauchte ja selbst nicht zu wissen, von wem er den Auftrag hatte — er konnte den Namen schlecht verstanden haben ... Ja, ja, so sollte es geschehen! — Er war ganz glücklich, daß ihm dieser Einfall gekommen war.

So verstrich ihm die Nacht und der nächste Tag, obwohl er keine Nachricht erhielt, ruhiger, und selbst den Nachmittag verbrachte er unter geringerer Aufregung als sonst; — er wußte ja, daß schon am Abend, heute noch, die Ungewißheit zu Ende sein würde. Er sehnte sich nach ihr zärtlicher und besser als in den letzten Tagen.

Um acht Uhr abends verließ er sein Haus. An einer etwas entfernteren Straßenecke nahm er einen Dienstmann auf, der ihn nicht kannte. Er winkte ihm, mitzugehen. Nicht weit von ihrer Wohnung blieb er mit ihm stehen. Er entließ ihn mit einem eindringlichen und genauen Auftrag.

Er sah beim Schein der Straßenlaterne auf die Uhr und begann hin und her zu gehen. Aber gleich fiel ihm ein: wenn der Gatte doch einen Verdacht erfaßt hätte, den Dienstmann ins Verhör nähme, sich von ihm hierher führen ließe? Rasch folgte er dem Boten; dann mäßigte er den Schritt und blieb in einiger Entfernung hinter ihm. Endlich sah er ihn in dem Hause verschwinden. Albert stand sehr weit, er mußte seinen Blick anstrengen, um das Tor nicht aus den Augen zu verlieren ... Schon nach drei Minuten sah er den Mann wieder heraustreten ... Er wartete nur ein paar Sekunden, um zu sehen, ob dem Mann irgendwer nachspürte; es kam niemand. Jetzt eilte er ihm nach. — „Nun", fragte er ... „was gibts?" — „Der gnädige Herr läßt sich schön empfehlen," antwortete der Mann, „und der gnädigen Frau geht es noch nicht besser, sie wird erst in ein paar Tagen aufstehen können."

„Mit wem haben Sie gesprochen?"

„Mit einem Dienstmädel; sie ist ins Zimmer gegangen und ist gleich wieder heraus, ich glaub, es war grad der Herr Doktor da . . ."

„Was hat sie gesagt?" Er ließ sich die Botschaft noch ein paarmal wiederholen und sah endlich ein, daß er kaum mehr wußte als vorher. Sie mußte ernstlich krank sein; man erkundigte sich offenbar von vielen Seiten — dadurch war auch sein Bote nicht aufgefallen . . . Aber um so mehr konnte er wagen. — Er bestellte den Mann für morgen auf dieselbe Stunde. —

Erst in ein paar Tagen würde sie aufstehen — und mehr wußte er nicht . . . Und ob sie an ihn dachte, ob sie sich nur vorstellen konnte, was er um sie litt — er wußte nichts. —

Ob sie vielleicht erraten, daß er es gewesen, von dem diese letzte Erkundigung gekommen war? . . . Der gnädige Herr läßt sich empfehlen; nicht sie, er; ihr durfte man es vielleicht gar nicht sagen . . . Ja, und was fehlte ihr? Die Namen von hundert Krankheiten gingen ihm gleichzeitig durch den Kopf. — Nun, in ein paar Tagen würde sie aufstehen, — es konnte also nichts Ernstes sein . . . Aber das sagte man ja immer, auch wie sein eigener Vater auf den Tod krank gelegen war, hatte man das immer den Leuten gesagt . . . Er merkte, daß er zu laufen begonnen, da er wieder in eine belebtere Gasse gekommen war, wo ihn die vielen Passanten hinderten. Er wußte, daß die Zeit bis zum morgigen Abend ihm wie eine Ewigkeit erscheinen würde.

Die Stunden gingen hin, und er wunderte sich selbst in manchen Momenten, daß er an eine ernste Krank-

heit der Geliebten gar nicht glauben konnte. Dann
erschien es ihm gleich wieder wie eine Sünde, daß er
so ruhig war ... Und nachmittags — wie lange war
das schon nicht geschehen! — las er ganze Stunden
lang in einem Buche, als gäbe es nichts zu fürchten und
nichts zu wünschen. —

Der Dienstmann stand schon an der Ecke, als Albert
sich am Abend dort einfand. — Heute bekam der
Mann außer der gestrigen Weisung noch den Auftrag,
mit dem Stubenmädchen womöglich ein Gespräch
zu beginnen und in Erfahrung zu bringen, was der
gnädigen Frau eigentlich fehlte. — Es dauerte länger
als gestern, ehe der Mann sich wieder zeigen wollte,
und Albert begann unruhig zu werden. Fast eine
viertel Stunde verging, bis er den Mann aus dem Hause
treten sah; Albert lief ihm entgegen. —

„Der gnädigen Frau soll es sehr schlecht gehen ..."

„Was?" schrie Albert.

„Der gnädigen Frau soll es sehr schlecht gehen",
wiederholte der Mann.

„Wen haben Sie gesprochen? Was hat man Ihnen
gesagt? ..."

„Das Stubenmädel hat mir gesagt, daß es sehr gefährlich ist ... Heut waren schon drei Doktoren da, und
der gnädige Herr soll ganz desparat sein."

„Weiter ... weiter ... was fehlt ihr? haben Sie nicht
gefragt? Ich hab Ihnen ja —"

„Freilich! ... Ein Kopftyphus soll's sein, und die
gnädige Frau weiß gar nichts mehr von sich seit zwei
Tagen."

Albert blieb stehen und schaute den Mann wie ab-
wesend an ... Dann fragte er:

„Sonst wissen Sie nichts?"

Der Mann fing seine Geschichte von vorne zu erzählen an, und Albert hörte zu, als brächte ihm jedes

137

Wort etwas Neues. Dann bezahlte er ihn und ging geradeswegs wieder in die Straße zurück vor das Haus der Geliebten. Ja, nun konnte er freilich unbehelligt dastehen; — wer kümmerte sich droben um ihn? Und er starrte hinauf zu dem Schlafzimmer und wollte mit seinem Blicke durch die Glasscheiben und Vorhänge hindurchdringen. Das Krankenzimmer — ja! — es war so selbstverständlich, daß da hinter diesen stillen Fenstern ein Schwerkranker liegen mußte! — wie hatte er es nur nicht gleich am ersten Abende gewußt? Heute sah er ein, daß es gar nicht anders sein konnte. — Ein Wagen fuhr vor; Albert stürzte hinüber, er sah einen Herrn aussteigen, der nur der Arzt sein konnte, und im Tor verschwinden. Albert blieb ganz nahe stehen, um das Herunterkommen des Arztes abzuwarten in der unbestimmten Hoffnung, von dessen Zügen etwas ablesen zu können... Er stand einige Minuten ganz unbeweglich, und dann begann der Erdboden mit ihm langsam auf und nieder zu gehen. Da merkte er, daß ihm die Augen zugefallen waren; und wie er sie öffnete, war ihm, als hätte er schon Stunden lang da geträumt und wachte nun erfrischt auf. Daß sie schwer krank war, konnte er glauben, aber gefährlich, nein... So jung, so schön und so geliebt... Und plötzlich schoß ihm wieder das Wort: „Kopftyphus" durch den Sinn... Er wußte nicht recht, was das eigentlich war. Er erinnerte sich, es zuweilen im Verzeichnis der Verstorbenen als Todesursache gelesen zu haben. — Er stellte sich jetzt ihren Namen gedruckt vor, dazu ihr Alter, und dazu „gestorben am 20. August an Kopftyphus"... Das war unmöglich, vollkommen unmöglich... jetzt, da er sichs vorgestellt hatte, war es schon ganz unmöglich; ... das wäre zu seltsam, daß er das in ein paar Tagen wirklich gedruckt lesen sollte... Er glaubte geradezu,

das Schicksal überlistet zu haben. — Der Doktor trat
aus dem Haustor. Albert hatte fast an ihn vergessen
— nun stockte ihm der Atem. Die Züge des Arztes
waren ganz leidenschaftslos und ernst. Er rief dem
Kutscher eine Adresse zu, dann stieg er ein und der
Wagen fuhr mit ihm davon. — Warum habe ich ihn
denn nicht gefragt, dachte Albert ... dann war er
aber wieder froh, daß er es nicht getan. Am Ende
hätte er sehr Schlimmes gehört. So konnte er weiter
hoffen ... Er entfernte sich langsam vom Haustor
und nahm sich vor, nicht früher als in einer Stunde
wieder da zu sein ... Und plötzlich mußte er sich
vorstellen, wie sie das erste Mal nach ihrer Genesung
zu ihm kommen würde ... Es war ein so deutliches
Bild, daß er ganz erstaunt war. Er wußte sogar, daß
an diesem Tage ein feiner, grauer Regen herunterrieseln würde. Und sie hat einen Mantel um, der ihr
schon im Vorzimmer von der Schulter fällt, und stürzt
in seine Arme und kann nur weinen und weinen. Da
hast du mich wieder ... flüstert sie endlich ... da bin ich!
Plötzlich schrak Albert zusammen ... Er wußte, daß
das nie, niemals sein würde ... Jetzt hatte das Schicksal
ihn überlistet! ... Nie wieder würde sie zu ihm kommen
— vor fünf Tagen war sie das letzte Mal bei ihm gewesen, und er hatte sie auf immer gehen lassen, und er
hatte es nicht gewußt ...
Und wieder lief er durch die Straßen, die Gedanken
sausten ihm durch den Kopf, er sehnte sich darnach,
die Besinnung zu verlieren. Jetzt war er wieder vor
ihrem Hause ... Noch war das Tor geöffnet, und
oben brannten die Lichter im Speise- und Schlafzimmer ... Albert rannte weg. Er wußte: wäre er
noch einen Augenblick stehen geblieben, so hätte er
hinaufstürzen müssen, zu ihr — an ihr Bett — zu der
Geliebten. — Und wie es seine Art war, mußte er

auch das zu Ende denken. Und da sah er, wie der Gatte, der mit einem Mal alles erfaßt, zu der Kranken eilte, die bewegungslos dalag, und sie schüttelte und ihr ins Ohr schrie: Dein Geliebter ist da, dein Geliebter ist da! — Aber sie war schon tot ...

... In schweren Träumen verging ihm die Nacht, in dumpfer Müdigkeit der Tag. Schon um elf schickte er wieder einen Dienstmann aus, der sich erkundigen sollte. Jetzt konnte das ruhig geschehen; wer kümmerte sich um die Leute, die nachfragen kamen! Die Nachricht, die er erhielt, lautete: Unverändert ... — Den ganzen Nachmittag lag er zu Hause auf seinem Divan und verstand sich selber nicht. Es war ihm alles ganz gleichgültig; und er dachte: es ist doch schön, so müde zu sein ... Er schlief sehr viel. Aber als es dunkel wurde, sprang er plötzlich auf, in einer Art von Staunen, als wäre jetzt erst, das erste Mal in dieser ganzen wirren Zeit, Klarheit über ihn gekommen. Und eine ungeheure Sehnsucht nach Gewißheit bemächtigte sich seiner — heute mußte er den Arzt selbst sprechen. — Er eilte vor ihr Haus. Die Hausbesorgerin stand davor. Er trat auf sie zu und, indem er sich selbst über seine Ruhe wunderte, fragte er sie harmlos: „Wie gehts denn Frau ...?" Die Hausbesorgerin antwortete: „Oh, der gehts sehr schlecht; die wird nimmer aufstehn ..."

„Ah!" erwiderte Albert sehr verbindlich und setzte hinzu: „Das ist aber traurig."

„Freilich," meinte die andere, „das ist sehr traurig — so eine junge, schöne Frau." Damit verschwand sie im Toreingang. —

Albert sah ihr nach ... Die hat mir wohl nichts angemerkt, dachte er, und im selben Moment fuhr ihm auch schon der Gedanke durch den Kopf, ob er sich nicht in die Wohnung wagen könnte, da er ja ein solcher Künstler in der Verstellung wäre ... Da kam der Wagen des Arztes angefahren. Albert grüßte, als dieser ausstieg, und erhielt einen höflichen Dank. Das war ihm angenehm — nun war er gewissermaßen bekannt mit ihm geworden und konnte eher fragen, wenn er herunterkäme...

Regungslos blieb er stehen, und es tat ihm wohl, zu denken, daß der Arzt bei ihr wäre. Er blieb lange aus... Jedenfalls mußte noch irgend eine Möglichkeit zu retten da sein, sonst hielte er sich nicht so lange da oben auf. Oder sie lag schon in der Agonie... Oder... Ah, weg, weg, weg! — Er wollte alle Gedanken verscheuchen, es war ja nutzlos — es war ja alles möglich. — Plötzlich war es ihm, als hörte er den Doktor reden; — er verstand sogar die Worte: das ist die Krise. Und unwillkürlich schaute er zum Fenster auf, das geschlossen war. Er überlegte, ob nicht unter gewissen Umständen, zum Beispiel bei aufgeregten und dadurch geschärften Sinnen, auch durch geschlossene Fenster die Worte eines Menschen zu vernehmen wären. Ja, natürlich, er hatte sie ja gehört, gehört nicht wie in der Einbildung, sondern wie wirklich gesprochene Worte. — ... Aber schon in demselben Augenblick trat der Arzt aus dem Tor. Albert machte einen Schritt auf ihn zu. Der Arzt mochte ihn für einen Verwandten der Familie halten und, ihm die ungesprochene Frage von den Augen lesend, schüttelte er den Kopf. Aber Albert wollte das nicht verstehen. Er begann zu reden. „Darf ich fragen, Herr Professor, wie..." Der Arzt stand mit einem Fuße auf dem Wagentritt und schüttelte wieder den Kopf... „Recht schlimm," sagte er und sah den jungen Mann an... „Sie sind der Bruder, nicht wahr?" ... „Jawohl", sagte Albert. .... Der Arzt sah ihn mitleidig an. Dann setzte er sich in den Wagen, nickte dem jungen Mann zu und fuhr davon. —

Albert schaute dem Wagen beklommen nach, als verschwände eine letzte Hoffnung mit ihm. Dann ging er. Er sprach leise mit sich selbst, beinahe sinnlose Sätze, und die Zähne klapperten ihm dabei. — Also, was machen wir heute? ... Aufs Land ist's zu spät, aufs Land ist's zu spät. Es ist zu spät, es ist zu spät ... Ja, ich bin traurig! Bin ich traurig? Bin ich zu Tode betrübt? Nein, ich gehe spazieren, ich empfinde ja gar nichts, gar nichts. Ich könnte jetzt ins Theater gehen, ja, oder aufs Land fahren — ...O nein, das glaub' ich nur ... das ist alles Wahnsinn, weil ich so tief ergriffen bin. Ja... ergriffen bin ich, erschüttert! Es ist ein hoher Moment, ich muß ihn festhalten können! Etwas genau verstehen und nichts empfinden ... nichts ... nichts. — Es fröstelte ihn ... Nach Hause, nach Hause. Ich muß irgend etwas Ähnliches einmal erlebt haben ... aber wann, wann? ... Vielleicht einmal im Traum? ... Oder ist das ein Traum? ... Ja, jetzt geh ich nach Hause wie alle Abende, als wäre nichts geschehen, als wäre nicht das Geringste geschehen. — Aber was rede ich mir denn ein! Ich werde ja nicht zu Hause bleiben, ich werde ja mitten in der Nacht wieder davon rennen, vors Haus der Geliebten, vors Haus der sterbenden Geliebten ... Und seine Zähne schlugen aufeinander. — Plötzlich fand er sich in seinem Zimmer und konnte sich nicht daran erinnern, wie er heraufgekommen war. Er machte Licht und setzte sich auf den Divan. Ich weiß, wie es ist, sagte er zu sich: der Schmerz klopft an, und ich lasse ihn nicht ein. Aber ich weiß, daß er draußen steht, durchs Guckfenster kann ich ihn sehen. — — Ah wie dumm, wie dumm ... Also meine Geliebte wird sterben ... ja, sie wird, sie wird! Oder hoffe ich vielleicht noch und bin darum so ruhig? Nein, ich weiß es ganz bestimmt. Ach, und der Arzt hat mich für den Bruder gehalten! Wenn ich ihm geantwortet hätte: Nein, ich bin ihr Geliebter, oder: Ich bin ihr Seladon. Ich bin ihr erschütterter Seladon . . .

Herr im Himmel! schrie er plötzlich laut; sprang auf und lief im Zimmer hin und her . . . Ich hab ihm aufgetan! Der Schmerz ist da! . . . Anna, Anna, meine süße, meine einzige, meine geliebte Anna! . . . Und ich kann nicht bei dir sein! Gerade ich nicht, ich, der einzige, der zu dir gehört . . . Vielleicht ist sie gar nicht bewußtlos! Was wissen wir denn überhaupt davon! Und sie sehnt sich nach mir, — und ich kann nicht hin — darf nicht hin. Oder vielleicht, im letzten Augenblick, wenn sie von allen irdischen Rücksichten sich löst, wird sie es sagen, wird flüstern: Ruft ihn mir — ich will ihn noch einmal sehen . . . Und was wird er tun? . . .

Nach einer Weile stand ihm der ganze Vorgang vor den Augen. Er sah sich die Treppe hinaufeilen, der Mann empfing ihn, führte ihn selbst zum Bette der Sterbenden, die lächelte ihn an mit brechenden Augen, — er beugte sich zu ihr, sie umarmte ihn, und wie er sich erhob, hatte sie den letzten Atemzug getan — . . . Und jetzt trat der Mann hinzu und sagte ihm: Nun gehen Sie wieder, mein Herr, wir werden einander wohl bald mehr zu sagen haben . . . Aber so ist das Leben nicht, nein . . . Das wäre ja das Schönste, das Allerschönste; sie noch einmal sehen, fühlen, daß er von ihr geliebt wird! — Er mußte sie ja noch einmal sehen, auf irgend eine Weise . . . ja, er konnte sie doch um Himmels willen nicht sterben lassen, ohne sie noch einmal gesehen zu haben. Das wäre zu entsetzlich! Er hatte es ja noch gar nicht recht ausgedacht. Ja, aber was tun? — Es war bald Mitternacht! Unter welchem Vorwand könnte ich jetzt hinauf, fragte er sich. Brauch' ich denn jetzt einen

Vorwand . . . jetzt, da der Tod . . . Aber selbst wenn sie . . . stirbt — habe ich ein Recht, ihr Geheimnis zu verraten, ihr Gedächtnis bei ihrem Manne, bei ihrer Familie zu beflecken — —? . . . Aber . . . ich könnte mich ja wahnsinnig stellen. Ah — ich kann mich ja ganz gut verstellen . . . o Gott — was ist das wieder für ein Komödieneinfall! . . . Allerdings, wenn man die Rolle gut durchführte und gleich fürs ganze Leben ins Narrenhaus gesperrt würde . . . Oder wenn sie gesund würde und sie selbst mich dann für einen Wahnsinnigen erklärte, den sie nie gekannt, nie gesehen habe — ! . . . — Oh, mein Kopf, mein Kopf! — Er warf sich aufs Bett. Jetzt kam er zum Bewußtsein der Nacht und der Stille, die um ihn war. — Nun, sagte er sich, will ich in Ruhe nachdenken. Ich will sie noch einmal sehen . . . ja, jedenfalls . . . das steht fest.

Und weiter wirbelten seine Gedanken: in hundert Verkleidungen sah er sich die Treppe zu ihrer Wohnung hinaufsteigen: als Assistent des Professors, als Apothekergehilfe, als Lakai, als Beamter einer Bestattungsgesellschaft, als Bettler; zuletzt sah er sich gar als Leichendiener neben der Toten sitzen, die er nicht kennen durfte, hüllte sie in das weiße Tuch und legte sie in den Sarg . . .

Er wachte in der Morgendämmerung auf. Das Fenster war offen gewesen, und obwohl er angekleidet auf dem Bette gelegen war, fröstelte ihn, da ein leichter Regen begonnen und der Wind ein paar Tropfen bis ins Zimmer streute. —

Also der Herbst ist da, dachte Albert . . . Dann erhob er sich und schaute auf die Uhr. — So hab ich doch fünf Stunden fest geschlafen. — In dieser Zeit kann . . . viel geschehen sein. — Er schauerte zusammen. — Sonderbar, ich weiß plötzlich ganz genau, was ich zu tun habe. Ich werde jetzt hingehen, bis vor die

Wohnungstür, den Kragen heraufgeschlagen, und ...
selbst ... fragen ...

Er schenkte sich ein Glas Kognak ein, das er rasch
austrank. Dann ging er zum Fenster. Pfui, wie die
Straßen aussehen. Sehr früh ist's noch. ... Das sind
lauter Menschen, die schon um sieben Uhr zu tun
haben. — — Ja, heute bin ich auch ein Mensch, der
schon um sieben zu tun hat. — — „Recht schlimm,"
hat der Doktor gestern gesagt ... Aber daran ist noch
niemand gestorben ... Und ich hatte doch gestern
ununterbrochen die Empfindung, als wenn sie schon
... geh'n wir, geh'n wir ... Er zog sich den Überzieher an, nahm einen Regenschirm und trat ins Vorzimmer. Sein Diener machte ein erstauntes Gesicht.
Ich komme bald wieder, sagte er und ging. —

Er machte kleine, langsame Schritte; es war ihm
eigentlich sehr peinlich, selbst hinaufzugehen. Was
sollte er nur sagen?

— Er kam immer näher; schon war er in der Straße,
sah von ferne das Haus. Es schien ihm so fremd.
Zu solcher Stunde hatte er es freilich nie gesehen.
Wie sonderbar doch diese fahlen Lichter waren, die
der Regenmorgen über die Stadt breitete. Ja, an solchen
Tagen stirbt man. — Wenn Anna an jenem Tage, da
sie das letztemal bei ihm war, einfach von ihm Abschied genommen hätte, er hätte sie heute vielleicht
schon vergessen gehabt. Ja, ganz gewiß — denn es
war ganz unheimlich, wie lang es ihm erschien, daß er
sie das letzte Mal gesehen. Was so ein Regenmorgen
für falsche Begriffe von der Zeit schafft ... ach Gott
... Albert war sehr müde, sehr zerstreut. ... Fast
wäre er an dem Hause vorübergegangen.

Das Tor war offen; gerade kam ihm ein Bursch mit
Milchkannen in der Hand daraus entgegen. Albert
ging sehr ruhig die paar Schritte durch den Torweg

— plötzlich, wie er die ersten Stufen der Treppe betreten wollte, durchzuckte ihn das volle Bewußtsein von allem, was geschehen war, was jetzt geschah, was er erfahren wollte. Es war ihm, als hätte er den Weg bis hierher noch im Halbschlaf zurückgelegt und wachte nun jählings auf. Er faßte mit beiden Händen nach seinem Herzen, bevor er weiterschritt. Das also war die Treppe ... er hatte sie ja früher nie gesehen. Sie lag noch im Halbdunkel; kleine Gasflämmchen brannten an der Wand ... Hier im ersten Stock war die Wohnung. Was war das? ... Beide Türflügel standen offen. — Er konnte das Vorzimmer sehen — aber es war kein Mensch da. Er machte eine kleine Tür auf, die führte in die Küche. Auch da war niemand. Er blieb eine Weile unschlüssig stehen. Jetzt öffnete sich die Tür, die zu den Wohnräumen führte, und ein Dienstmädchen kam leise heraus, ohne ihn zu bemerken. Albert trat auf sie zu.

„Wie geht's der gnädigen Frau? fragte er."

— Das Mädchen schaute ihn gedankenlos an.

„— Vor einer halben Stunde ist sie gestorben," sagte sie. Damit wandte sie sich um und ging in die Küche.

Albert hatte die Empfindung, als wenn die Welt um ihn plötzlich totenstille würde; er wußte ganz bestimmt, daß in diesem Moment alle Herzen zu schlagen, alle Menschen zu gehen, alle Wagen zu fahren, alle Uhren zu ticken aufhörten. Er spürte, wie die ganze lebende, sich bewegende Welt innehielt, zu leben und sich zu bewegen. Also das ist der Tod, dachte er ... Ich hab' es gestern doch nicht verstanden ...

Entschuldigen Sie, sagte eine Stimme neben ihm; es war ein schwarzgekleideter Herr, der von der Treppe aus ins Vorzimmer treten wollte, und den Albert, der gerade in der Tür stand, daran hinderte. Albert trat einen Schritt weiter hinein und ließ den Herrn vorbei.

Dieser kümmerte sich nicht weiter um ihn, sondern begab sich rasch in die Wohnung und ließ die Tür halb offen. Albert konnte nun in das nächste Zimmer sehen. Es war fast dunkel darin, da die Vorhänge niedergelassen waren; er sah ein paar Gestalten, die um einen Tisch saßen, sich erheben und den eintretenden Herrn begrüßen. Er hörte sie flüstern ... Dann verschwanden sie in einem Nebenraum. Albert blieb an der Türe stehen und dachte: Da drin liegt sie ... Es ist noch keine Woche, daß ich sie in meinen Armen hielt ... Und ich darf nicht hinein. — Er hörte Stimmen auf der Treppe. Zwei Frauen kamen herauf und gingen an ihm vorbei. Die eine, jüngere, hatte verweinte Augen. Sie sah der Geliebten ähnlich. Es war gewiß ihre Schwester, von der sie ihm einigemal gesprochen. Eine ältere Dame kam den zwei Frauen entgegen, umarmte beide und schluchzte leise. „Vor einer halben Stunde," sagte die alte Dame — „ganz plötzlich"... Sie konnte vor Tränen nicht weiterreden; alle drei verschwanden durch das halbdunkle Zimmer in den Nebenraum. Niemand beachtete ihn.

Ich kann ja hier nicht stehen bleiben, dachte Albert. Ich will hinunter und werde nach einer Stunde wiederkommen. — Er entfernte sich und war in ein paar Augenblicken auf der Straße. Das Getriebe des Morgens hatte begonnen; viele Leute hasteten an ihm vorüber, und die Wagen rollten.

Nach einer Stunde werden mehr Menschen oben sein, und ich kann mich ganz leicht unter sie mischen. Wie doch Gewißheit tröstet ... Es ist mir wohler als gestern; obzwar sie gestorben ist ... Vor einer halben Stunde ... In tausend Jahren wird sie dem Leben nicht ferner sein als jetzt ... und doch, das Bewußtsein, daß sie vor einer Stunde noch geatmet hat, gibt mir den Eindruck, als wenn sie jetzt noch irgend etwas vom Dasein wissen müßte; irgendwas, das man nicht ahnt, solange man noch atmet ... vielleicht ist der unfaßbare Augenblick, in dem wir vom Leben zum Tode übergehen, unsere arme Ewigkeit ... Ja, nun ist es auch aus mit dem Warten am Nachmittag ... Ich werde nicht mehr am Guckfenster stehen — nie mehr, nie mehr ... — Diese Stunden traten ihm nun wieder in unsäglicher Schönheit vor Augen. Vor wenigen Tagen noch war er so glücklich gewesen — ja, glücklich. Es war eine schwüle, tiefe Seligkeit gewesen. Ach, wenn ihre Schritte über die letzten Stufen eilten ... wenn sie ihm in die Arme gestürzt kam ... und wenn sie in dem dämmerigen Zimmer, das von Blumen und Zigaretten duftete, wortlos und regungslos auf den weißen Polstern lagen ... Aus, aus ...

Ich werde abreisen, es ist das einzige, was ich tun kann. Werde ich denn mein Zimmer überhaupt noch betreten können! Ich werde ja weinen müssen, ich werde tagelang, immer, immer werde ich weinen ...

Er kam an einem Kaffeehaus vorbei. Es fiel ihm ein, daß er seit gestern mittag keinen Bissen genossen; er ging hinein, frühstücken. — Als er das Lokal wieder verließ, war es neun Uhr vorbei. — Nun kann ich wieder hin — ich muß sie ja noch einmal sehen — was tu' ich nur dort? ... Werde ich sie sehen können? ... Ich muß sie sehen ... ja, ich muß meine, meine, meine geliebte tote Anna ein letztesmal sehen. — Aber wird man mich in das Sterbezimmer lassen? ... Gewiß; es werden mehr Leute dort sein, und alle Türen werden offen stehen ...

Er eilte hin. — Beim Tor stand die Hausbesorgerin, sie grüßte ihn, als er vorbeiging; auf der Treppe lief er zwei Herren vor, die gleichfalls hinaufgingen.

Schon im Vorzimmer standen einige Leute. Die Tür war flügelweit offen; Albert trat ein. Der Vorhang des einen Fensters war zurückgeschlagen, und es fiel einiges Licht in den Raum. Da waren etwa zwölf Menschen, die saßen oder standen und sehr leise sprachen. Die alte Dame, die er schon früher gesehen, saß ganz zusammengebrochen in der Ecke eines dunkelroten Sofas. Als Albert an ihr vorüberkam, sah sie ihn an; da blieb er vor ihr stehen und reichte ihr die Hand. — Sie nickte mit dem Kopfe und fing wieder an zu weinen. Albert schaute um sich; die zweite Tür, die zum Nebenzimmer führte, war geschlossen. Er wandte sich an einen Herrn, der am Fenster stand und ganz gedankenlos durch die Spalte des Vorhangs hinausschaute... „Wo liegt sie?" fragte er. Der Herr wies mit der Hand nach der rechten Seite. Albert öffnete leise die Türe. Er war geblendet von dem vollen Licht, das ihm da entgegenströmte. Er befand sich in einem ganz lichten, kleinen Zimmer mit Tapeten weiß in gold und hellblauen Möbeln. Kein Mensch war da. Die Türe zum nächsten Zimmer war nur angelehnt. Er trat ein. Es war das Schlafgemach. —

Die Fensterläden waren geschlossen; eine Ampel brannte. Auf dem Bette lag die Tote ausgestreckt. Die Decke war bis zu ihren Lippen hingebreitet; zu ihren Häupten auf dem Nachtkästchen brannte eine Kerze, deren Licht grell auf das aschgraue Antlitz fiel. Er hätte sie nicht erkannt, wenn er nicht gewußt hätte, daß sie es war. Erst allmählich ging ihm die Ähnlichkeit auf — erst allmählich wurde es Anna, seine Anna, die da lag, und das erstemal seit dem Beginne dieser entsetzlichen Tage fühlte er Tränen in seine Augen kommen. Ein heißer, brennender Schmerz lag ihm auf der Brust, er hätte aufschreien mögen, vor sie hinsinken, ihre Hände küssen ... Jetzt erst merkte er, daß er nicht allein mit ihr war. Jemand kniete zu Füßen des Bettes, hatte den Kopf in der Decke vergraben und hielt die eine Hand der Toten in seinen beiden Hände fest. In dem Momente, da Albert eben einen Schritt näher zu treten versucht war, hob jener den Kopf. Was werde ich ihm denn sagen? — Aber schon fühlte er von dem Knienden seine rechte Hand ergriffen und gedrückt und hörte ihn mit tränenerstickter Stimme flüstern: Dank, Dank. — Und dann wandte sich der Weinende wieder weg, ließ den Kopf niedersinken und schluchzte leise in die Decke. Albert blieb noch eine Weile stehen und betrachtete das Gesicht der Toten mit einer Art von kalter Aufmerksamkeit. Die Tränen waren ihm wieder ganz ausgeblieben. Sein Schmerz wurde plötzlich ganz dürr und wesenlos. Er wußte, daß ihm diese Begegnung später einmal schauerlich und komisch zugleich vorkommen würde. Er wäre sich sehr lächerlich erschienen, hätte er mit diesem da zusammen geschluchzt.

Er wandte sich zum Gehen. An der Tür blieb er noch einmal stehen und schaute zurück. Das Flimmern der Kerze machte, daß er ein Lächeln um Annas Lippen zu sehen glaubte. Er nickte ihr zu, als nähme er Abschied von ihr und sie könnte es sehen. Jetzt wollte er gehen, aber nun war es ihm, als hielte sie ihn mit diesem Lächeln fest. Und es wurde mit einemmal ein verächtliches, fremdes Lächeln, das zu ihm zu reden schien, und er konnte es verstehen. Und das Lächeln sagte: Ich habe dich geliebt, und nun stehst du da wie ein Fremder und verleugnest mich. Sag' ihm doch, daß ich die Deine war, daß es dein Recht ist, vor diesem Bette niederzuknien und meine Hände zu küssen. — Sag' es ihm! Warum sagst du's ihm denn nicht?

Aber er wagte es nicht. Er hielt die Hand vor die Augen, um ihr Lächeln nicht mehr zu sehen... Auf den Fußspitzen drehte er sich um, verließ das Zimmer und schloß die Türe hinter sich. Er ging schaudernd durch den lichten Salon, drückte sich dann in dem halbdunklen Zimmer an allen den Leuten vorbei, die miteinander flüsterten und unter denen er nicht bleiben durfte; dann eilte er durchs Vorzimmer und über die Treppe hinab, und wie er zum Tor hinaus war, schlich er sich an der Mauer des Hauses weiter, und sein Schritt wurde immer schneller, und es trieb ihn aus der Nähe des Hauses, und er eilte tief beschämt durch die Straßen; denn ihm war, als dürfe er nicht trauern wie die anderen, als hätte ihn seine tote Geliebte davongejagt, weil er sie verleugnet.

DIE FRAU DES WEISEN

Hier werde ich lange bleiben. Über diesem Orte zwischen Meer und Wald liegt eine schwermütige Langeweile, die mir wohltut. Alles ist still und unbewegt. Nur die weißen Wolken treiben langsam; aber der Wind streicht so hoch über Wellen und Wipfel hin, daß das Meer und die Bäume nicht rauschen. Hier ist tiefe Einsamkeit, denn man fühlt sie immer; auch wenn man unter den vielen Leuten ist, im Hotel, auf der Promenade. Die Kurkapelle spielt meist melancholische schwedische und dänische Lieder, aber auch ihre lustigen Stücke klingen müd und gedämpft. Wenn die Musikanten fertig sind, steigen sie schweigend über die Stufen aus dem Kiosk herab und verschwinden mit ihren Instrumenten langsam und traurig in den Alleen.

Dies schreibe ich auf ein Blatt, während ich mich in einem Boote längs des Ufers hin rudern lasse.

Das Ufer ist mild und grün. Einfache Landhäuser mit Gärten; in den Gärten gleich am Wasser Bänke; hinter den Häusern die schmale, weiße Straße, jenseits der Straße der Wald. Der dehnt sich ins Land, weit, leicht ansteigend, und dort, wo er aufhört, steht die Sonne. Auf der schmalen und langgestreckten gelben Insel drüben liegt ihr Abendglanz. Der Ruderer sagt, man kann in zwei Stunden dort sein. Ich möchte wohl einmal hin. Aber hier ist man seltsam festgehalten; immer bin ich im nächsten Umkreis des kleinen Orts; am liebsten gleich am Ufer oder auf meiner Terrasse.

Ich liege unter den Buchen. Der schwere Nachmittag drückt die Zweige nieder; ab und zu hör' ich nahe Schritte von Menschen, die über den Waldweg kommen; aber ich kann sie nicht sehen, denn ich rühre mich nicht, und meine Augen tauchen in die Höhe. Ich höre auch das helle Lachen von Kindern, aber die große Stille um mich trinkt alles Geräusch rasch auf, und ist es kaum eine Sekunde lang verklungen, so scheint es längst vorbei. Wenn ich die Augen schließe und gleich wieder öffne, so erwache ich wie aus einer langen Nacht. So entgleite ich mir selbst und verschwebe wie ein Stück Natur in die große Ruhe um mich.

Mit der schönen Ruhe ist es aus. Nicht im Ruderboot und nicht unter den Buchen wird sie wiederkommen. Alles scheint mit einem Male verändert. Die Melodien der Kapelle klingen sehr heiß und lustig; die Leute, die an einem vorbeigehen, reden viel; die Kinder lachen und schreien. Sogar das liebe Meer, das so schweigend schien, schlägt nachts lärmend an das Ufer. Das Leben ist wieder laut für mich geworden. Nie war ich so leicht vom Hause abgereist; ich hatte nichts Unvollendetes zurückgelassen. Ich hatte mein Doktorat gemacht; eine künstlerische Illusion, die mich eine Jugend hindurch begleitet, hatte ich endgültig begraben, und Fräulein Jenny war die Gattin eines Uhrmachers geworden. So hatte ich das seltene Glück gehabt, eine Reise anzutreten, ohne eine Geliebte zu Hause zu lassen und ohne eine Illusion mitzunehmen. In der Empfindung eines abgeschlossenen Lebensabschnittes hatte ich mich sicher und wohl gefühlt. Und nun ist alles wieder aus; — denn Frau Friederike ist da.

Spät abends auf meiner Terrasse; ich hab' ein Licht auf meinen Tisch gestellt und schreibe. Es ist die Zeit, über alles ins Klare zu kommen. Ich zeichne mir das Gespräch auf, das erste mit ihr nach sieben Jahren, das erste nach jener Stunde...

Es war am Strand, um die Mittagszeit. Ich saß auf einer Bank. Zuweilen gingen Leute an mir vorüber. Eine Frau mit einem kleinen Jungen stand auf der Landungsbrücke, zu weit, als daß ich die Gesichtszüge hätte ausnehmen können. Sie war mir übrigens durchaus nicht aufgefallen; ich wußte nur, daß sie schon lange dort gestanden war, als sie endlich die Brücke verließ und mir immer näher kam. Sie führte den Knaben an der Hand. Nun sah ich, daß sie jung und schlank war. Das Gesicht kam mir bekannt vor. Sie war noch zehn Schritte von mir; da erhob ich mich rasch und ging ihr entgegen. Sie hatte gelächelt, und ich wußte, wer sie war.

„Ja, ich bin es," sagte sie und reichte mir die Hand.

„Ich habe Sie gleich erkannt," sagte ich.

„Ich hoffe, das ist nicht zu schwer gewesen," erwiderte sie. „Und Sie haben sich eigentlich auch gar nicht verändert."

„Sieben Jahre..." sagte ich.

Sie nickte. „Sieben Jahre..."

Wir schwiegen beide. Sie war sehr schön. Jetzt glitt ein Lächeln über ihr Gesicht, sie wandte sich zu dem Jungen, den sie noch immer an der Hand hielt, und sagte: „Gib dem Herrn die Hand." Der Kleine reichte sie mir, schaute mich aber dabei nicht an.

„Das ist mein Sohn," sagte sie.

Es war ein hübscher brauner Bub mit hellen Augen.

„Es ist doch schön, daß man einander wieder begegnet im Leben," begann sie, „ich hätte nicht gedacht..."

„Es ist auch sonderbar," sagte ich.

„Warum?" fragte sie, indem sie mir lächelnd und das erstemal ganz voll in die Augen sah. „Es ist Sommer . . . alle Leute reisen, nicht wahr?"

Jetzt lag mir die Frage nach ihrem Mann auf den Lippen; aber ich vermochte es nicht, sie auszusprechen.

„Wie lange werden Sie hier bleiben?" fragte ich.

„Vierzehn Tage. Dann treffe ich mit meinem Manne in Kopenhagen zusammen."

Ich sah sie mit einem raschen Blick an; der ihre antwortete unbefangen: „Wundert dich das vielleicht?"

Ich fühlte mich unsicher, unruhig beinahe. Wie etwas Unbegreifliches erschien es mir plötzlich, daß man Dinge so völlig vergessen kann. Denn nun merkte ich erst: an jene Stunde vor sieben Jahren hatte ich seit lange so wenig gedacht, als wäre sie nie erlebt worden.

„Sie werden mir aber viel erzählen müssen," begann sie aufs neue, „sehr, sehr viel. Gewiß sind Sie schon lange Doktor?"

„Nicht so lange — seit einem Monat."

„Sie haben aber noch immer Ihr Kindergesicht," sagte sie. „Ihr Schnurrbart sieht aus, als wenn er aufgeklebt wäre."

Vom Hotel her, überlaut, tönte die Glocke, die zum Essen rief.

„Adieu," sagte sie jetzt, als hätte sie nur darauf gewartet.

„Können wir nicht zusammen gehen?" fragte ich.

„Ich speise mit dem Buben auf meinem Zimmer, ich bin nicht gern unter so vielen Menschen."

„Wann sehen wir uns wieder?"

Sie wies lächelnd mit den Augen auf die kleine Strandpromenade. „Hier muß man einander doch immer begegnen," sagte sie — und als sie merkte, daß ich von ihrer Antwort unangenehm berührt war, setzte sie hinzu: „Besonders, wenn man Lust dazu hat. — Auf Wiedersehen."

Sie reichte mir die Hand, und ohne sich noch einmal umzusehen, entfernte sie sich. Der kleine Junge blickte aber noch einmal nach mir zurück.

Ich bin den ganzen Nachmittag und den ganzen Abend auf der Promenade hin und her gegangen, und sie ist nicht gekommen. Am Ende ist sie schon wieder fort? Ich dürfte eigentlich nicht darüber staunen.

Ein Tag ist vergangen, ohne daß ich sie gesehen. Den ganzen Vormittag hat es geregnet, und außer mir war fast niemand auf der Promenade. Ein paarmal bin ich an dem Haus vorbei, in dem sie wohnt; ich weiß aber nicht, welches ihre Fenster sind. Nachmittag ließ der Regen nach, und ich machte einen langen Spaziergang auf der Straße längs des Meeres bis zum nächsten Orte. Es war trüb und schwül.

Auf dem Wege habe ich an nichts anderes denken können als an jene Zeit. Alles habe ich deutlich wieder vor mir gesehen. Das freundliche Haus, in dem ich gewohnt, und das Gärtchen mit den grünlackierten Stühlen und Tischen. Und die kleine Stadt mit ihren stillen weißen Straßen. Und die fernen, im Nebel verschwimmenden Hügel. Und über all dem lag ein Stück blaßblauer Himmel, der so dazugehörte, als wenn er auf der ganzen Welt nur dort so blaß und blau gewesen wäre. Auch die Menschen von damals sah ich alle wieder; meine Mitschüler, meine Lehrer, auch Friederikens Mann. Ich sah ihn anders, als er mir in jenem letzten Augenblick erschienen war; — ich sah ihn mit dem milden, etwas müden Ausdruck im Gesicht, wie er nach der Schule auf der Straße an uns Knaben freundlich grüßend vorüberzuschreiten pflegte, und wie er bei Tische zwischen Friederike und mir, meist schweigend, saß; ich sah ihn, wie ich ihn oft von meinem Fenster aus erblickt hatte: im Garten vor dem grünlackierten Tisch, die Arbeiten von uns Schülern korrigierend. Und ich erinnerte mich, wie Friederike in den Garten gekommen war, ihm den Nachmittagskaffee gebracht und dabei zu meinem Fenster hinaufgeschaut hatte, lächelnd, mit einem Blicke, den ich damals nicht verstanden ... bis zu jener letzten Stunde. — Jetzt weiß ich auch, daß ich mich oft an all das erinnert habe. Aber nicht wie an etwas Lebendiges, sondern wie an ein Bild, das still und friedlich an einer Wand zu Hause hängt.

Wir sind heute am Strand nebeneinander gesessen und haben miteinander gesprochen wie Fremde. Der Bub spielte zu unseren Füßen mit Sand und Steinen. Es war nicht, als wenn irgend etwas auf uns lastete: wie Menschen, die einander nichts bedeuten, und die der Zufall des Badelebens auf kurze Zeit zusammengeführt, haben wir miteinander geplaudert; über das Wetter, über die Gegend, über die Leute, auch über Musik und über ein paar neue Bücher. Während ich neben ihr saß, empfand ich es nicht unangenehm; als sie aber aufstand und fortging, war es mir mit einemmal unerträglich. Ich hätte ihr nachrufen mögen: Laß mir doch etwas da; aber sie hätte es nicht einmal verstanden. Und wenn ich's überlege, was durfte ich anderes erwarten? Daß sie mir bei unserer ersten Begegnung so freundlich entgegengekommen, war offenbar nur in der Überraschung begründet; vielleicht auch in dem frohen Gefühl, an einem fremden Orte einen alten Bekannten wiederzufinden. Nun aber hat sie Zeit gehabt, sich an alles zu erinnern wie ich; und was sie auf immer vergessen zu haben hoffte, ist mächtig wieder aufgetaucht. Ich kann es ja gar nicht ermessen, was sie um meinetwillen hat erdulden müssen, und was sie vielleicht noch heute leiden muß. Daß sie mit ihm zusammengeblieben ist, seh' ich wohl; und daß sie sich wieder versöhnt haben, dafür ist der vierjährige Junge ein lebendiges Zeugnis; — aber man kann sich versöhnen, ohne zu verzeihen, und man kann verzeihen, ohne zu vergessen. — — Ich sollte fort, es wäre besser für uns beide.

In einer seltsamen, wehmütigen Schönheit steigt jenes ganze Jahr vor mir auf, und ich durchlebe alles aufs neue. Einzelheiten fallen mir wieder ein. Ich erinnere mich des Herbstmorgens, an dem ich, von meinem Vater begleitet, in der kleinen Stadt ankam, wo ich das letzte Gymnasialjahr zubringen sollte. Ich sehe das Schulgebäude deutlich wieder vor mir, mitten in dem Park mit seinen hohen Bäumen. Ich erinnere mich an mein ruhiges Arbeiten in dem schönen geräumigen Zimmer, an die freundlichen Gespräche über meine Zukunft, die ich bei Tisch mit dem Professor führte und denen Friederike lächelnd lauschte; an die Spaziergänge mit Kollegen auf die Landstraße hinaus bis zum nächsten Dorf; und alle Nichtigkeiten ergreifen mich so tief, als wenn sie meine Jugend zu bedeuten hätten. Wahrscheinlich würden alle diese Tage im tiefen Schatten des Vergessens liegen, wenn nicht von jener letzten Stunde ein geheimnisvoller Glanz auf sie zurückfiele. Und das Merkwürdigste ist: seit Friederike in meiner Nähe weilt, scheinen mir jene Tage sogar näher als die vom heurigen Mai, da ich das Fräulein liebte, das im Juni den Uhrmacher geheiratet hat.

Als ich heute frühmorgens an mein Fenster trat und auf die große Terrasse hinunterblickte, sah ich Friederike mit ihrem Buben an einem der Tische sitzen; sie waren die ersten Frühstücksgäste. Ihr Tisch war grade unter meinem Fenster, und ich rief ihr einen guten Morgen zu. Sie schaute auf. „So früh schon wach?" sagte sie. „Wollen Sie nicht zu uns kommen?"

In der nächsten Minute saß ich an ihrem Tisch. Es war ein wunderbarer Morgen, kühl und sonnig.

Wir plauderten wieder über so gleichgültige Dinge als das letztemal, und doch war alles anders. Hinter unseren Worten glühte die Erinnerung. Wir gingen in den Wald. Da fing sie an, von sich zu sprechen und von ihrem Heim.

„Bei uns ist alles noch geradeso wie damals," sagte sie, „nur unser Garten ist schöner geworden; mein Mann verwendet jetzt viel Sorgfalt auf ihn, seit wir den Buben haben. Im nächsten Jahr bekommen wir sogar ein Glashaus."

Sie plauderte weiter. „Seit zwei Jahren gibt es ein Theater bei uns, den ganzen Winter bis Palmsonntag wird gespielt. Ich gehe zwei-, dreimal in der Woche hinein, meistens mit meiner Mutter, der macht es großes Vergnügen."

„Ich auch Theater!" rief der Kleine, den Friederike an der Hand führte.

„Freilich, du auch. Sonntag nachmittag", wandte sie sich erklärend an mich, „spielen sie nämlich manchmal Stücke für die Kinder; da gehe ich mit dem Buben hin. Aber ich amüsiere mich auch sehr gut dabei."

Von mir mußte ich ihr mancherlei erzählen. Nach meinem Beruf und anderen ernsten Dingen fragte sie wenig; sie wollte vielmehr wissen, wie ich meine freie Zeit verbrächte, und ließ sich gern über die geselligen Vergnügungen der großen Stadt berichten.

Die ganze Unterhaltung floß heiter fort; mit keinem Wort wurde jene gemeinschaftliche Erinnerung angedeutet — und doch war sie ihr gewiß ununterbrochen so gegenwärtig wie mir. Stundenlang spazierten wir herum, und ich fühlte mich beinahe glücklich. Manchmal ging der Kleine zwischen uns beiden, und da begegneten sich unsere Hände über seinen Locken. Aber wir taten beide, als wenn wir es nicht bemerkten, und redeten ganz unbefangen weiter.

Als ich wieder allein war, verflog mir die gute Stimmung bald. Denn plötzlich fühlte ich wieder, daß ich nichts von Friederike wußte. Es war mir unbegreiflich, daß mich diese Ungewißheit nicht während unseres ganzen Gesprächs gequält und es kam mir sonderbar vor, daß Friederike selbst nicht das Bedürfnis gehabt hatte, davon zu sprechen. Denn selbst wenn ich annehmen wollte, daß zwischen ihr und ihrem Manne seit Jahren jener Stunde nicht mehr gedacht worden war — sie selbst konnte sie doch nicht vergessen haben. Irgend etwas Ernstes mußte damals meinem stummen Abschied gefolgt sein — wie hat sie es vermocht, nicht davon zu reden? Hat sie vielleicht erwartet, daß ich selbst beginne? Was hat mich davon zurückgehalten? Dieselbe Scheu vielleicht, die ihr eine Frage verbot? Fürchten wir uns beide, daran zu rühren? — Das ist wohl möglich. Und doch muß es endlich geschehen; denn bis dahin bleibt etwas zwischen uns, was uns trennt. Und daß uns etwas trennt, peinigt mich mehr als alles andere.

Nachmittag bin ich im Walde herumgeschlendert, dieselben Wege wie morgens mit ihr. Es war in mir eine Sehnsucht wie nach einer unendlich Geliebten. Am späten Abend ging ich an ihrem Haus vorbei, nachdem ich sie vergebens überall gesucht. Sie stand am Fenster. Ich rief hinauf, wie sie heute früh zu mir: „Kommen Sie nicht herunter?"

Sie sagte, kühl, wie mir vorkam: „Ich bin müd. Gute Nacht" — und schloß das Fenster.

In der Erinnerung erscheint mir Friederike in zwei verschiedenen Gestalten. Meist seh' ich sie als eine blasse, sanfte Frau, die, mit einem weißen Morgenkleid angetan, im Garten sitzt, wie eine Mutter zu mir ist und mir die Wangen streichelt. Hätte ich nur diese hier wiedergetroffen, so wäre meine Ruhe gewiß nicht gestört worden und ich läge nachmittags unter den schattigen Buchen wie in den ersten Tagen meines Hierseins.

Aber auch als eine völlig andere erscheint sie mir, wie ich sie doch nur einmal gesehen; und das war in der letzten Stunde, die ich in der kleinen Stadt verbrachte.

Es war der Tag, an dem ich mein Abiturientenzeugnis bekommen hatte. Wie alle Tage hatte ich mit dem Professor und seiner Frau zu Mittag gespeist, und, da ich nicht zur Bahn begleitet werden wollte, hatten wir einander gleich beim Aufstehen vom Tische Adieu gesagt. Ich empfand durchaus keine Rührung. Erst wie ich in meinem kahlgeräumten Zimmer auf dem Bette saß, den gepackten Koffer zu meinen Füßen, und zu dem weit offenen Fenster hinaus über das zarte Laub des Gärtchens zu den weißen Wolken sah, die regungslos über den Hügeln standen, kam leicht, beinahe schmeichelnd, die Wehmut des Abschiedes über mich. Plötzlich öffnete sich die Tür. Friederike trat herein. Ich erhob mich rasch. Sie trat näher, lehnte sich an den Tisch, stützte beide Hände nach rückwärts auf dessen Kante und sah mich ernst an. Ganz leise sagte sie: „Also heute?" Ich nickte nur und fühlte das erstemal sehr tief, wie traurig es eigentlich war, daß ich von hier fort mußte. Sie schaute eine Weile zu Boden und schwieg. Dann erhob sie den Kopf und kam näher auf mich zu. Sie legte beide Hände ganz leicht auf meine Haare, wie sie es ja schon früher oft getan, aber ich wußte in diesem Moment, daß es etwas anderes bedeutete als sonst. Dann ließ sie ihre Hände langsam über meine Wangen heruntergleiten, und ihr Blick ruhte mit unendlicher Innigkeit auf mir. Sie schüttelte den Kopf mit einem schmerzlichen Ausdruck, als könnte sie irgend etwas nicht fassen. „Mußt du denn schon heute weg?" fragte sie leise. — „Ja", sagte ich. — „Auf immer?" rief sie aus, „Nein", antwortete ich. — „O ja," sagte sie mit schmerzlichem Zucken der Lippen, „es ist auf immer. Wenn du uns auch einmal besuchen wirst ...in zwei oder drei Jahren — heute gehst du doch für immer von uns fort." — Sie sagte das mit einer Zärtlichkeit, die gar nichts mütterliches mehr hatte. Mich durchschauerte es. Und plötzlich küßte sie mich. Zuerst dachte ich nur: das hat sie ja nie getan. Aber als ihre Lippen sich von den meinen gar nicht lösen wollten, verstand ich, was dieser Kuß zu bedeuten hatte. Ich war verwirrt und glücklich; ich hätte weinen mögen. Sie hatte die Arme um meinen Hals geschlungen, ich sank, als wenn sie mich hingedrängt hätte, in die Ecke des Divans; Friederike lag mir zu Füßen auf den Knien und zog meinen Mund zu dem ihren herab. Dann nahm sie meine beiden Hände und vergrub ihr Gesicht darin. Ich flüsterte ihren Namen und staunte, wie schön er war. Der Duft von ihren Haaren stieg zu mir auf; ich atmete ihn mit Entzücken ein ... In diesem Augenblicke — ich glaubte vor Schrecken starr zu werden — öffnet sich leise die Tür, die nur angelehnt war, und Friederikens Mann steht da. Ich will aufschreien, bringe aber keinen Laut hervor. Ich starre ihm ins Gesicht — ich kann nicht sehen, ob sich irgendwas in seinem Ausdruck verändert — denn noch im selben Augenblick ist er wieder verschwunden und die Tür geschlossen. Ich will mich erheben, meine Hände befreien, auf denen noch immer Friederikens Antlitz ruht, will sprechen, stoße mühsam wieder ihren Namen hervor — da springt sie selbst mit einem Male auf — totenbleich — flüstert mir beinahe gebieterisch zu: „Schweig!" und steht eine

Sekunde lang regungslos da, das Gesicht der Türe zugewandt, als wolle sie lauschen. Dann öffnet sie leicht
und blickt durch die Spalte hinaus. Ich stehe atemlos.
Jetzt öffnet sie ganz, nimmt mich bei der Hand und
flüstert: „Geh, geh, rasch." Sie schiebt mich hinaus
— ich schleiche rasch über den kleinen Gang bis zur
Stiege, dann wende ich mich noch einmal um — und
sehe sie an der Türe stehen, mit unsäglicher Angst in
den Mienen, und mit einer heftigen Handbewegung,
die mir andeutet: fort! fort! Und ich stürze davon.

An das, was zunächst geschah, denke ich wie an
einen tollen Traum. Ich bin zum Bahnhof geeilt,
von tödlicher Angst gepeinigt. Ich bin die Nacht
durchgefahren und habe mich im Kupee schlaflos
herumgewälzt. Ich bin zu Hause angekommen, habe
erwartet, daß meine Eltern schon von allem unter-
richtet seien und bin beinahe erstaunt gewesen, als
sie mich mit Freundlichkeit und Freude empfingen.
Dann habe ich noch tagelang in heftiger Erregung hingebracht, auf irgend etwas Schreckliches gefaßt; und
jedes Klingeln an der Türe, jeder Brief machte mich
zittern. Endlich kam eine Nachricht, die mich beruhigte: es war eine Karte von einem Schulkameraden,
der in der kleinen Stadt zu Hause war, und der mir
harmlose Neuigkeiten und lustige Grüße sandte. Also, es
war nichts Entsetzliches geschehen, zum mindesten war
es zu keinem öffentlichen Skandal gekommen. Ich durfte
glauben, daß sich zwischen Mann und Frau alles im stillen
abgespielt, daß er ihr verziehen, daß sie bereut hatte.

Trotzdem lebte dieses erste Abenteuer in meiner
Erinnerung anfangs als etwas Trauriges, beinahe
Düsteres fort, und ich erschien mir wie einer, der ohne
Schuld den Frieden eines Hauses vernichtet hat. All-
mählich verschwand diese Empfindung, und später
erst, als ich in neuen Erlebnissen jene Stunde besser

und tiefer verstehen lernte, kam zuweilen eine seltsame Sehnsucht nach Friederike über mich — wie der Schmerz darüber, daß eine wunderbare Verheißung sich nicht erfüllt hätte. Aber auch diese Sehnsucht ging vorüber, und so war es geschehen, daß ich die junge Frau beinahe völlig vergessen hatte. — Nun aber ist mit einemmal alles wieder da, was jenes Geschehnis damals zum Erlebnis machte; und alles ist heftiger als damals, denn ich liebe Friederike.

Heute scheint mir alles so klar, was mir noch in den letzten Tagen rätselhaft gewesen ist. Wir sind spät abends am Strand gesessen, wir zwei allein; der Junge war schon zu Bette gebracht. Ich hatte sie am Vormittag gebeten, zu kommen; ganz harmlos; nur von der nächtlichen Schönheit des Meeres hatte ich gesprochen, und wie wunderbar es wäre, wenn alles ganz still ringsum, am Ufer zu sein und in die große Dunkelheit hinauszublicken. Sie hatte nichts gesagt, aber ich wußte, daß sie kommen würde. Und nun sind wir am Strand gesessen, beinahe schweigend, unsere Hände ineinander geschlungen, und ich fühlte, daß Friederike mir gehören mußte, wann ich wollte. Wozu über das Vergangene reden, dachte ich — und ich wußte, daß sie von unserem ersten Wiedersehen an so gedacht. Sind wir denn noch dieselben, die wir damals waren? Wir sind so leicht, so frei; die Erinnerungen flattern hoch über uns, wie ferne Sommervögel. Vielleicht hat sie noch manches andere erlebt während der sieben Jahre, wie ich; — was geht es mich an? Jetzt sind wir Menschen von heute und streben zu einander. Sie war gestern vielleicht eine Unglückliche, vielleicht eine Leichtsinnige; heute sitzt sie schweigend neben mir am Meer und hält meine Hand und sehnt sich, in meinen Armen zu sein.

Langsam begleitete ich sie die wenigen Schritte bis zu ihrem Hause. Lange schwarze Schatten warfen die Bäume längs der Straße.

„Wir wollen morgen früh eine Fahrt im Segelboot machen," sagte ich.

„Ja", erwiderte sie.

„Ich werde an der Brücke warten, um sieben Uhr . ."

„Wohin?" fragte sie.

„Zu der Insel drüben . . . wo der Leuchtturm steht, sehen Sie ihn?"

„O ja, das rote Licht. Ist es weit?"

„Eine Stunde; — wir können sehr bald zurück sein."

„Gute Nacht", sagte sie und trat in die Hausflur. Ich ging. — — In ein paar Tagen wirst du mich vielleicht wieder vergessen haben, dachte ich, aber morgen ist ein schöner Tag.

Ich war früher auf der Brücke als sie. Das kleine Boot wartete; der alte Jansen hatte die Segel aufgespannt und rauchte, am Steuer sitzend, seine Pfeife. Ich sprang zu ihm hinein und ließ mich von den Wellen schaukeln. Ich schlürfte die Minuten der Erwartung ein wie einen Morgentrunk. Die Straße, auf die ich meinen Blick gerichtet hatte, war noch ganz menschenleer. Nach einer Viertelstunde erschien Friederike. Schon von weitem sah ich sie, es schien mir, als ginge sie rascher als sonst: als sie die Brücke betrat, erhob ich mich; jetzt erst konnte sie mich sehen und grüßte mich mit einem Lächeln. Endlich war sie am Ende der Brücke, ich reichte ihr die Hand und half ihr ins Boot. Jansen machte das Tau los, und unser Schiff glitt davon. Wir saßen eng beieinander; sie hing sich in meinen Arm. Sie war ganz weiß gekleidet und sah aus wie ein achtzehnjähriges Mädchen.

„Was gibts auf dieser Insel zu sehen?" fragte sie. Ich mußte lächeln.

Sie errötete und sagte: „Der Leuchtturm jedenfalls?“

„Vielleicht auch die Kirche“, setzte ich dazu.

„Fragen Sie doch den Mann...“ Sie wies auf Jansen.

Ich fragte ihn. „Wie alt ist die Kirche auf der Insel?“

Aber er verstand kein Wort deutsch; und so konnten wir uns nach diesem Versuch noch einsamer miteinander fühlen als früher.

„Dort drüben,“ sagte sie und wies mit den Augen hin — „ist das auch eine Insel?“

„Nein,“ antwortete ich, „das ist Schweden selbst, das Festland.“

„Das wär noch schöner“, sagte sie.

„Ja,“ erwiderte ich — „aber dort müßte man bleiben können... lang... immer —“

Wenn sie mir jetzt gesagt hätte: Komm, wir wollen zusammen in ein anderes Land und wollen nie wieder zurück — ich wäre darauf eingegangen. Wie wir so auf dem Boote hinglitten, von der reinen Luft umspielt, den hellen Himmel über uns und um uns das glitzernde Wasser, da schien es mir eine festliche Fahrt, wir selbst ein königliches Paar, und alle früheren Bedingungen unseres Daseins abgefallen.

Bald konnten wir die kleinen Häuser auf der Insel unterscheiden; die weiße Kirche auf dem Hügel, der sich, allmählich ansteigend, der ganzen Insel entlang hinzog, bot sich in schärferen Umrissen dar. Unser Boot flog geradwegs dem Ufer entgegen. In unserer Nähe zeigten sich kleine Fischerkähne; einige, an denen die Ruder eingezogen waren, trieben lässig auf dem Wasser hin. Friederike hatte den Blick meist auf die Insel gerichtet; aber sie schaute nicht. In weniger als einer Stunde fuhren wir in den Hafen ein, der rings von einer hölzernen Brücke umschlossen war, so daß man sich in einem kleinen Teich vermeinen konnte.

Ein paar Kinder standen auf der Brücke. Wir stiegen aus und gingen langsam ans Ufer; die Kinder hinter uns; aber die verloren sich bald. Das ganze Dorf lag vor uns; es bestand aus höchstens zwanzig Häusern, die rings verstreut waren. Wir sanken fast in den dünnen, braunen Sand ein, den das Wasser hier angeschwemmt hat. Auf einem sonnbeglänzten freien Platz, der bis ans Meer hinunterreichte, hingen Netze, zum Trocknen ausgebreitet; ein paar Weiber saßen vor den Haustüren und flickten Netze. Nach hundert Schritten waren wir ganz allein. Wir waren auf einen schmalen Weg geraten, der uns von den Häusern fort dem Ende der Insel zuführte, wo der Leuchtturm stand. Zu unserer Linken, durch ärmliches Ackerland, das immer schmäler wurde, von uns getrennt, lag das Meer; zu unserer Rechten stieg der Hügel an, auf dessen Kamm wir den Weg zur Kirche laufen sahen, die in unserem Rücken war. Über all dem lag schwer die Sonne und das Schweigen. — Friederike und ich hatten die ganze Zeit über nichts gesprochen. Ich fühlte auch kein Verlangen darnach; mir war unendlich wohl, so mit ihr in der großen Stille hinzuwandeln.

Aber sie begann zu sprechen.

„Heute vor acht Tagen", sagte sie . . .

„Nun — ?"

„Da hab ich noch nichts gewußt . . . noch nicht einmal, wohin ich reisen werde."

Ich antwortete nichts.

„Ah, ist's da schön," rief sie aus und ergriff meine Hand.

Ich fühlte mich zu ihr hingezogen; am liebsten hätte ich sie in meine Arme geschlossen und auf die Augen geküßt.

„Ja?" fragte ich leise.

Sie schwieg und wurde eher ernst.

Wir waren bis zu dem Häuschen gekommen, das an den Leuchtturm angebaut war; hier endete der Weg; wir mußten umkehren. Ein schmaler Feldweg führte ziemlich steil den Hügel hinan. Ich zögerte.

„Kommen Sie", sagte sie.

Wie wir jetzt gingen, hatten wir die Kirche im Auge. Ihr näherten wir uns. Es war sehr warm. Ich legte meinen Arm um Friederikens Hals; sie mußte ganz nahe bei mir bleiben, wenn sie nicht abgleiten wollte. Ich berührte mit der Hand ihre heißen Wangen.

„Warum haben wir eigentlich die ganze Zeit nichts von Ihnen gehört?" fragte sie plötzlich — „ich wenigstens," setzte sie hinzu, indem sie zu mir aufschaute.

„Warum", wiederholte ich befremdet.

„Nun ja!"

„Wie konnte ich denn?"

„O darum", sagte sie. „Waren Sie denn verletzt?" Ich war zu sehr erstaunt, um etwas erwidern zu können.

„Nun, was haben Sie sich eigentlich gedacht?"

„Was ich mir —"

„Ja — — oder erinnern Sie sich gar nicht mehr?"

„Gewiß, ich erinnere mich. Warum sprechen Sie jetzt davon?"

„Ich wollte Sie schon lange fragen", sagte sie.

„So sprechen Sie", erwiderte ich tief bewegt.

„Sie haben es für eine Laune gehalten" — „o gewiß!" setzte sie lebhaft hinzu, als sie merkte, daß ich etwas entgegnen wollte — „aber ich sage Ihnen, es war keine. Ich habe mehr gelitten in jenem Jahre, als ein Mensch weiß."

„In welchem?"

„Nun . . . als Sie bei uns . . . Warum fragen Sie das? — Anfangs habe ich mir selbst . . . Aber warum erzähle ich Ihnen das?"

Ich faßte heftig ihren Arm. „Erzählen Sie ... ich bitte Sie ... ich habe Sie ja lieb."

„Und ich dich," rief sie plötzlich aus; nahm meine beiden Hände und küßte sie — „immer — immer."

„Ich bitte dich, erzähle mir weiter," sagte ich; „und alles, alles ..."

Sie sprach, während wir langsam den Feldweg in der Sonne weiterschritten.

„Anfangs habe ich mir selbst gesagt: er ist ein Kind ... wie eine Mutter habe ich ihn gern. Aber je näher die Stunde kam, um die Sie abreisen sollten ..."

Sie unterbrach sich eine Weile, dann sprach sie weiter:

„Und endlich war die Stunde da. — Ich habe nicht zu dir wollen — ich weiß nicht, was mich hinaufgetrieben hat. Und wie ich schon bei dir war, hab ich dich auch nicht küssen wollen — aber ..."

„Weiter, weiter," sagte ich.

„Und dann hab ich dir plötzlich gesagt, daß du gehen sollst — du hast wohl gemeint, das ganze war eine Komödie, nicht wahr?"

„Ich verstehe dich nicht."

„Das habe ich die ganze Zeit gedacht. Ich habe dir sogar schreiben wollen ... Aber wozu? ... Also ... der Grund, daß ich dich weggeschickt habe, war .. Ich hatte mit einem Male Angst bekommen."

„Das weiß ich."

„Wenn du das weißt — warum hab ich nie wieder von dir gehört?" rief sie lebhaft aus.

„Warum hast du Angst bekommen?" fragte ich, allmählich verstehend.

„Weil ich glaubte, es wäre jemand in der Nähe."

„Du glaubtest? Wie kam das?"

„Ich meinte Schritte auf dem Gang zu hören. Das wars. Schritte! Ich dachte, er wär es ... Da hat mich die Furcht gepackt — denn es wäre entsetzlich gewesen, wenn er — o, ich will gar nicht daran denken. — Aber niemand war da — niemand. Erst spät am Abend ist er nach Hause gekommen, du warst längst, längst fort." —

Während sie das erzählte, fühlte ich, wie irgend etwas in meinem Innern erstarrte. Und als sie geendet hatte, schaute ich sie an, als müßte ich sie fragen: Wer bist du? — Ich wandte mich unwillkürlich nach dem Hafen, wo ich die Segel unseres Bootes glänzen sah, und ich dachte: Wie lange, wie unendlich lange ist es her, daß wir auf diese Insel gekommen sind? Denn ich bin mit einer Frau hier gelandet, die ich geliebt habe, und jetzt geht eine Fremde an meiner Seite. Es war mir unmöglich, auch nur ein Wort zu sprechen. Sie merkte es kaum; sie hatte sich in meinen Arm gehängt und hielt es wohl für zärtliches Schweigen. Ich dachte an ihn. Er hat es ihr also nie gesagt! Sie weiß es nicht, sie hat es nie gewußt, daß er sie zu meinen Füßen liegen sah. Er hat sich damals von der Tür wieder davongeschlichen und ist erst später.... stundenlang später zurückgekommen und hat ihr nichts gesagt! Und er hat die ganzen Jahre an ihrer Seite weitergelebt, ohne sich mit einem Worte zu verraten! Er hat ihr verziehen — und sie hat es nicht gewußt!

Wir waren in der Nähe der Kirche angelangt; kaum zehn Schritte vor uns lag sie. Hier bog ein steiler Weg ab, der in wenigen Minuten ins Dorf führen mußte. Ich schlug ihn ein. Sie folgte mir.

„Gib mir die Hand," sagte sie, „ich gleite aus." Ich reichte sie ihr, ohne mich umzuwenden. „Was hast du denn?" fragte sie. Ich konnte nichts antworten und drückte ihr nur heftig die Hand, was sie zu beruhigen schien. Dann sagte ich, nur um etwas zu reden: „Es ist schade, wir hätten die Kirche besichtigen können." — Sie lachte: „An der sind wir ja vorüber, ohne es zu merken!"

„Wollen Sie zurück?" fragte ich.

„O nein, ich freue mich, bald wieder im Boot zu sitzen. Einmal möchte ich mit Ihnen allein so eine Segelpartie machen, ohne diesen Mann."

„Ich verstehe mich nicht auf Segeln."

„O," sagte sie und hielt inne, als wäre ihr plötzlich etwas eingefallen, was sie doch nicht sagen wollte. — Ich fragte nicht. Bald waren wir auf der Brücke. Das Boot lag bereit. Die Kinder waren wieder da, die uns beim Kommen begrüßt hatten. Sie sahen uns mit großen blauen Augen an. Wir segelten ab. Das Meer war ruhiger geworden; wenn man die Augen schloß, merkte man kaum, daß man sich in Bewegung befand.

„Zu meinen Füßen sollen Sie liegen," sagte Friederike, und ich streckte mich am Boden des Kahnes aus, legte meinen Kopf auf den Schoß Friederikens. Es war mir recht, daß ich ihr nicht ins Gesicht sehen mußte. Sie sprach, und mir war, als klänge es aus weiter Ferne. Ich verstand alles und konnte doch zugleich meine Gedanken weiter denken.

Mich schauderte vor ihr.

„Heute Abend fahren wir zusammen aufs Meer hinaus," sagte sie.

Etwas Gespenstisches schien mir um sie zu gleiten.

„Heut Abend aufs Meer," wiederholte sie langsam, „auf einem Ruderboot. Rudern kannst du doch?"

„Ja", sagte ich. Mich schauderte vor dem tiefen Verzeihen, das sie schweigend umhüllte, ohne daß sie es wußte.

Sie sprach weiter. „Wir werden uns ins Meer hinaustreiben lassen — und werden allein sein. — Warum redest du nicht?" fragte sie.

„Ich bin glücklich," sagte ich.

Mir schauerte vor dem stummen Schicksal, das sie seit so vielen Jahren erlebt, ohne es zu ahnen.

Wir glitten hin.

Einen Augenblick fuhr es mir durch den Sinn: Sag es ihr. Nimm dieses Unheimliche von ihr; dann wird sie wieder ein Weib sein für dich wie andere, und du wirst sie begehren. Aber ich durfte es nicht. — Wir legten an.

Ich sprang aus dem Boot; half ihr beim Aussteigen.

„Der Bub wird sich schon nach mir sehnen. Ich muß rasch gehen. Lassen Sie mich jetzt allein."

Es war lebhaft am Strand; ich merkte, daß wir von einigen Leuten beobachtet wurden.

„Und heute Abend," sagte sie, „um neun bin ich ... aber was hast du denn?"

„Ich bin sehr glücklich," sagte ich.

„Heute Abend," sagte sie, „um neun Uhr bin ich hier am Strand, bin ich bei dir. — Auf Wiedersehen!"

Und sie eilte davon.

„Auf Wiedersehen!" sagte auch ich und blieb stehen. — Aber ich werde Sie nie wiedersehen.

Während ich diese Zeilen schreibe, bin ich schon weit fort — weiter mit jeder Sekunde; ich schreibe sie in einem Kupee des Eisenbahnzuges, der vor einer Stunde von Kopenhagen abgefahren ist. Eben ist es neun. Jetzt steht sie am Strande und wartet auf mich. Wenn ich die Augen schließe, sehe ich die Gestalt vor mir. Aber es ist nicht eine Frau, die dort am Ufer im Halbdunkel hin und her wandelt — ein Schatten gleitet auf und ab.

———————————

DER EHRENTAG

August Witte saß schon eine halbe Stunde im Kaffeehaus und hatte eine Menge Zeitungen vor sich liegen, die er nicht anschaute, als endlich Emerich Berger in großer Hast erschien.

„Na also," rief ihm August entgegen, „kommst du endlich. Es ist wirklich die höchste Zeit. Alles läßt du einen allein machen."

„Pardon," sagte Emerich, indem er sich niedersetzte, „ich hab' noch einen Besuch machen müssen, da bin ich so schwer fortgekommen — ich hab' doch hoffentlich nichts versäumt? Ist doch schon alles arrangiert?"

„Gewiß," antwortete August mit leichtem Stirnrunzeln — „zum Glück bin i c h ja da."

„Also ist eigentlich nichts mehr zu tun, bevor die Geschichte angeht!"

„Jetzt nichts mehr. Ich hab' mir nur noch den Dobrdal herbestellt, um ihm die letzten Instruktionen zu geben."

„D a h e r — hast du den Dobrdal bestellt?"

„Warum denn nicht? Er sieht sehr anständig aus. Und dann weiß doch ein jeder, daß er nicht zu uns gehört."

Emerich nickte zustimmend, dann fragte er: „Was ist denn mit den Lorbeerkränzen?"

„Sind schon ins Theater geschafft."

„Na, da ist ja alles in schönster Ordnung. — Und außer uns weiß keiner was davon, nicht wahr?"

„Niemand. Dem Fred werden wir's allerdings noch sagen, weil er ja mit uns in die Loge geht."

Emerich schüttelte den Kopf.

„Glaubst nicht, wir sollten den Fred auch lieber . . überraschen?"

„Ja, warum denn?"

„Weißt, ich mein' nur, der Fred ist manchmal so komisch; der ist am End' dagegen."

„Da kann ich ihm nicht helfen. Wir werden uns wohl noch einen Spaß erlauben dürfen. Und die Verantwortung haben doch wir allein, was?"

„Freilich. Du allein."

„Jawohl, ich allein. Auf so einen originellen Einfall wär' sowieso keiner von euch gekommen."

„Freilich," lächelte Emerich, „aber irgendwie steckt die Blandini dahinter, da möcht' ich drauf wetten ... und zwar glaub ich —"

In diesem Augenblick begegnete er einem strengen Blicke Augusts, und statt weiterzusprechen, neigte er verlegen den Kopf hin und her, warf ein Stück Zucker in den Kaffee und begann leise zu pfeifen.

„Grüß euch Gott," sagte Fred, der eben hereingetreten war, und reichte den beiden anderen jungen Leuten die Hand. „Ich danke dir sehr für das Logenbillett," wandte er sich zu August, „nur möcht' ich mir die Frage erlauben: warum gehn wir denn noch einmal in diese irrsinnige Operette?"

„Wirst gleich hören," erwiderte August; „da ist übrigens der Herr Dobrdal."

„Wer?" fragte Fred.

„Sie, Marqueur," rief August, „sehn Sie den Herrn, der dort beim Billard steht und grad' den Franz was fragt? Rufen Sie ihn daher zu uns."

„Dobrdal?" wandte sich Fred fragend an Emerich. „Was bedeutet das? Wer ist Dobrdal?"

Emerich wies mit den Augen auf den Herrn, welcher, vom Kellner an den Tisch der jungen Leute gewiesen, eben herzutrat und sich verbeugte.

Es war ein kleiner Mann in braunem Mentschikoff und mit einer Pelzmütze. Ein Zwicker baumelte ihm vorn an einem Bande hin und her.

August nickte ihm herablassend zu. „Guten Abend, Herr Dobrdal, lassen Sie sich vielleicht etwas geben?"

„Oh, es ist nicht notwendig."

„Also nehmen Sie Platz."

„Bin so frei."

„Ich habe Sie gebeten, ins Kaffeehaus zu kommen, damit wir noch ein letztesmal . . . aber wollen Sie sich nicht doch etwas geben lassen? Da ist grad' der Kellner."

„Bringen Sie mir eine Melange," sagte Herr Dobrdal und nahm die Pelzmütze ab, die er auf den Tisch legte.

Emerich nahm sie vorsichtig in die Hand und legte sie auf einen Sessel.

„Danke sehr," sagte Herr Dobrdal.

„Also," begann August aufs neue, „wieviel Leute haben Sie drin?"

„Vierzig, und g u t verteilt!"

„Auch im Parkett?"

„Natürlich, mit der Galerie allein machen wir nichts. Das Parkett ist doch das Wichtigste."

„Und sehen Sie die Leute noch, bevor die Sache angeht?"

„Natürlich, ich hab' doch alle Sitze im Sack."

„Das ist gut. Also hören Sie, Herr Dobrdal. Wir rekapitulieren noch einmal: Im ersten Akt — nichts. Ja, es wäre mir sogar angenehm, wenn nach Schluß des Aktes der Applaus lauer wäre als sonst."

„Herr von Witte, das wird nicht gehn. Der Direktor besteht auf drei Hervorrufen."

„Das ist mir unangenehm."

„Aber wissen Sie was, Herr von Witte, das Parkett werd' ich feiern lassen nach dem ersten Akt."

„Schön. Also jetzt kommt der zweite Akt — und über den müssen wir reden. Da ist zuerst der Chor."

„Ich weiß doch, Herr von Witte."

„Bitte, hören Sie nur. Nach dem Chor bleibt bekanntlich die Blandini allein auf der Szene und ist fürchterlich traurig; dann wirft sie sich auf den Diwan. In dem Augenblick tritt Herr Roland auf."

„Und jetzt geht's los," setzte Dobrdal hinzu.

„Roland?" rief Fred aus.

„Aber das ist ja der Witz," sagte Emerich leise.

„Im Augenblick," — fuhr August fort, „wo der Herr Roland auftritt — donnernder Applaus."

„Schön," sagte Dobrdal.

„In diesen Applaus," sagte August, „mischen sich bereits Bravorufe; während der Applaus fortdauert, werden aus dem Orchester Kränze heraufgereicht. Jetzt hat der Roland zu sagen: Schöne Dame . . . oder schönes Weib . . . dieses Geschmeide sendet Euch mein Herr. Darauf hat die Blandini ihre Arie, während der steht der Roland an der Tür. Dann tritt die Blandini auf den Roland zu und gibt ihm das Geschmeide zurück."

„Wie die Blandini schon ist," bemerkte Emerich.

August betrachtete ihn düster. Emerich errötete; dann fuhr August fort: „Der Roland nimmt das Geschmeide und sagt: Was soll ich meinem Herrn ausrichten — oder so was ähnliches. Darauf die Blandini: Nichts. — Nun verbeugt sich der Roland und geht ab. — Und jetzt: kolossaler Applaus."

„Jubel", setzte Dobrdal hinzu.

„Richtig: Jubel, Toben; Rufe: heraus' — Und jetzt dürfen Sie Ihre Leute einfach nicht aufhören lassen, bis der Roland herauskommen und sich verbeugen muß. — Sie haben mich doch verstanden, Herr Dobrdal?"

„Herr von Witte, Sie können sich auf mich verlassen!"

„Somit," schloß August, „sind wir vorläufig fertig."

Dobrdal verstand, trank eilig den Rest seiner Melange aus, erhob sich, verbeugte sich und ging.

„Jetzt möcht' ich doch endlich wissen," sagte Fred, „was das alles zu bedeuten hat."

„Das werd' ich dir sagen," erwiderte August.

„Bin neugierig," sagte Fred.

Emerich horchte gespannt auf.

„Erstens," fuhr August fort, „seh' ich überhaupt nicht ein, warum alles etwas zu bedeuten haben soll."

Emerich schien enttäuscht, Fred lachte. „Und zweitens," setzte August rasch und gereizten Tones hinzu, „wenn ihr zwei überhaupt die Fähigkeit hättet, der Sache auf den Grund zu gehen, so würdet ihr gar nicht fragen. Ich will ja nicht grad' behaupten, daß ich von vornherein an etwas anderes gedacht habe, als einmal einen guten Spaß in Szene zu setzen: aber es ist mehr, es ist etwas Gutes, etwas, ja ich möchte sagen, Sinniges, was wir tun, indem wir einmal so einem armen Teufel eine Freud' machen, an den im allgemeinen kein Mensch denkt. Die Großen werden genug gefeiert, find' ich; aber zum Theaterspielen braucht man die Kleinen grad' so notwendig."

„Das ist richtig," warf Emerich ein.

„Darum hat mein Spaß einen tieferen Sinn, und wenn die Leut im Theater heut abends darauf eingehen, woran ja gar nicht zu zweifeln ist, und mitapplaudieren, so werden sie, vielleicht ohne es zu ahnen, in der Person des Herrn Roland all den kleinen Leuten eine Ovation bringen, die sie gewöhnlich vergessen."

„Gewiß ohne es zu ahnen," sagte Fred. „Denn du hast's ja auch vor fünf Minuten noch nicht geahnt, was du eigentlich für ein edler Mensch bist."

„Der Emerich hat ganz recht gehabt," bemerkte August rasch.

Emerich machte ein wichtiges Gesicht und fragte sich, worin er wohl recht gehabt hätte.

„Daß man dir nämlich überhaupt nichts erzählen soll," fuhr August fort; worauf Emerich erschrak und Fred mit einer Art verständnisvoller Zärtlichkeit ansah.

„Du verdirbst einem zu allem die Laune," sagte August.

„Ich versteh' dich wirklich nicht," lachte Fred. „Du bist so erregt, als wenn du dich irgendwie getroffen fühltest. Alles Edle geschieht ja unbewußt, sonst wär' es gar nicht edel. Irgendeinem ordinären Kerl fällt ein Spaß ein, und er wird naturgemäß eine Gemeinheit, — dir fällt ein Spaß ein, und er wird naturgemäß eine gute Tat."

August sah ihn mit einem bösen Blick an. „Wirst du uns vielleicht das Vergnügen rauben, in deiner Gesellschaft der Vorstellung beizuwohnen?"

„Durchaus nicht," antwortete Fred harmlos; „außerdem hast du mich ja auch eingeladen, nachher mit dir, Emerich und der Blandini zu soupieren."

„Ich hatte vergessen."

„Aber ich nicht."

„Es ist Zeit, zu gehen," sagte August.

Sie zahlten, verließen das Lokal und fuhren ins Theater. Emerich betrachtete auf dem Wege bald den einen, bald den andern und ahnte, daß hier zwei Menschen in irgendeinem wichtigen Punkt nicht ganz gleicher Ansicht wären. So faßte er sich, als sie ausstiegen und die Treppe zum Logengang hinaufschritten, ein Herz und sagte: „Kinder, seid's doch gescheit! ..."

August antwortete nichts. Fred aber drückte Emerich die Hand und sagte: „Ich werde versuchen."

Die Logentür wurde geöffnet, und den drei Freunden klangen die ersten Akkorde der Ouvertüre lustig entgegen.

II.

Der erste Akt war zu Ende.

Friedrich Roland saß in der Garderobe, allein.
Er war mit einem phantastischen Kostüm angetan —
schwarzrotsamtenes Wams und dunkelblaue Trikots —
und trug eine Perücke von herrlichen, kastanien-
braunen Locken, auf der ein Barett saß. Den Degen
hatte er über die Knie gelegt und starrte in den Spiegel,
aus dem ihm sein jugendlich rot geschminktes Gesicht
mit dem falschen Schnurrbart entgegensah. So saß
er beinahe regungslos schon seit Beginn des Stückes
da. Jetzt hörte er durch die geschlossene Tür die
Schritte und Stimmen der Choristen, die an ihm
vorüber von der Bühne in den Ankleideraum eilten;
dann wurde es wieder still. Roland war froh, daß er
allein war; die neue Operette war ihm beinahe lieb,
weil von den zwei Kollegen, mit denen er sonst die
Garderobe zu teilen hatte, keiner beschäftigt war.
Das waren nämlich Menschen, mit denen er sich nicht
verstand; zufriedene Leute, die ihre geringe Kunst
seit jeher als brave Handwerker betrieben hatten und
nichts von ihr verlangten als ein bescheidenes Aus-
langen, das sie ihnen auch gewährte. Roland wußte
wohl, daß er heute als ihresgleichen gelten mußte, aber
er fühlte zugleich, daß er in Wahrheit durchaus nicht
zu ihnen gehörte. Er hätte was ganz anderes werden
können, wenn er Glück gehabt hätte. Daran dachte
er jetzt, als er geschminkt vor dem Spiegel saß; wie er
Stunde für Stunde daran dachte. Noch heute, nach
zehnjährigem Engagement an diesem Theater, konnte
er es nicht ohne ein dumpfes Gefühl des Grolles und
der Scham betreten, und niemals hatte er das zu
verbergen gewußt. So hatten seine Kollegen
bald mit dem feinen Spürsinn niederer Menschen
herausgefunden, wo er am empfindlichsten zu treffen

war, und jede Äußerung seines Wesens: die Art, wie er leise und müde zu reden, wie er langsam und scheinbar stolz einherzuschreiten pflegte, ja selbst eine gewisse Gewohnheit, den Kopf nach der Seite zu wenden und dabei die Augen halb zu schließen, wurden als komische Zeichen seiner Unzufriedenheit gedeutet. Ob er einmal Talent gehabt, das wußte man nicht, auch war nie die Rede davon gewesen: die Rollen, in denen er seit Jahren auftrat, waren die von Pagen, Dienern, Knechten, Verschworenen, die ohne nähere Bezeichnung auf dem Zettel standen; ja meistens war er zweiter Knecht oder dritter Verschworener. Es war kein Grund anzunehmen, daß er mehr Anlaß hatte, sich zu beklagen, als einer von den anderen, die zu gleichen Rollen auserlesen waren wie er; sie sahen auf eine ähnliche Vergangenheit zurück wie Roland und hatten auf kleinen Bühnen vor Jahren erste Helden, Liebhaber oder Intriganten gespielt. Vielleicht auch war mancher unter ihnen, der sich mit schmerzlichen Empfindungen jener Zeit erinnerte; vielleicht wäre diese schmerzliche Erinnerung auch manchem anzumerken gewesen; aber alle Scherze, alle Bosheiten kamen an ihn herangeflogen, weil man sah, daß er am meisten darunter litt. Anfangs hatte er sich zu wehren gesucht; er versuchte Neckereien zu erwidern, aber er war zu ungeschickt gewesen; er wollte grob werden, aber er hatte nicht den rechten Mut dazu gefunden. So begann er, sich alles ruhig gefallen zu lassen, wurde verschlossen, und man hörte oft tagelang kein Wort aus seinem Munde. Auch das paßte so gut wie alles andere zu dem Bild, das nun einmal von ihm feststand; auch das war der komische Stolz des ‚verkannten Genies‘. Sein Ruf war allmählich über den engen Kreis hinausgedrungen, in dem er wirkte; alle Welt, die in der Stadt sich für das Bühnenleben interessierte, kannte seinen Namen, um den so viele Scherze schwirrten; die Reporter in geistsprühenden Notizen, das Publikum in launigen Gesprächen bediente sich des Namens Roland, um den Typus des unbedeutenden, aber eingebildeten Mimen kurz zu bezeichnen. So war dieser Name in seiner Art populär geworden, und in einem anderen Sinne, als Roland früher einmal gehofft, schien seine Sehnsucht nach Ruhm in Erfüllung zu gehen. Nun war er so weit, daß er die Unbekannten beneidete. Alle die durften noch hoffen, daß ihr Schicksal eine erfreuliche Wendung nähme; sie konnten irgend einmal aus ihrem Dunkel in eine würdige Beleuchtung heraustreten. Ihm war das für alle Zeit versagt. Vor zwei Jahren hatte er das letztemal gewagt, den Direktor um eine anständige Rolle zu bitten. Der hatte ihn lachend abgewiesen, und Roland hatte ihn verstanden. Dann dachte er noch einmal, ein letztes, daran, die Stadt zu verlassen, um wieder in die Provinz hinauszuwandern, wo er in den ersten zehn Jahren seiner Laufbahn umhergezogen; aber die Agenten erklärten alle, es sei zu spät, und die Erfahrungen, die er seinerzeit als Heldenspieler in kleinen böhmischen und mährischen Städtchen gesammelt, waren auch nicht ermutigend genug, um ihm die nötige Energie zu verleihen, es auf eigene Faust zu versuchen. So war es das beste, sich zu bescheiden, und wie andere stille Arbeiter sein Tagewerk zu verrichten, um doch zu leben. Er war sehr einsam geworden; weder mit den Großen noch mit den Kleinen mochte er zu tun haben. Früher war er regelmäßig nach dem Theater in ein Wirtshaus gekommen, wo eine harmlose Gesellschaft von Theaterbediensteten und kleinen Bürgern sich zusammenfand, die stolz waren, mit Leuten von der Bühne zu verkehren. Aber auch hier hatte es an Späßen nicht gefehlt, wenn

Roland erschien; manches herzliche Wort, mit dem er begrüßt wurde, faßte er in wachsendem Mißtrauen als spöttisch gemeint auf, und so konnte es ihm auch dort schon lange nicht mehr behagen. Er ging jetzt nur mehr hin, wenn er vorher anderswo allein ein paar Glas Wein getrunken hatte; da wurde es ihm leichter, an die Freundlichkeit der Menschen zu glauben, und selbst kleine Bosheiten nahm er dann mit Gleichmut hin. Ja, er erlebte dann sogar Augenblicke, in denen seltsame Hoffnungen einer großartigen Wandlung in ihm emportauchten; er hielt Zufälle für möglich, die ihn mit einemmal an einen würdigeren Platz stellen konnten, und durfte allen Spott verachten, der ihn laut und leise umklang ... Da ihm aber auch der Wein diese Stimmungen nur selten gab, ging er meist als ein tief Verletzter herum, dem nie Genugtuung werden konnte. Früher hatten kleine Abenteuer mit Frauen die letzten Jugendschimmer in sein Leben gebracht; aber seit ein paar Jahren war auch das vorbei, und zärtlichen und fragenden Blicken, die noch zuweilen auf ihm ruhen blieben, glaubte er nicht mehr. Seit ein paar Wochen geschah es manchmal, daß er auf dem kleinen Tisch in seiner Garderobe Veilchen fand; er forschte gar nicht, woher sie kamen; gewiß war es ein Scherz, wie man sie schon manchmal an ihm verübt hatte; ein Scherz, wie die süßen Briefchen, mit denen man ihn zu Stelldicheins gelockt, wo entweder niemand erschienen war oder der Souffleur oder gar ein paar Damen vom Chor, die sich köstlich über sein verdutztes Gesicht amüsiert hatten.

Die Veilchen waren auch heute wieder da; er hatte sie gar nicht angerührt. Und wenn sie selbst ernst gemeint waren, was lag ihm daran? — Er war so schwer bedrückt, daß ihm keine Freude mehr werden konnte. Er spürte nichts mehr als seine Einsamkeit und seine

Lächerlichkeit. Manchmal fuhr ihm durch den Sinn: wie soll das enden? Und da kamen ihm sonderbare Einfälle, die er immer wieder von sich wies. Nur einmal hatte er eine Idee gehabt, die ihn längere Zeit festhielt: Er wollte es nämlich in die Zeitung geben, wie ihn die Leute quälten, und einen Appell an das Publikum erlassen, der mit den Worten anfangen sollte: Ihr edlen Menschen! Er hatte ihn einmal zu schreiben angefangen, hier in der Garderobe, denn sein Tisch zu Hause wackelte immer — aber er wollte ihm nicht gelingen. Er kam ihm vor wie ein Bettelbrief. Und dann hätten sie doch gelacht. Etwas anderes war ihm später eingefallen. Er wollte einmal mit der Blandini, der Primadonna des Theaters, die zuweilen auf der Probe ein paar gute Worte mit ihm sprach, ernstlich reden; er wollte ihr vorstellen, daß er doch eigentlich gar nicht so komisch war, wie die Leute sich immer einbildeten, aber ... er wagte es nicht. Und dann war ihm einmal, als er vom Wirtshaus ein wenig betrunken in der Nacht nach Hause ging, etwas ganz Tolles in den Sinn gekommen: er wollte bei nächster Gelegenheit mitten auf der Szene auf die Knie fallen und geradezu zu beten anfangen: O edle Menschen — und ihnen sein ganzes Leid klagen und sein Elend; und er wußte, daß er da wunderbare Töne finden würde, denen niemand widerstehen könnte; man müßte bei dieser Gelegenheit sogar erkennen, daß er ein großer Schauspieler war, und viele würden weinen und er selbst vielleicht mit ihnen. — Dieser Einfall kam ihm öfter wieder, aber nicht wie etwas, woran man ernsthaft denken dürfte, sondern wie die Erinnerung an einen lebhaften und schönen Traum.

Die Klingel, die ihn auf die Bühne rief, schrillte. Er stand auf, trat auf den Gang und schritt gemächlich die zehn Holzstufen hinab. Nun stand er hinter den Kulissen. Einige Choristen sagten ihm guten Abend. Roland ging ein paar Schritte weiter und stellte sich knapp hinter die Tür, aus der er auf die Szene hinaustreten sollte. Er hörte die Blandini singen; er erwartete sein Stichwort ... So ... jetzt war es da; der Inspizient, der neben ihm stand, gab ein Zeichen; zwei Arbeiter zu beiden Seiten öffneten die Tür, und Roland trat auf die Bühne. Aber es war etwas zu früh. Der Inspizient hatte voreilig das Zeichen gegeben, die Tür zu öffnen. Denn eben hatte sich ein starker Applaus erhoben, der offenbar der Blandini galt. Ihre Beliebtheit wächst noch immer, dachte er, selbst nach den paar Takten ein solcher Beifall! ... Das wollte ja gar nicht aufhören. — Und Roland sah unwillkürlich die Blandini an, die anfangs ins Publikum hinausgeschaut hatte und sich jetzt zu ihm wandte. Er hörte sie flüstern: „Verstehen Sie das?" ... Und der Applaus wurde immer stärker. Roland blickte auf die Galerie ... Plötzlich glaubte er ganz deutlich unter den Bravorufen auch seinen Namen zu hören ... Ah — er hatte sich gewiß getäuscht. Die Blandini sagte: „Hören Sie?" Roland antwortete: „Ja." „Ihr Name," sagte die Blandini .. Der Applaus dauerte in gleicher Stärke fort. Und die Rufe ‚Roland‘ wurden immer lauter. „Was ist das?" dachte Roland, „bin ich wahnsinnig geworden? Träum' ich?" „Reden Sie," flüsterte die Blandini. — „Was?" fragte Roland verwirrt. — „Nun, Ihre Worte ... vom Geschmeide." — Und Roland begann zu sprechen: „Schöne Dame, dieses Geschmeide ..." Aber er drang nicht durch. Der Applaus dauerte fort; einige Zischlaute mischten sich drein, worauf er noch lärmender wurde. „Kränze," sagte die Blandini. Und Roland, in der Überzeugung, sie seien für die Blandini bestimmt, eilte zur Rampe vor, bückte sich und nahm einen riesigen Lorbeerkranz, den er sofort der Sängerin überreichen wollte. Aber sie flüsterte: „Für Sie." — Er verstand es nicht; da fiel sein Auge auf die Schleifen, und er erblickte seinen Namen. Eine Sekunde lang ging jetzt etwas ihm selbst Unbegreifliches in ihm vor; er dachte: „Ich bin ein großer Schauspieler. Das merken alle Menschen, trotzdem ich die nichtigste Rolle spiele;" er nahm mechanisch die eine Schleife in die linke Hand — er las: „Dem genialen Mimen Roland die dankbare Mitwelt …" Und plötzlich hörte er im Saale ein stürmisches Gelächter schallen; er ließ die Schleife aus der Hand fallen, — er sah ins Publikum, sah tausend hocherhobene klatschende Hände, und die Gesichter der Leute leuchteten vor Vergnügen … Er verstand es nicht. Man lachte lauter, immer lauter Plötzlich verstand er es. Und es war ihm, als wenr er niedersinken müßte und sein Gesicht verstecken denn man lachte ja über ihn … man höhnte ihn aus .. Das ganze Publikum war in diese rasende Fröhlichkeit geraten über den Einfall — ihn, Herrn Friedrich Roland, zu feiern. Er fühlte es: nun war für ihn der Gipfel des Ruhmes erreicht … er fühlte es so tief, daß er nichts mehr sah und hörte und in die lärmende Menge wie ins Stille und Leere starrte. Und — mit einem Male, als hätte er es damit erzwungen — war es wirklich still. Und er wußte, daß er seine Worte noch nicht gesprochen; vielleicht auch hatte ihm die Blandini zugeflüstert, daß er sprechen sollte. Und er sagte, ohne mit der Stimme zu zittern, indem er der Sängerin ruhig ins Gesicht sah: „Schöne Dame, dieses Geschmeide sendet Euch mein Herr." — Die Blandini nahm das Geschmeide und sah ihn mit einem sehr langen Blicke an, er mußte denken: „Diese Nuance hat sie in den früheren Vorstellungen nicht gebracht" und fragte sich: „Warum?" … Da hörte er sie zu ihm sagen: „Machen Sie sich nichts daraus." Jetzt merkte er, daß das Orchester bereits wieder spielte; die Einleitungstakte der Arie waren vorbei; die Blandini mußte einsetzen, sie sang. Es war eine unendlich lange Arie. Roland stand an der Tür und hörte die wohlbekannten Töne, und die Blandini sang immer weiter, es war, als wenn sie stundenlang sänge. Roland empfand nichts; nur ging die Bühne auf und nieder, gleichmäßig, und ein Summen von tausend kleinen Stimmen ohne Sinn war in seiner Nähe; aber die Arie der Blandini klang hell, als wenn sie durch die Wände dringen müßte, hinaus ins Freie, und Roland war es, als ob man das Lied jetzt überall in der Welt zugleich hören könnte, wenn man nur recht aufpaßte. Es war gut von ihr, daß sie so lange sang, denn er hatte Angst vor dem Ende der Arie; er erinnerte sich, wie damals, bevor sie begonnen, das Klatschen und Gelächter getönt hatte; das würde sicher wieder kommen . . . und er fühlte, er müßte stark sein, um das noch einmal ertragen zu können — es war entsetzlich gewesen. — Die Arie war aus. Die Blandini reichte ihm den Schmuck. Und Roland fragte: „Was meld' ich meinem Herrn?" — Und die Blandini sagte: „Nichts." — Sie sagte es mit einem Zittern der Stimme wie niemals früher. Dabei sah sie ihn mit flehenden Augen an, als wollte sie ihn dabehalten auf der Szene, und er mußte doch abgehen. Er verbeugte sich, die Tür wurde geöffnet, er tat einen Schritt hinaus — da fing es so an wie vorher: „Bravo! Roland! Roland! Bravo!" Er stand bereits hinter der Szene, neben ihm der Inspizient, ein paar Choristen, die sich herzugedrängt hatten. Auch der jugendliche Komiker war da. „Meisterleistung," sagte er zu Roland. Der Direktor trat hinzu. „Ja, was heißt das? Sind die Leute toll? Wissen Sie, Roland, was das zu bedeuten hat?" — Roland schüttelte den Kopf. „Ja, was machen wir denn?" rief der Direktor. „Die klatschen draußen weiter. Es bleibt nichts übrig, Sie müssen hinaus, sich verbeugen," sagte der Direktor. „Ja," sagte Roland. Jetzt merkte er, daß er den Kranz noch immer in der Hand hielt; er wollte ihn fallen lassen. „Der bleibt," sagte der Direktor; „das wirkt ganz gut. Auf!" rief er. Die Tür flog auf, und Roland trat auf die Szene. Die Bravorufe verstärkten sich; helles Lachen tönte mit. Der Komiker sagte zum Direktor: „Meiner Ansicht nach handelt es sich um eine Wette." — „Möglich;" antwortete der Direktor, „so kommt jeder einmal zu seinem Ehrentag." —

Roland trat wieder zurück, die Tür wurde geschlossen. Er ließ den Kranz fallen; er wollte langsam in die Garderobe gehen. Ein paar Mädel vom Chor wollten ihm scherzend die Hand drücken, aber er merkte es nicht und ließ seine Arme schlaff herunterhängen. Da fühlte er sich von rückwärts gehalten. „Sie müssen noch einmal heraus, die Leute geben keine Ruh!" Roland wandte sich um, trat wieder auf die Szene, verbeugte sich tief. Er schien sich mit so viel Humor in seine Rolle zu finden, die man ihm nun einmal zugedacht, daß das Lachen im Publikum immer heiterer und herzlicher klang; viele hatten ihn in diesem Augenblick lieb. Ihm fuhr plötzlich wieder jener Traum durch den Sinn, und er fragte sich, ob nicht jetzt der richtige Moment wäre, auf die Knie zu fallen und zu rufen: Ihr edlen Menschen, Gnade! Gnade!... Aber er wußte, da unten war keine Gnade. Und mitten in dem Jubel, dem Lachen, das ihn umtoste, kam es wie eine furchtbare Verlassenheit über ihn, daß ihm das Herz stillstand. Als er abging, warf er einen Seitenblick auf die Blandini. Sie hatte Tränen im Auge und schaute an ihm vorbei. Jetzt war der

Lärm draußen vorüber; der Direktor klopfte Roland auf die Schulter und sagte lachend: „Ehrentag." Viele standen hinter den Kulissen bereit, Schauspieler, Choristen, Arbeiter, und hatten Lust, den Spaß aus dem Zuschauerraum hier fortzusetzen; aber Roland ging mit gesenktem Kopf vorbei und sah und hörte sie nicht. Er ging langsam die sieben Stufen hinauf, schlich durch den Gang, öffnete die Tür seiner Garderobe, trat ein; dann sperrte er die Tür ab. Das Schloß knarrte hinter ihm, und unten das Spiel ging weiter.

III.

Seit einer Stunde saßen die drei jungen Leute in dem *Cabinet particulier* und warteten. Die Blandini war noch nicht da.

„Sie wird gar nicht kommen," sagte Fred.

„Das ist unmöglich," antwortete August. „Wir haben es gestern miteinander ausgemacht, und außerdem hab' ich ihr heut nachmittags geschrieben."

„Weißt du, was ich finde?" bemerkte Emerich.

„Nun?" fragte August.

„Wir müßten dem Roland . . ."

„Fang' mir nicht wieder davon an, der Spaß ist vorbei, die Leute haben sich amüsiert, es war was Neues — und jetzt . . . Schluß."

„Ja, schon gut," sagte Emerich. „Aber ich mein', wir sollten ihm, dem Roland, morgen was schicken."

„Geld?" fragte Fred.

„Freilich, Geld, es gehört sich eigentlich, findst nicht, Gustl?"

„Das können wir ja tun", antwortete August kurz.

Fred sah vor sich hin. Alle schwiegen. Plötzlich stand August auf. „Ich fahre hin."

„Ins Theater?" fragte Emerich.

„Nein. Zu ihr. Im Theater kann sie ja nicht mehr sein, das ist ausgeschlossen."

„So hältst du es doch für möglich, daß sie deine Einladung vergessen hat?"

„Was willst denn immer," sagte August ärgerlich, indem er den Winterrock anzog.

„Kommst du bestimmt zurück?" fragte Emerich.

„Ja, bestimmt; mit ihr. Auf Wiedersehen."

Er entfernte sich rasch. Er mußte an der Tür der anderen kleinen Zimmer vorbei; aus einem klang ihm ein Walzer nach, den irgendein unmusikalischer Mensch auf einem harten Klavier schlecht spielte. August trat ins Freie. Die Straße war still, aber nicht dunkel. Der Schnee, der auf der Straße lag, verbreitete eine matte, gleichmäßige Helligkeit. Noch immer schneite es in großen, langsamen Flocken. August Witte entschloß sich, zu Fuß zu gehen, er fühlte, daß er erregt war, und hoffte, daß ihn die milde, weiße Nacht beruhigen würde. Er hatte einen Moment Lust, für seine üble Stimmung Fred verantwortlich zu machen, der mit seiner ablehnenden, beinahe höhnischen Art den ganzen Abend von Anfang an verdorben hatte. Freilich, daß die Blandini ausgeblieben war, das konnte er Fred nicht zum Vorwurf machen, so gern er es auch getan hätte — dafür mußte ein anderer Grund da sein. Wahrscheinlich war sie bös auf ihn; schön. — Im übrigen, hatte er denn was anderes wollen? Es wäre ihm gar nicht eingefallen, den Streich von heute Abend auszusinnen und auszuführen, wenn ihn nicht die Blandini selbst dazu gereizt hätte, die seit einiger Zeit von diesem armseligen Statisten zu behaupten pflegte, er hätte den interessantesten Kopf, den sie je gesehen, und hätte sicher viel mehr Talent als alle anderen. Anfangs war es wohl nur ein Scherz gewesen, wenn sie das sagte; aber als August unvorsichtigerweise zu widersprechen anfing, beharrte sie eigensinnig auf ihrer Meinung, bis sie endlich erklärte, aus August spräche die Eifersucht. — Das machte ihn ganz wütend. Auf Herrn Roland eifersüchtig! — Ah, er wußte schon ganz gut, auf wen er eifersüchtig zu sein hatte. Der Komiker mußte von allem Anfang an als Rivale hingenommen werden; daran war nichts zu ändern . . . aber über diesen Herrn Roland wollte er sich wahrhaftig nicht weiter ärgern. Jedesmal nahm er sich vor, nicht mehr von ihm mit der Blandini zu reden — und kaum war er fünf Minuten mit ihr zusammen, so fing der Zank wieder an. — Er fühlte, daß es nicht klug war; er trieb die Blandini geradezu in irgend etwas hinein, das er längst fürchtete. — Jetzt, wie er so durch die Straßen eilte, wußte er, was er fürchtete. Jetzt wußte er, daß der Anlaß zu dem Streich von heute Abend nicht die Lust am Spaß gewesen war: auch nicht die Absicht, dem Herrn Roland eine besondere Freude zu machen, obwohl er fest davon überzeugt war, daß Herr Roland erfreut sein werde; nein — er hatte die stille Hoffnung gehegt, daß er den kleinen Schauspieler für die Blandini lächerlich und unmöglich machen, daß sie über den lustigen Einfall Augusts lachen und sie nachher bessere Freunde sein würden als je; mit diesem Scherz dachte er Herrn Roland für die Blandini endgültig dahin zu verweisen, wo sein Platz war. Er hatte sich vor Beginn des Theaters vorgestellt, daß sie ihm vor seinen Freunden um den Hals fallen und ihm wie in früheren, glücklichen Zeiten sagen würde: „Du bist doch mein süßes und gescheites Afferl!“ Aber schon im Theater hatte er gemerkt, daß die Sache anders auszufallen schien, als er gewünscht. Während des Applaussturmes nach dem Eintreten des Roland hatte die Blandini einen bösen Blick in die Loge geworfen, wo er mit seinen zwei

Freunden saß, und als Roland zum letzenmal abging, hatte sie die Augen so verloren nach jener Tür gerichtet, daß August einen mächtig anwachsenden Zorn im Herzen fühlte. Und jetzt, je näher er dem Hause kam, in dem die Blandini wohnte, um so weniger verhehlte er sich, wovor er in Wahrheit zitterte: ... sie beide zusammen zu finden. Er beschleunigte die Schritte — noch um diese Ecke — und er stand vor dem Haustor. Es war eine der breiten Straßen hinter dem Ring; ringsum war kein Mensch zu sehen. Er lauschte und hörte über das beschneite Pflaster das gedämpfte Geräusch eines heranrollenden Wagens; seine Hand, die eben die Klingel drücken wollte, hielt inne, und er wartete.

Der Wagen fuhr um die Ecke, hielt vor dem Haustor. Er kannte ihn gut, er hatte ihn ja selbst für die Blandini gemietet. Rasch trat er beiseite; es war ihm, als wäre seine ganze Erregung geschwunden. Denn er war fest überzeugt, daß sie im nächsten Moment mit Roland aus dem Wagen steigen würde — und dann war eben alles entschieden und alles aus. — Der Schlag öffnete sich, eine Dame stieg aus dem Wagen und schlug die Tür hinter sich zu. Es war die Blandini. August eilte herbei und schaute rasch durch das Fenster in den Wagen hinein. Er war leer. August atmete auf. Dann rief er: „Albine!" — Sie wandte sich rasch um, im Moment, da sie ihn erkannte, machte sie einen Schritt auf ihn zu. „Traust du dich her?"

„Ah, das ist gut," rief August, der sich plötzlich seiner Rechte neu bewußt wurde, „ob ich mich trau? Wo steckst du denn? Was machst denn du? Ich wart' zwei Stunden auf dich! Was heißt denn das?"

„Mein Lieber, du kannst lang warten," sagte die Blandini, „wir zwei sind fertig miteinander."

„Warum?"

„Fragst noch?"

„Erstens schrei nicht; der Kutscher braucht das nicht zu wissen — und zweitens —"

In diesem Augenblick öffnete sich die Haustür; die Blandini eilte in den Flur und schlug die Tür hinter sich zu. August bebte vor Zorn. Aber er wollte sich vor dem Kutscher und dem Portier nicht blamieren und blieb ganz ruhig stehen. Er überlegte. Was sollte er tun? Warten? — Ihr nacheilen? — Sich der Gefahr aussetzen, von ihr nicht empfangen zu werden? Bis zum Morgen da auf- und abgehen? Ihr in der Früh auf der Straße einen Skandal machen? Er war so zornig, daß er sein eigenes lautes, beinahe schnaubendes Atmen hörte. — Nach zwei Minuten öffnete sich das Haustor von neuem, und Albine erschien.

Sie eilte zum Wagenschlag und rief dem Kutscher etwas zu. August eilte ihr nach und packte sie beim Arm. „Wohin?"

„Was gehts dich an?" Sie machte sich los von ihm und sprang in den Wagen; er ihr nach.

„In meinem Wagen werd' ich doch wohl mitfahren dürfen," stieß er zwischen den Zähnen hervor.

„Bitte."

Der Wagen rollte fort.

„Darf ich um Aufklärung bitten?" fragte August. Sie antwortete nicht.

„Woher bist du gekommen?"

Sie schwieg.

„Warst du mit ihm?"

„Nein," sagte sie; „aber ich such' ihn."

„Was?"

„Ja."

„Bist du seine Geliebte?"

„Nein; aber verlaß dich drauf, heute werd' ich's noch."

August fuhr mit der Hand nach der Signalpfeife für den Kutscher.

Sie zog ihm heftig den Arm herunter.

August schaute durchs Fenster hinaus: sie fuhren über den Ring.

Albertine sah ihn von der Seite an.

„Interessiert's dich, wohin wir fahren?"

August bebte und erwiderte nichts. Sie sprach weiter; grausam und mit Behagen.

„Ich habe nach dem Theater auf ihn gewartet; aber er war schon fort ... dann bin ich in seine Wohnung, aber er war nicht zu Haus. Dann bin ich in das Wirtshaus, wo er manchmal hinzugehen pflegt; — da war er auch nicht. Und weißt du, warum ich jetzt bei mir zu Haus war? Weil ich überall, bei ihm und auch im Wirtshaus den Auftrag gegeben habe, man soll ihn sofort zu mir schicken. Und jetzt fahren wir wieder ins Theater, weil ich keine Ruh' hab', bevor ich ihn find', — verstehst du?"

August sprach kein Wort; aber er hätte sie gern erwürgt.

Der Wagen rollte über die Donaubrücke, noch ein paar Minuten und er hielt in einer schmalen Gasse, an der kleinen Hintertür des Theatergebäudes, die zur Bühne führt. Die Blandini sprang aus dem Wagen; August ihr nach. Die Tür war längst geschlossen. Ein Gewölbewächter, der eben vorbeiging, sah neugierig die junge Dame an, die um Mitternacht hier an der Glocke zog. Nach ein paar Sekunden wurde die kleine Tür geöffnet, und der Portier erschien mit einer Laterne in der Hand ... „Jessas, Fräulein Blandini, was ist denn? Was ist denn gescheh'n? Haben S' was da vergessen?"

„Leuchten Sie mir nur."

August stand hinter ihr.

„Der Herr hat nichts da zu tun," sagte die Blandini;
„sperren Sie zu."

Sie stieß August zurück, schloß selbst die Tür, und
der Portier versperrte sie. Während sie mit dem Portier
durch den schmalen, niederen Gang eilte, der zur
Bühne führte, fragte sie ihn: „Haben Sie den Roland
weggehen sehen?"

Der Portier dachte nach. „Ja, Fräulein, jetzt ist
sicher niemand mehr in der Garderobe. Vor zwei
Stunden hab' ich schon zugesperrt."

„Haben Sie ihn weggehen gesehen?" wiederholte
sie beinahe flehend.

Sie standen nun auf der großen, dunklen Bühne.
Von der Laterne, die der Portier in der Hand hielt,
fiel ein Lichtkegel auf den weißen Souffleurkasten.
Die Kulissen, zu beiden Seiten im Dunkel, schienen
ins Unermeßliche hinaufzuwachsen. Der eiserne Vorhang stand da wie eine Riesenwand.

„Ja.... gesehen....." sagte der Portier. „... ich
weiß mich wirklich nicht zu erinnern, ich bitt' schön,
Fräulein, es gehen da so viel Leut' an einem vorbei,
man schaut doch nicht einen jeden an; nicht wahr?"

Die Blandini blieb noch einen Moment nachsinnend
stehen, dann eilte sie rasch über die Bühne bis hinter
die Kulissen, zu der kleinen Stiege. Sie setzte den
Fuß auf die ersten Stufen.

„Aber Fräulein," rief der Portier, der ihr mit der
Laterne nacheilte, „da ist ja die Herrengarderobe."

Sie antwortete nicht; sie eilte so rasch hinauf, daß
sie oben plötzlich im Dunkel stand und auf den nach-
stolpernden Mann mit der Laterne warten mußte.
Sie holte tief Atem. Als der Portier wieder bei ihr
war, und ein schwacher Lichtschimmer den Gang er-
hellte, fragte sie: „Wo ist die Garderob' vom Roland?"

„Ja Fräulein, das weiß ich selber nicht, ich komme

ja nie da herauf. Aber da oben sind die Namen ange-
schrieben."

Sie nahm ihm die Laterne aus der Hand und versuchte aufs Geratewohl, die erste Tür zu öffnen.

„Fräulein, das geht nicht, s' ist ja zugesperrt. Die
Herren sperren meistens zu beim Fortgehen. Und
das ist ja gar nicht die von Herrn Roland."

Fräulein Blandini eilte weiter; bei einer Tür nach
der andern hob sie die Laterne höher, um die Namen
zu lesen. Endlich war sie bei der rechten. Ein weißer
Bogen klebte dort; drei Namen standen darauf:
Engelbert Brunn, Oswald Friedemann, Friedrich
Roland. Sie griff nach der Türschnalle, aber auch
diese Tür war verschlossen.

Der Portier schüttelte den Kopf. „Schau'n S',
Fräulein, wenn Sie da drin was vergessen haben, da
kommt ja nichts weg, morgen ist's auch noch da."

„Sie . . . Sie . . ." wandte sich die Blandini an ihn,
„der Roland ist ja nach dem zweiten Akte fertig, er
muß doch früher fortgegangen sein als die anderen,
da hätten Sie ihn doch sehen müssen?"

„Ja, Fräulein, es ist möglich, daß ich ihn geseh'n
hab', wie man halt einen sieht, aber ich weiß mich
nicht zu erinnern."

Die Blandini blieb ein paar Augenblicke ratlos stehen.
Plötzlich fiel ihr etwas ein. Sie suchte in ihrer Tasche
und atmete erleichtert auf. Vielleicht paßt er, flüsterte
sie und hielt ihren eigenen Garderobeschlüssel in der
Hand. Sie gab dem Portier die Laterne wieder zu
halten, und hastig versuchte sie den Schlüssel. Er
paßte. Sie drehte ihn ein-, zweimal im Schlosse um;
sie drückte auf die Schnalle, die Tür ging auf. — Ihr
gegenüber gerade am Fenster schien eine ungeheuer
lange Gestalt zu lehnen. Es ist ein Kostüm, dachte
sie im ersten Augenblick. Sie riß dem Portier die

Laterne aus der Hand, hielt sie hoch, — schrie auf. „Um Gotteswillen," rief der Portier und stürzte zum Fenster hin. Es war, als stände Herr Friedrich Roland lebendig dort, seine Arme hingen schlaff herab, der Kopf fiel tief auf die Brust herab. Er war im Kostüme, das er abends getragen; sogar den falschen Schnurrbart hatte er noch; nur die Perücke war fort, und seine dünnen, straffen, grauen Haare starrten zerzaust.

„Aufgehängt hat er sich," stieß der Portier hervor ... „aufgehängt." Er stellte die Laterne auf das Tischchen zu den Schminktöpfen und der Perücke. Dann griff er nach den Händen des Toten und fuhr längs der Arme bis zum Hals hinauf ... „Mit dem Schnupftüchel," sagte er. „Ja, was sollen wir denn tun, Fräulein?"

Die Blandini stand regungslos und starrte den Leichnam an.

„Wissen Sie, Fräulein," sagte der Mann, „ich werd' vielleicht den Herrn von unten heraufholen, und ich geh' unterdessen zur Polizei, die Anzeige machen."

Jetzt zuckte die Blandini leicht zusammen, dann antwortete sie leise: „Ja, geh'n Sie zur Polizei, ich bleib' da ... aber dem Herrn unten sagen Sie, er soll fortgehen, schnell fortgehen soll er, daß ich ihn nimmer seh', sagen Sie ihm das, und wenn ich ihn noch unten treff', sagen S' ihm, spuck' ich ihm ins Gesicht."

Die letzten Worte schrie sie so laut, daß der Portier zusammenfuhr und daß sie ihm noch in den Ohren gellten, als er im Dunkel über die leere Bühne lief.

————

196

DIE TOTEN SCHWEIGEN

Er ertrug es nicht länger, ruhig im Wagen zu sitzen; er stieg aus und ging auf und ab. Es war schon dunkel; die wenigen Laternenlichter in dieser stillen, abseits liegenden Straße flackerten, vom Winde bewegt, hin und her. Es hatte aufgehört zu regnen; die Trottoirs waren beinahe trocken; aber die ungepflasterten Fahrstraßen waren noch feucht, und an einzelnen Stellen hatten sich kleine Tümpel gebildet.

Es ist sonderbar, dachte Franz, wie man sich hier, hundert Schritt von der Praterstraße, in irgend eine ungarische Kleinstadt versetzt glauben kann. Immerhin — sicher dürfte man hier wenigstens sein; hier wird sie keinen ihrer gefürchteten Bekannten treffen.

Er sah auf die Uhr ... Sieben — und schon völlige Nacht. Der Herbst ist diesmal früh da. Und der verdammte Sturm.

Er stellte den Kragen in die Höhe und ging rascher auf und ab. Die Laternenfenster klirrten. „Noch eine halbe Stunde,“ sagte er zu sich, „dann kann ich gehen. Ah — ich wollte beinahe, es wäre so weit.“ Er blieb an der Ecke stehen; hier hatte er einen Ausblick auf beide Straßen, von denen aus sie kommen könnte.

Ja, heute wird sie kommen, dachte er, während er seinen Hut festhielt, der wegzufliegen drohte. — Freitag — Sitzung des Professorenkollegiums — da wagt sie sich fort und kann sogar länger ausbleiben ... Er hörte das Geklingel der Pferdebahn; jetzt begann auch die Glocke von der nahen Nepomukkirche zu läuten. Die Straße wurde belebter. Es kamen mehr Menschen an ihm vorüber: meist, wie ihm schien, Bedienstete aus den Geschäften, die um sieben geschlossen wurden. Alle gingen rasch und waren mit dem Sturm, der das Gehen erschwerte, in einer Art von Kampf begriffen. Niemand beachtete ihn; nur ein paar Lademädel blickten mit leichter Neugier zu ihm auf. — Plötzlich sah er eine bekannte Gestalt rasch herankommen. Er eilte ihr entgegen. Ohne Wagen? dachte er. Ist sie's?

Sie war es; als sie seiner gewahr wurde, beschleunigte sie ihre Schritte.

„Du kommst zu Fuß?" sagte er.

„Ich hab' den Wagen schon beim Karltheater fortgeschickt. Ich glaube, ich bin schon einmal mit demselben Kutscher gefahren."

Ein Herr ging an ihnen vorüber und betrachtete die Dame flüchtig. Der junge Mann fixierte ihn scharf, beinahe drohend; der Herr ging rasch weiter. Die Dame sah ihm nach. „Wer war's?" fragte sie ängstlich.

„Ich kenne ihn nicht. Hier gibt es keine Bekannten, sei ganz ruhig. — Aber jetzt komm rasch; wir wollen einsteigen."

„Ist das dein Wagen?"

„Ja."

„Ein offener?"

„Vor einer Stunde war es noch so schön."

Sie eilten hin; die junge Frau stieg ein.

„Kutscher," rief der junge Mann.

„Wo ist er denn?" fragte die junge Frau.

Franz schaute rings umher. „Das ist unglaublich," rief er, „der Kerl ist nicht zu sehen."

„Um Gotteswillen!" rief sie leise.

„Wart' einen Augenblick, Kind; er ist sicher da."

Der junge Mann öffnete die Tür zu dem kleinen Wirtshause; an einem Tisch mit ein paar anderen Leuten saß der Kutscher; jetzt stand er rasch auf.

„Gleich, gnä' Herr," sagte er und trank stehend sein Glas Wein aus.

„Was fällt Ihnen denn ein?"

„Bitt schön, Euer Gnaden; i bin schon wieder da."

Er eilte ein wenig schwankend zu den Pferden. „Wohin fahr'n mer denn, Euer Gnaden?"

„Prater — Lusthaus."

Der junge Mann stieg ein. Die junge Frau lehnte ganz versteckt, beinahe zusammengekauert, in der Ecke unter dem aufgestellten Dach.

Franz faßte ihre beiden Hände. Sie blieb regungslos. — „Willst du mir nicht wenigstens guten Abend sagen?"

„Ich bitt dich; laß mich nur einen Moment, ich bin noch ganz atemlos."

Der junge Mann lehnte sich in seine Ecke. Beide schwiegen eine Weile. Der Wagen war in die Praterstraße eingebogen, fuhr an dem Tegethoff-Monument vorüber, und nach wenigen Sekunden flog er die breite, dunkle Praterallee hin. Jetzt umschlang Emma plötzlich mit beiden Armen den Geliebten. Er schob leise den Schleier zurück, der ihn noch von ihren Lippen trennte, und küßte sie.

„Bin ich endlich bei dir!" sagte sie.

„Weißt du denn, wie lang wir uns nicht gesehen haben?" rief er aus.

„Seit Sonntag."

„Ja, und da auch nur von weitem."

„Wieso? Du warst ja bei uns."

„Nun ja ... bei euch. Ah, das geht so nicht fort. Zu euch komm' ich überhaupt nie wieder. Aber was hast du denn?"

„Es ist ein Wagen an uns vorbeigefahren."

„Liebes Kind, die Leute, die heute im Prater spazieren fahren, kümmern sich wahrhaftig nicht um uns."

„Das glaub' ich schon. Aber zufällig kann einer hereinschaun."

„Es ist unmöglich, jemanden zu erkennen."

„Ich bitt dich, fahren wir wo anders hin."

„Wie du willst."

Er rief dem Kutscher, der aber nicht zu hören schien. Da beugte er sich vor und berührte ihn mit der Hand. Der Kutscher wandte sich um.

„Sie sollen umkehren. Und warum hauen Sie denn so auf die Pferde ein? Wir haben ja gar keine Eile, hören Sie! Wir fahren in die ... wissen Sie, die Allee, die zur Reichsbrücke führt."

„Auf die Reichsstraßen?"

„Ja, aber rasen Sie nicht so, das hat ja gar keinen Sinn."

„Bitt schön, gnä' Herr, der Sturm, der macht die Rösser so wild."

„Ah freilich, der Sturm." Franz setzte sich wieder. Der Kutscher wandte die Pferde. Sie fuhren zurück.

„Warum habe ich dich gestern nicht gesehen?" fragte sie.

„Wie hätt' ich denn können?"

„Ich dachte, du warst auch bei meiner Schwester geladen."

„Ach so."

„Warum warst du nicht dort?"

„Weil ich es nicht vertragen kann, mit dir unter anderen Leuten zusammen zu sein. Nein, nie wieder."

Sie zuckte die Achseln.

„Wo sind wir denn?" fragte sie dann.

Sie fuhren unter der Eisenbahnbrücke in die Reichsstraße ein.

„Da geht's zur großen Donau," sagte Franz, „wir sind auf dem Weg zur Reichsbrücke. Hier gibt es keine Bekannten!" setzte er spöttisch hinzu.

„Der Wagen schüttelt entsetzlich."

„Ja, jetzt sind wir wieder auf Pflaster."

„Warum fährt er so im Zickzack?"

„Es scheint dir so."

Aber er fand selbst, daß der Wagen sie heftiger als nötig hin und her warf. Er wollte nichts davon sagen, um sie nicht noch ängstlicher zu machen.

„Ich habe heute viel und ernst mit dir zu reden, Emma."

„Da mußt du bald anfangen, denn um neun muß ich zu Hause sein."

„In zwei Worten kann alles entschieden sein."

„Gott, was ist denn das?" . . . schrie sie auf. Der Wagen war in ein Pferdebahngeleise geraten und machte jetzt, als der Kutscher herauswenden wollte, eine so scharfe Biegung, daß er fast zu stürzen drohte. Franz packte den Kutscher beim Mantel. „Halten Sie," rief er ihm zu. „Sie sind ja betrunken."

Der Kutscher brachte die Pferde mühsam zum Stehen. „Aber gnä' Herr . . ."

„Komm, Emma, steigen wir hier aus."

„Wo sind wir?"

„Schon an der Brücke. Es ist auch jetzt nicht mehr gar so stürmisch. Gehen wir ein Stückchen. Man kann während des Fahrens nicht ordentlich reden."

Emma zog den Schleier herunter und folgte.

„Nicht stürmisch nennst du das?" rief sie aus, als ihr gleich beim Aussteigen ein Windstoß entgegenfuhr.

Er nahm ihren Arm. „Nachfahren", rief er dem Kutscher zu.

Sie spazierten vorwärts. So lang die Brücke allmählich anstieg, sprachen sie nichts; und als sie beide das Wasser unter sich rauschen hörten, blieben sie eine Weile stehen. Tiefes Dunkel war um sie. Der breite Strom dehnte sich grau und in unbestimmten

Grenzen hin, in der Ferne sahen sie rote Lichter, die über dem Wasser zu schweben schienen und sich darin spiegelten. Von dem Ufer her, das die beiden eben verlassen hatten, senkten sich zitternde Lichtstreifen ins Wasser; jenseits war es, als verlöre sich der Strom in die schwarzen Auen. Jetzt schien ein ferneres Donnern zu ertönen, das immer näher kam; unwillkürlich sahen sie beide nach der Stelle, wo die roten Lichter schimmerten; Bahnzüge mit hellen Fenstern rollten zwischen eisernen Bogen hin, die plötzlich aus der Nacht hervorzuwachsen und gleich wieder zu versinken schienen. Der Donner verlor sich allmählich, es wurde still; nur der Wind kam in plötzlichen Stößen.

Nach langem Schweigen sagte Franz: „Wir sollten fort."

„Freilich", erwiderte Emma leise.

„Wir sollten fort," sagte Franz lebhaft, „ganz fort, mein' ich ..."

„Es geht ja nicht."

„Weil wir feig sind, Emma; darum geht es nicht."

„Und mein Kind?"

„Er würde es dir lassen, ich bin fest überzeugt."

„Und wie?" fragte sie leise ... „Davonlaufen bei Nacht und Nebel?"

„Nein, durchaus nicht. Du hast nichts zu tun, als ihm einfach zu sagen, daß du nicht länger bei ihm leben kannst, weil du einem andern gehörst."

„Bist du bei Sinnen, Franz?"

„Wenn du willst, erspar' ich dir auch das, — ich sag' es ihm selber."

„Das wirst du nicht tun, Franz."

Er versuchte, sie anzusehen; aber in der Dunkelheit konnte er nicht mehr bemerken, als daß sie den Kopf erhoben und zu ihm gewandt hatte.

Er schwieg eine Weile. Dann sagte er ruhig: „Hab'
keine Angst, ich werde es nicht tun."

Sie näherten sich dem anderen Ufer.

„Hörst du nichts?" sagte sie. „Was ist das?"

„Es kommt von drüben", sagte er.

Langsam rasselte es aus dem Dunkel hervor; ein
kleines rotes Licht schwebte ihnen entgegen; bald
sahen sie, daß es von einer kleinen Laterne kam, die an
der vorderen Deichsel eines Landwagens befestigt
war; aber sie konnten nicht sehen, ob der Wagen be-
laden war und ob Menschen mitfuhren. Gleich dahinter kamen noch zwei gleiche Wagen. Auf dem
letzten konnten sie einen Mann in Bauerntracht gewahren, der eben seine Pfeife anzündete. Die Wagen
fuhren vorbei. Dann hörten sie wieder nichts als das
dumpfe Geräusch des Fiakers, der zwanzig Schritte
hinter ihnen langsam weiter rollte. Jetzt senkte sich
die Brücke leicht gegen das andere Ufer. Sie sahen,
wie die Straße vor ihnen zwischen Bäumen ins Finstere
weiter lief. Rechts und links von ihnen lagen in der
Tiefe die Auen; sie sahen wie in Abgründe hinein.

Nach langem Schweigen sagte Franz plötzlich: „Also
das letztemal . . ."

„Was?" fragte Emma in besorgtem Ton.

„— Daß wir zusammen sind. Bleib' bei ihm. Ich
sag' dir Adieu."

„Sprichst du im Ernst?"

„Vollkommen."

„Siehst du, daß du es bist, der uns immer die paar
Stunden verdirbt, die wir haben; nicht ich!"

„Ja, ja, du hast Recht", sagte Franz. „Komm,
fahren wir zurück."

Sie nahm seinen Arm fester. „Nein," sagte sie zärtlich, „jetzt will ich nicht. Ich laß' mich nicht so fort-
schicken."

Sie zog ihn zu sich herab und küßte ihn lang. „Wohin kämen wir," fragte sie dann, „wenn wir hier immer weiter führen?"

„Da geht's direkt nach Prag, mein Kind."

„So weit nicht," sagte sie lächelnd, „aber noch ein bißchen weiter da hinaus, wenn du willst." Sie wies ins Dunkle.

„He, Kutscher!" rief Franz. Der hörte nichts.

Franz schrie: „Halten Sie doch!"

Der Wagen fuhr immer weiter. Franz lief ihm nach. Jetzt sah er, daß der Kutscher schlief. Durch heftiges Anschreien weckte ihn Franz auf. „Wir fahren noch ein kleines Stück weiter — die gerade Straße — verstehen Sie mich?"

„Is' schon gut, gnä' Herr..."

Emma stieg ein; nach ihr Franz. Der Kutscher hieb mit der Peitsche drein; wie rasend flogen die Pferde über die aufgeweichte Straße hin. Aber die beiden im Wagen hielten einander fest umarmt, während der Wagen sie hin- und herwarf.

„Ist das nicht auch ganz schön", flüsterte Emma ganz nahe an seinem Munde.

In diesem Augenblick war ihr, als flöge der Wagen plötzlich in die Höhe — sie fühlte sich fortgeschleudert, wollte sich an etwas klammern, griff ins Leere; es schien ihr, als drehe sie sich mit rasender Geschwindigkeit im Kreise herum, so daß sie die Augen schließen mußte — und plötzlich fühlte sie sich auf dem Boden liegen, und eine ungeheure schwere Stille brach herein, als wenn sie fern von aller Welt und völlig einsam wäre. Dann hörte sie verschiedenes durcheinander: Geräusch von Pferdehufen, die ganz in ihrer Nähe auf den Boden schlugen, ein leises Wimmern; aber sehen konnte sie nichts. Jetzt faßte sie eine tolle Angst; sie schrie; ihre Angst ward noch größer, denn sie hörte ihr Schreien nicht. Sie wußte plötzlich ganz genau, was geschehen war: der Wagen war an irgend etwas gestoßen, wohl an einen der Meilensteine, hatte umgeworfen, und sie waren herausgestürzt. Wo ist er? war ihr nächster Gedanke. Sie rief seinen Namen. Und sie hörte sich rufen, ganz leise zwar, aber sie hörte sich. Es kam keine Antwort. Sie versuchte, sich zu erheben. Es gelang ihr soweit, daß sie auf den Boden zu sitzen kam, und als sie mit den Händen ausgriff, fühlte sie einen menschlichen Körper neben sich. Und nun konnte sie auch die Dunkelheit mit ihrem Auge durchdringen. Franz lag neben ihr, völlig regungslos. Sie berührte mit der ausgestreckten Hand sein Gesicht; sie fühlte etwas Feuchtes und Warmes darüber fließen. Ihr Atem stockte. Blut...? Was war da geschehen? Franz war verwundet und bewußtlos. Und der Kutscher — wo war er denn? Sie rief nach ihm. Keine Antwort. Noch immer saß sie auf dem Boden. Mir ist nichts geschehen, dachte sie, obwohl sie Schmerzen in allen Gliedern fühlte. Was tu' ich nur, was tu' ich nur... es ist doch nicht möglich, daß mir gar nichts geschehen ist. „Franz!" rief sie. Eine Stimme antwortete ganz in der Nähe: „Wo sind S' denn, gnä' Fräul'n, wo ist der gnä' Herr? Es ist doch nix g'schehn? Warten S', Fräulein, — i zünd' nur die Latern' an, daß wir was sehn; i weiß net, was die Krampen heut hab'n. Ich bin net Schuld, meiner Seel'... in ein' Schoderhaufen sein s' hinein, die verflixten Rösser."

Emma hatte sich, trotzdem ihr alle Glieder weh taten, vollkommen aufgerichtet, und daß dem Kutscher nichts geschehen war, machte sie ein wenig ruhiger. Sie hörte, wie der Mann die Laternenklappe öffnete und Streichhölzchen anrieb. Angstvoll wartete sie auf das Licht. Sie wagte es nicht, Franz noch einmal zu berühren, der vor ihr auf dem Boden lag; sie dachte:

wenn man nichts sieht, scheint alles furchtbarer; er hat gewiß die Augen offen . . . . es wird nichts sein.

Ein Lichtschimmer kam von der Seite. Sie sah plötzlich den Wagen, der aber zu ihrer Verwunderung nicht auf dem Boden lag, sondern nur schief gegen den Straßengraben zu gestellt war, als wäre ein Rad gebrochen. Die Pferde standen vollkommen still. Das Licht näherte sich; sie sah den Schein allmählich über einen Meilenstein, über den Schotterhaufen in den Graben gleiten; dann kroch er auf die Füße Franzens, glitt über seinen Körper, beleuchtete sein Gesicht und blieb darauf ruhen. Der Kutscher hatte die Laterne auf den Boden gestellt; gerade neben den Kopf des Liegenden. Emma ließ sich auf die Knie nieder, und es war ihr, als hörte ihr Herz zu schlagen auf, wie sie das Gesicht erblickte. Es war blaß; die Augen halb offen, so daß sie nur das Weiße von ihnen sah. Von der rechten Schläfe rieselte langsam ein Streifen Blut über die Wange und verlor sich unter dem Kragen am Halse. In die Unterlippe waren die Zähne gebissen. „Es ist ja nicht möglich!" sagte Emma vor sich hin.

Auch der Kutscher war niedergekniet und starrte das Gesicht an. Dann packte er mit beiden Händen den Kopf und hob ihn in die Höhe. „Was machen Sie?" schrie Emma mit erstickter Stimme, und erschrak vor diesem Kopf, der sich selbständig aufzurichten schien.

„Gnä' Fräul'n, mir scheint, da ist ein großes Malheur gescheh'n."

„Es ist nicht wahr", sagte Emma. „Es kann nicht sein. Ist denn Ihnen was geschehen? Und mir . . ."

Der Kutscher ließ den Kopf des Regungslosen wieder langsam sinken; — in den Schoß Emmas, die zitterte. „Wenn nur wer käm' . . . wenn nur die Bauersleut' eine Viertelstund' später daher'kommen wären . . ."

„Was sollen wir denn machen?" sagte Emma mit bebenden Lippen.

„Ja, Fräul'n wenn der Wagen net brochen wär' ... aber so, wie er jetzt zug'richt ist ... Wir müssen halt warten, bis wer kommt." Er redete noch weiter, ohne daß Emma seine Worte auffaßte; aber während dem war es ihr, als käme sie zur Besinnung, und sie wußte, was zu tun war.

„Wie weit ist's bis zu den nächsten Häusern?" fragte sie.

„Das ist nimmer weit, Fräul'n, da ist ja gleich das Franz Josefsland ... Wir müßten die Häuser sehen, wenn's licht wär', in fünf Minuten müßte man dort sein."

„Gehen Sie hin. Ich bleibe da, holen Sie Leute."

„Ja, Fräul'n, ich glaub' schier, es ist g'scheiter, ich bleib mit Ihnen da — es kann ja nicht so lang dauern, bis wer kommt, es ist ja schließlich die Reichsstraße, und —"

„Da wird's zu spät, da kann's zu spät werden. Wir brauchen einen Doktor."

Der Kutscher sah auf das Gesicht des Regungslosen, dann schaute er kopfschüttelnd Emma an.

„Das können Sie nicht wissen", — rief Emma, „und ich auch nicht."

„Ja, Fräul'n ... aber wo find' i denn ein' Doktor im Franz Josefsland?"

„So soll von dort jemand in die Stadt und —"

„Fräul'n, wissen's was! I denk mir, die werden dort vielleicht ein Telephon haben. Da könnten wir um die Rettungsgesellschaft telephonieren."

„Ja, das ist das Beste! Gehen Sie nur, laufen Sie, um Himmelswillen! Und Leute bringen Sie mit ... Und ... bitt' Sie, gehen Sie nur, was tun Sie denn noch da?"

Der Kutscher schaute in das blasse Gesicht, das nun auf Emmas Schoß ruhte. „Rettungsgesellschaft, Doktor, wird nimmer viel nützen."

„Gehen Sie! Um Gotteswillen! Gehen Sie!"

„I geh' schon — daß S' nur nicht Angst kriegen, Fräul'n, da in der Finstern." Und er eilte rasch über die Straße fort. „I kann nix dafür, meiner Seel", murmelte er vor sich hin. „Ist auch eine Idee, mitten in der Nacht auf die Reichsstraßen . . ."

Emma war mit dem Regungslosen allein auf der dunklen Straße. „Was jetzt?" dachte sie. Es ist doch nicht möglich . . . das ging ihr immer wieder durch den Kopf . . . es ist ja nicht möglich. — Es war ihr plötzlich, als hörte sie neben sich atmen. Sie beugte sich herab zu den blassen Lippen. Nein, von da kam kein Hauch. Das Blut an Schläfe und Wangen schien getrocknet zu sein. Sie starrte die Augen an; die gebrochenen Augen, und bebte zusammen. Ja warum glaube ich es denn nicht — es ist ja gewiß . . . das ist der Tod! Und es durchschauerte sie. Sie fühlte nur mehr: ein Toter. Ich und ein Toter, der Tote auf meinem Schoß. Und mit zitternden Händen rückte sie den Kopf weg, so daß er wieder auf den Boden zu liegen kam. Und jetzt erst kam ein Gefühl entsetzlicher Verlassenheit über sie. Warum hatte sie den Kutscher weggeschickt? Was für ein Unsinn! Was soll sie denn da auf der Landstraße mit dem toten Manne allein anfangen? Wenn Leute kommen . . . Ja, was soll sie denn tun, wenn Leute kommen? Wie lang wird sie hier warten müssen? Und sie sah wieder den Toten an. Ich bin nicht allein mit ihm, fiel ihr ein. Das Licht ist ja da. Und es kam ihr vor, als wäre dieses Licht etwas Liebes und Freundliches, dem sie danken müßte. Es war mehr Leben in dieser kleinen Flamme, als in der ganzen weiten Nacht um sie; ja, es war ihr fast, als sei ihr dieses Licht ein Schutz gegen den blassen fürchterlichen Mann, der neben ihr auf dem Boden lag ... Und sie sah in das Licht so lang, bis ihr die Augen flimmerten, bis es zu tanzen begann. Und plötzlich hatte sie das Gefühl, als wenn sie erwachte. Sie sprang auf! Das geht ja nicht, das ist ja unmöglich, man darf mich doch nicht hier mit ihm finden ... Es war ihr, als sähe sie sich jetzt selbst auf der Straße stehen, zu ihren Füßen den Toten und das Licht; und sie sah sich, als ragte sie in sonderbarer Größe in die Dunkelheit hinein. Worauf wart' ich, dachte sie, und ihre Gedanken jagten ... Worauf wart' ich? Auf die Leute? — Was brauchen mich denn die? Die Leute werden kommen und fragen ... und ich ... was tu' ich denn hier? Alle werden fragen, wer ich bin. Was soll ich ihnen antworten? Nichts. Kein Wort werd' ich reden, wenn sie kommen, schweigen werd' ich. Kein Wort ... sie können mich ja nicht zwingen.

Stimmen kamen von weitem.

Schon? dachte sie. Sie lauschte angstvoll. Die Stimmen kamen von der Brücke her. Das konnten also nicht die Leute sein, die der Kutscher geholt hatte. Aber wer immer sie waren — jedenfalls werden sie das Licht bemerken — und das durfte nicht sein, dann war sie entdeckt.

Und sie stieß mit dem Fuß die Laterne um. Die verlösche. Nun stand sie in tiefer Finsternis. Nichts sah sie. Auch ihn sah sie nicht mehr. Nur der weiße Schotterhaufen glänzte ein wenig. Die Stimmen kamen näher. Sie begann am ganzen Körper zu zittern. Nur hier nicht entdeckt werden. Um Himmelswillen, das ist ja das einzige Wichtige, nur auf das und auf gar nichts anderes kommt es an — sie ist ja verloren, wenn ein Mensch erfährt, daß sie die Geliebte von ...

Sie faltet die Hände krampfhaft. Sie betet, daß die Leute auf der anderen Seite der Straße vorüber gehen mögen, ohne sie zu bemerken. Sie lauscht. Ja von drüben ... Was reden Sie doch? ... Es sind zwei Frauen oder drei. Sie haben den Wagen bemerkt, denn sie reden etwas davon, sie kann Worte unterscheiden. Ein Wagen ... umgefallen ... was sagen sie sonst? Sie kann es nicht verstehen. Sie gehen weiter ... sie sind vorüber ... Gott sei Dank! Und jetzt, was jetzt? Oh, warum ist sie nicht tot wie er? Er ist zu beneiden, für ihn ist alles vorüber ... für ihn gibt es keine Gefahr mehr und keine Furcht. Sie aber zittert vor vielem. Sie fürchtet, daß man sie hier finden, daß man sie fragen wird: wer sind Sie? ... Daß sie mit auf die Polizei muß, daß alle Menschen es erfahren werden, daß ihr Mann — daß ihr Kind —

Und sie begreift nicht, daß sie so lange schon dagestanden ist wie angewurzelt ... Sie kann ja fort, sie nützt ja keinem hier, und sich selbst bringt sie ins Unglück. Und sie macht einen Schritt ... Vorsichtig ... sie muß durch den Straßengraben ... hinüber ... einen Schritt hinauf — oh, er ist so seicht! — und noch zwei Schritte, bis sie in der Mitte der Straße ist ... und dann steht sie einen Augenblick still, sieht vor sich hin und kann den grauen Weg ins Dunkle hinein verfolgen. Dort — dort ist die Stadt. Sie kann nichts von ihr sehen ... aber die Richtung ist ihr klar. Noch einmal wendet sie sich um. Es ist ja gar nicht so dunkel. Sie kann den Wagen ganz gut sehn; auch die Pferde .. und wenn sie sich sehr anstrengt, merkt sie auch etwas wie die Umrisse eines menschlichen Körpers, der auf dem Boden liegt. Sie reißt die Augen weit auf, es ist ihr, als hielte sie etwas hier zurück ... der Tote ist es, der sie hier behalten will, und es graut sie vor seiner Macht ... Aber gewaltsam macht sie sich frei, und jetzt merkt sie: der Boden ist zu feucht; sie steht auf der glitschigen Straße, und der nasse Staub hat sie nicht fortgelassen. Nun aber geht sie ... geht rascher ... läuft ... und fort von da ... zurück ... in das Licht, in den Lärm, zu den Menschen! Die Straße läuft sie entlang, hält das Kleid hoch, um nicht zu fallen. Der Wind ist ihr im Rücken, es ist, als wenn er sie vorwärts triebe. Sie weiß nicht mehr recht, wovor sie flieht. Es ist ihr, als ob sie vor dem bleichen Manne fliehen müßte, der dort, weit hinter ihr, neben dem Straßengraben liegt ... dann fällt ihr ein, daß sie ja den Lebendigen entkommen will, die gleich dort sein und sie suchen werden. Was werden die denken? Wird man ihr nicht nach? Aber man kann sie nicht mehr einholen, sie ist ja gleich bei der Brücke, sie hat einen großen Vorsprung, und dann ist die Gefahr vorbei. Man kann ja nicht ahnen, wer sie ist, keine Seele kann ahnen, wer die Frau war, die mit jenem Mann über die Reichsstraße gefahren ist. Der Kutscher kennt sie nicht, er wird sie auch nicht erkennen, wenn er sie später einmal sieht. Man wird sich auch nicht darum kümmern, wer sie war. Wen geht es an? — Es ist sehr klug, daß sie nicht dort geblieben ist, es ist auch nicht gemein. Franz selbst hätte ihr recht gegeben. Sie muß ja nach Haus, sie hat ein Kind, sie hat einen Mann, sie wäre ja verloren, wenn man sie dort bei ihrem toten Geliebten gefunden hätte. Da ist die Brücke, die Straße scheint heller ... ja schon hört sie das Wasser rauschen wie früher; sie ist da, wo sie mit ihm Arm in Arm gegangen — wann — wann? Vor wieviel Stunden? Es kann noch nicht lange sein. Nicht lang? Vielleicht doch! Vielleicht war sie lange bewußtlos, vielleicht ist es längst Mitternacht, vielleicht ist der Morgen schon nahe, und sie wird daheim schon vermißt. Nein, nein, das ist ja nicht möglich, sie weiß, daß sie gar nicht bewußtlos war; sie erinnert sich jetzt genauer als im ersten Augenblick, wie sie aus dem Wagen gestürzt und gleich über alles im Klaren gewesen ist. Sie läuft über die Brücke und hört ihre Schritte hallen. Sie sieht nicht nach rechts und links. Jetzt bemerkt sie, wie eine Gestalt ihr entgegenkommt. Sie mäßigt ihre Schritte. Wer kann das sein, der ihr entgegenkommt? Es ist jemand in Uniform. Sie geht ganz langsam. Sie darf nicht auffallen. Sie glaubt zu merken, daß der Mann den Blick fest auf sie gerichtet hält. Wenn er sie fragt? Sie ist neben ihm, erkennt die Uniform; es ist ein Sicherheitswachmann; sie geht an ihm vorüber. Sie hört, daß er hinter ihr stehen geblieben ist. Mit Mühe hält sie sich davon zurück, wieder zu laufen; es wäre verdächtig. Sie geht noch immer so langsam wie früher. Sie hört das Geklingel der Pferdeeisenbahn. Es kann noch lang nicht Mitternacht sein. Jetzt geht sie wieder schneller; sie eilt der Stadt entgegen, deren Lichter sie schon unter dem Eisenbahnviadukt am Ausgang der Straße entgegenschimmern sieht, deren gedämpften Lärm sie schon zu vernehmen glaubt. Noch diese einsame Straße, und dann ist die Erlösung da. Jetzt hört sie von weitem schrille Pfiffe, immer schriller, immer näher; ein Wagen saust an ihr vorüber. Unwillkürlich bleibt sie stehen und sieht ihm nach. Es ist der Wagen der Rettungsgesellschaft. Sie weiß, wohin er fährt. Wie schnell! denkt sie ... Es ist wie Zauberei. Einen Moment lang ist ihr, als müßte sie den Leuten nachrufen, als müßte sie mit, als müßte sie wieder dahin zurück, woher sie gekommen — einen Moment lang packt sie eine ungeheure Scham, wie sie sie nie empfunden; und sie weiß, daß sie feig und schlecht gewesen ist. Aber wie sie das Rollen und Pfeifen immer ferner verklingen hört, kommt eine wilde Freude über sie, und wie eine Gerettete eilt sie vorwärts. Leute kommen ihr entgegen; sie hat keine Angst mehr vor ihnen — das Schwerste ist überstanden. Der Lärm der Stadt wird deutlich, immer lichter wird es vor ihr; schon sieht sie die Häuserzeile der Praterstraße, und es ist ihr, als werde sie dort von einer Flut von Menschen erwartet, in der sie spurlos verschwinden darf. Wie sie jetzt zu einer Straßenlaterne kommt, hat sie schon die Ruhe, auf ihre Uhr zu sehen. Es ist zehn Minuten vor Neun. Sie hält die Uhr ans Ohr — sie ist nicht stehen geblieben. Und sie denkt: ich bin lebendig, gesund ... sogar meine Uhr geht ... und er ... er ... tot ... Schicksal ... Es ist ihr, als wäre ihr alles verziehen ... als wäre nie irgend eine Schuld auf ihrer Seite gewesen. Es hat sich erwiesen, ja es hat sich erwiesen. Sie hört, wie sie diese Worte laut spricht. Und wenn es das Schicksal anders bestimmt hätte? — Und wenn sie jetzt dort im Graben läge und er am Leben geblieben wäre? Er wäre nicht geflohen, nein ... er nicht. Nun ja, er ist ein Mann. Sie ist ein Weib — und sie hat ein Kind und einen Gatten. — Sie hat Recht gehabt, — es ist ihre Pflicht — ja ihre Pflicht. Sie weiß ganz gut, daß sie nicht aus Pflichtgefühl so gehandelt ... Aber sie hat doch das Rechte getan. Unwillkürlich ... wie ... gute Menschen immer. Jetzt wäre sie schon entdeckt. Jetzt würden die Ärzte sie fragen. Und Ihr Mann, gnädige Frau? O Gott! ... Und die Zeitungen morgen — und die Familie — sie wäre für alle Zeit vernichtet gewesen und hätte ihn doch nicht zum Leben erwecken können. Ja, das war die Hauptsache; für nichts hätte sie sich zu Grunde gerichtet. — Sie ist unter der Eisenbahnbrücke. — Weiter ... weiter .. Hier ist die Tegethoffsäule, wo die vielen Straßen ineinander laufen. Es sind heute, an dem regnerischen, windigen Herbstabend wenig Leute mehr im Freien, aber ihr ist es, als brause das Leben der Stadt mächtig um sie; denn woher sie kommt, dort war die fürchterlichste Stille. Sie hat Zeit. Sie weiß, daß ihr Mann heute erst gegen zehn nach Hause kommen wird — sie kann sich sogar noch umkleiden. Jetzt fällt es ihr ein, ihr Kleid zu betrachten. Mit Schrecken merkt sie, daß es über und über beschmutzt ist. Was wird sie dem Stubenmädchen sagen? Es fährt ihr durch den Kopf, daß morgen die Geschichte von dem Unglücksfall in allen Zeitungen zu lesen sein wird. Auch von einer Frau, die mit im Wagen war, und die dann nicht mehr zu finden war, wird überall zu lesen stehen, und bei diesem Gedanken bebt sie von neuem — eine Unvorsichtigkeit, und all ihre Feigheit war umsonst. Aber sie hat den Wohnungsschlüssel bei sich; sie kann ja selbst aufsperren; — sie wird sich nicht hören lassen. Sie steigt rasch in einen Fiaker. Schon will sie ihm ihre Adresse angeben, da fällt ihr ein, daß das vielleicht unklug wäre, und sie ruft ihm irgend einen Straßennamen zu, der ihr eben einfällt. Wie sie durch die Praterstraße fährt, möchte sie gern irgend etwas empfinden, aber sie kann es nicht; sie fühlt, daß sie nur einen Wunsch hat: zu Hause, in Sicherheit sein. Alles andere ist ihr gleichgültig. Im Augenblick, da sie sich entschlossen hat, den Toten allein auf der Straße liegen zu lassen, hat alles in ihr verstummen müssen, was um ihn klagen und jammern wollte. Sie kann jetzt nichts mehr empfinden als Sorge um sich. Sie ist ja nicht herzlos... o nein!... sie weiß ganz gewiß, es werden Tage kommen, wo sie verzweifeln wird; vielleicht wird sie daran zu Grunde gehen; aber jetzt ist nichts in ihr, als die Sehnsucht, mit trockenen Augen und ruhig zu Hause am selben Tisch mit ihrem Gatten und ihrem Kinde zu sitzen. Sie sieht durchs Fenster hinaus. Der Wagen fährt durch die innere Stadt; hier ist es hell erleuchtet, und ziemlich viele Menschen eilen vorbei. Da ist ihr plötzlich, als könne alles, was sie in den letzten Stunden durchlebt, gar nicht wahr sein. Wie ein böser Traum erscheint es ihr ... unfaßbar als Wirkliches, Unabänderliches. In einer Seitengasse nach dem Ring läßt sie den Wagen halten, steigt aus, biegt rasch um die Ecke und nimmt dort einen andern Wagen, dem sie ihre richtige Adresse angibt. Es kommt ihr vor, als wäre sie jetzt überhaupt nicht mehr fähig, einen Gedanken zu fassen. Wo ist er jetzt, fährt es ihr durch den Sinn. Sie schließt die Augen, und sie sieht ihn vor sich auf einer Bahre liegen, im Krankenwagen — und plötzlich ist ihr, als sitze sie neben ihm und fahre mit ihm. Und der Wagen beginnt zu schwanken, und sie hat Angst, daß sie herausgeschleudert werde, wie damals — und sie schreit auf. Da hält der Wagen. Sie fährt zusammen; sie ist vor ihrem Haustor. — Rasch steigt sie aus, eilt durch den Flur, mit leisen Schritten, so daß der Portier hinter seinem Fenster gar nicht aufschaut, die Treppen hinauf, sperrt leise die Tür auf, um nicht gehört zu werden ... durchs Vorzimmer in ihr Zimmer — es ist gelungen! Sie macht Licht, wirft eilig ihre Kleider ab und verbirgt sie wohl im Schrank. Über Nacht sollen sie trocknen — morgen will sie sie selber bürsten und reinigen. Dann wäscht sie sich Gesicht und Hände und nimmt einen Schlafrock um.

Jetzt klingelt es draußen. Sie hört das Stubenmädchen an die Wohnungstür kommen und öffnen. Sie hört die Stimme ihres Mannes; sie hört, wie er den Stock hinstellt. Sie fühlt, daß sie jetzt stark sein müsse, sonst kann noch immer alles vergeblich gewesen sein. Sie eilt ins Speisezimmer, so daß sie im selben Augenblick eintritt wie ihr Gatte.

„Ah, du bist schon zu Haus?" sagte er.

„Gewiß," antwortet sie, „schon lang."

„Man hat dich offenbar nicht kommen gesehn." Sie lächelt, ohne sich dazu zwingen zu müssen. Es macht sie nur sehr müde, daß sie auch lächeln muß. Er küßt sie auf die Stirn.

Der Kleine sitzt schon bei Tisch; er hat lang warten müssen, ist eingeschlafen. Auf dem Teller hat er sein Buch liegen, auf dem offenen Buch ruht sein Gesicht. Sie setzt sich neben ihn, der Gatte ihr gegenüber, nimmt eine Zeitung und wirft einen flüchtigen Blick hinein. Dann legt er sie weg und sagt: „Die anderen sitzen noch zusammen und beraten weiter."

„Worüber?" fragt sie.

Und er beginnt zu erzählen, von der heutigen Sitzung, sehr lang, sehr viel. Emma tut, als höre sie zu, nickt zuweilen.

Aber sie hört nichts, sie weiß nicht, was er spricht, es ist ihr zu Mute, wie einem, der furchtbaren Gefahren auf wunderbare Weise entronnen ... sie fühlt nichts als: Ich bin gerettet, ich bin daheim. Und während ihr Mann immer weiter erzählt, rückt sie ihren Sessel näher zu ihrem Jungen, nimmt seinen Kopf und drückt ihn an ihre Brust. Eine unsägliche Müdigkeit überkommt sie — sie kann sich nicht beherrschen, sie fühlt, daß der Schlummer über sie kommt; sie schließt die Augen.

Plötzlich fährt ihr eine Möglichkeit durch den Sinn, an die sie seit dem Augenblick, da sie sich aus dem Graben erhoben hat, nicht mehr gedacht. Wenn er nicht tot wäre! Wenn er ... Ach nein, es war kein Zweifel möglich ... Diese Augen ... dieser Mund — und dann ... kein Hauch von seinen Lippen. — Aber es gibt ja den Scheintod. Es gibt Fälle, wo sich geübte Blicke irren. Und sie hat gewiß keinen geübten Blick.

Wenn er lebt, wenn er schon wieder zu Bewußtsein gekommen ist, wenn er sich plötzlich mitten in der Nacht auf der Landstraße allein gefunden ... wenn er nach ihr ruft ... ihren Namen ... wenn er am Ende fürchtet, sie sei verletzt ... wenn er den Ärzten sagt, hier war eine Frau, sie muß weiter weggeschleudert worden sein. Und ... und ... ja, was dann? Man wird sie suchen. Der Kutscher wird zurückkommen vom Franz Josefsland mit Leuten ... er wird erzählen ... die Frau war ja da, wie ich fortgegangen bin — und Franz wird ahnen. Franz wird wissen ... er kennt sie ja so gut ... er wird wissen, daß sie davongelaufen ist, und ein gräßlicher Zorn wird ihn erfassen, und er wird ihren Namen nennen, um sich zu rächen. Denn er ist ja verloren ... und es wird ihn so tief erschüttern, daß sie ihn in seiner letzten Stunde allein gelassen, daß er rücksichtslos sagen wird: Es war Frau Emma, meine Geliebte ... feig und dumm zugleich, denn nicht wahr, meine Herren Ärzte, Sie hätten sie gewiß nicht um ihren Namen gefragt, wenn man Sie um Diskretion ersucht hätte. Sie hätten sie ruhig gehen lassen, und ich auch, o ja — nur hätte sie dableiben müssen, bis Sie gekommen sind. Aber da sie so schlecht gewesen ist, sag' ich Ihnen, wer sie ist ... es ist ... Ah!

„Was hast du?" sagt der Professor sehr ernst, indem er aufsteht.

„Was ... wie? ... Was ist?"

„Ja, was ist dir denn?"

„Nichts." Sie drückte den Jungen fester an sich.

Der Professor sieht sie lang an. „Weißt du, daß du begonnen hast, einzuschlummern und —"

„Und?"

„Dann hast du plötzlich aufgeschrien."

„.... So?"

„Wie man im Traum schreit, wenn man Albdrücken hat. Hast du geträumt?"

„Ich weiß nicht. Ich weiß gar nichts."

Und sich selbst gegenüber im Wandspiegel sieht sie ein Gesicht, das lächelt, grausam, und mit verzerrten Zügen. Sie weiß, daß es ihr eigenes ist, und doch schaudert ihr davor... Und sie merkt, daß es starr wird, sie kann den Mund nicht bewegen, sie weiß es: dieses Lächeln wird, so lange sie lebt, um ihre Lippen spielen. Und sie versucht zu schreien. Da fühlt sie, wie sich zwei Hände auf ihre Schultern legen, und sie sieht, wie sich zwischen ihr eigenes Gesicht und das im Spiegel das Antlitz ihres Gatten drängt; seine Augen, fragend und drohend, senken sich in die ihren. Sie weiß: übersteht sie diese letzte Prüfung nicht, so ist alles verloren. Und sie fühlt, wie sie wieder stark wird, sie hat ihre Züge, ihre Glieder in der Gewalt; sie kann in diesem Augenblick mit ihnen anfangen, was sie will; aber sie muß ihn benützen, sonst ist es vorbei, und sie greift mit ihren beiden Händen nach denen ihres Gatten, die noch auf ihren Schultern liegen, zieht ihn zu sich; sieht ihn heiter und zärtlich an.

Und während sie die Lippen ihres Mannes auf ihrer Stirn fühlt, denkt sie: freilich... ein böser Traum. Er wird es niemandem sagen, wird sich nie rächen, nie... er ist tot... er ist ganz gewiß tot... und die Toten schweigen.

„Warum sagst du das?" hörte sie plötzlich die Stimme ihres Mannes. Sie erschrickt tief. „Was hab' ich denn gesagt?" Und es ist ihr, als habe sie plötzlich alles ganz laut erzählt... als habe sie die ganze Geschichte dieses Abends hier bei Tisch mitgeteilt... und noch einmal fragt sie, während sie vor seinem entsetzten Blick zusammenbricht: „Was hab' ich denn gesagt?"

„Die Toten schweigen", wiederholt ihr Mann sehr langsam.

„Ja . . ." sagt sie, „ja . . ."

Und in seinen Augen liest sie, daß sie ihm nichts mehr verbergen kann, und lange seh'n die beiden einander an. „Bring' den Buben zu Bett," sagte er dann zu ihr; „ich glaube, du hast mir noch etwas zu erzählen . . ."

„Ja", sagte sie.

Und sie weiß, daß sie diesem Manne, den sie durch Jahre betrogen hat, im nächsten Augenblick die ganze Wahrheit sagen wird.

Und während sie mit ihrem Jungen langsam durch die Tür schreitet, immer die Augen ihres Gatten auf sich gerichtet fühlend, kommt eine große Ruhe über sie, als würde vieles wieder gut. . . . .

———————

ANDREAS THAMEYERS LETZTER BRIEF

Keineswegs kann ich weiterleben. Denn solange ich lebe, würden die Leute höhnen, und niemand sähe die Wahrheit ein. Die Wahrheit aber ist, daß mir meine Frau treu war — ich schwöre es bei allem, was mir heilig ist, und ich besiegle es durch meinen Tod. Auch habe ich in vielen Büchern nachgelesen, die diese schwierige und rätselhafte Materie behandeln, und wenn es auch Leute gibt, welche die Tatsache an sich bezweifeln, so sind doch anderseits Gelehrte von Bedeutung aufgestanden, die völlig überzeugt sind, und ich gedenke hierselbst Beispiele anzuführen, die jedem Unparteiischen als unwidersprechlich erscheinen müssen. So erzählt Malebranche, daß eine Frau anläßlich der Kanonisationsfeier des heiligen Pius dessen Bildnis so scharf betrachtete, daß der Knabe, den sie bald darauf zur Welt brachte, diesem Heiligen vollkommen glich; — ja sein Antlitz zeigte die müden Züge des Alters, seine Arme waren über die Brust gekreuzt, seine Augen gen Himmel gerichtet, und zum Überfluß zeigte sich noch auf einer Schulter in Gestalt eines Muttermales die herabhängende Mütze. Wem aber diese Erzählung trotz der Autorität des Zeugen, der ein Nachfolger des berühmten Philosophen Cartesius war, nicht genügend beglaubigt erscheint, dem wird vielleicht Martin Luther als Gewährsmann genügen. Luther nämlich — so ist in seinen Tischreden nachzulesen — hat in Wittenberg einen Bürger mit einem Totenkopf gekannt, und es war erwiesen, daß die Mutter dieses bedauernswerten Mannes während ihrer Schwangerschaft durch den Anblick eines Leichnams aufs heftigste erschreckt worden war. Die Geschichte aber, die mir am wichtigsten erscheint und an der zu zweifeln kein vernünftiger Anlaß vorliegt, wird von

Heliodor in den „*Libri aethiopicorum*" berichtet. Diesem geschätzten Autor nach hat die Königin Persina nach zehnjähriger kinderloser Ehe ihrem Gatten, dem Äthioperkönig Hydaspes, eine weiße Tochter geboren, die sie aus Angst vor dem voraussichtlichen Zorn ihres Gemahls gleich nach der Geburt aussetzen ließ. Doch gab sie ihr einen Gürtel mit, auf dem der wahre Grund des verhängnisvollen Zufalls angegeben war: im Garten des königlichen Palastes, wo die Königin die Umarmungen ihres schwarzen Ehegemahls empfing, waren herrliche Marmorstatuen griechischer Götter und Göttinnen aufgestellt gewesen, auf die Persina ihre entzückten Blicke gerichtet hatte. Aber noch weiter geht die Macht des Geistes, und nicht nur Abergläubische oder Ungebildete huldigen dieser Anschauung, wie die folgende Geschichte beweist, die sich im Jahre 1637 in Frankreich zutrug. Dortselbst gebar ein Weib nach vierjähriger Abwesenheit ihres Gatten einen Knaben und schwor, daß sie in der entsprechenden Zeit vorher mit der vollkommensten Lebhaftigkeit von der inbrünstigen Umarmung ihres Gatten geträumt hatte. Die Ärzte und Wehefrauen von Montpellier erklärten eidlich die Tatsache für möglich, und der Gerichtshof von Havre sprach dem Kinde alle Rechte der legitimen Geburt zu. Des ferneren finde ich in Hambergs „Rätselhaften Vorgängen der Natur", Seite 74, die Geschichte von einer Frau, die ein Kind mit einem Löwenkopf zur Welt brachte, nachdem sie im siebenten Monate ihrer Schwangerschaft mit ihrem Gatten und ihrer Mutter der Produktion eines Löwenbändigers beigewohnt hatte. Ich habe ferner eine Geschichte gelesen — sie ist zu finden in Limböcks „Über das Versehen der Frauen", Basel 1846, Seite 19 — daß ein Kind mit einem großen Brandmal auf der Wange geboren wurde, weil die Mutter einige Wochen vor der Geburt das Haus gegenüber in Flammen hatte aufgehen sehen. In diesem Buch stehen noch andere, höchst verwunderliche Dinge. Während ich dieses schreibe, liegt es vor mir auf dem Tisch, eben habe ich wieder darin geblättert, und es sind beglaubigte, wissenschaftlich feststehende Tatsachen, die darin erzählt werden, und ebenso beglaubigt ist die Tatsache, die ich selbst erlebt habe, oder vielmehr mein gutes Weib, das mir treu gewesen ist, so wahr ich in diesem Augenblick noch lebe! Wirst du mir verzeihen, liebe Gattin, daß ich nun sterben gehe? Siehe, du mußt es tun. Es ist ja nur aus Liebe zu dir, daß ich sterbe, denn ich kann es nicht ertragen, daß die Leute höhnen, daß sie dich verlachen und und mich! Nun werden sie wohl aufhören zu lachen, nun werden sie es verstehen, wie ich es verstehe. Ihr, die ihr mich, die ihr diesen Brief finden werdet, wisset, daß sie, während ich dieses schreibe, in dem Zimmer nebenan schläft, ruhig schläft, wie man nur mit einem guten Gewissen schlafen kann; und ihr Kind — unser Kind, das nun vierzehn Tage alt ist, liegt in der Wiege neben dem Bett und schläft gleichfalls. Und bevor ich das Haus verlasse, werde ich hingehen und werde meine Frau und mein Kind auf die Stirne küssen, ohne sie aufzuwecken. Ich schreibe das alles so genau, damit man nicht etwa meint, ich sei wahnsinnig ... nein, es ist wohlüberlegt, und ich bin vollkommen ruhig. Sobald ich diesen Brief beendet habe, gehe ich fort, in tiefer Nacht, durch die leeren Straßen, immer weiter, den Weg, den ich so oft mit meiner Frau gegangen bin im ersten Jahre unserer Ehe, nach Dornbach — und immer weiter, bis in den Wald. Ja, es ist alles wohl überlegt, und ich bin im Vollbesitze meiner Sinne. Und so verhält sich die Sache. Ich heiße Andreas Thameyer, bin Beamter in der österreichischen Sparkassa, vierunddreißig Jahre alt, wohnhaft Hernalser Hauptstraße Nr. 64, verheiratet seit vier Jahren. Ich habe meine Frau sieben Jahre gekannt, ehe sie meine Gattin wurde, und sie hat zwei Bewerber ausgeschlagen, weil sie mich liebte und auf mich wartete: einen Kommissär mit 1800 Gulden Gehalt, und einen sehr schönen jungen Kandidaten der Medizin aus Triest, der als Zimmerherr bei ihren Eltern wohnte, man merke auf! — ausgeschlagen um meinetwillen, obzwar ich weder schön, noch reich war, und obwohl sich unsere Heirat von Jahr zu Jahr verzögerte. Und nun wollen die Leute behaupten, daß diese Frau mich betrogen hat, die sieben Jahre auf mich geduldig wartete! Die Menschen sind dumm und armselig, sie können, wie ich mich ausdrücken möchte, in unser Inneres nicht hineinblicken, sie sind schadenfroh und höchst gemein! Aber nun werden sie alle verstummen... ja nun werden sie alle sagen: wie haben unrecht getan, wir sehen es ein, deine Frau ist dir treu gewesen, und es war gar nicht notwendig, daß du dich umbringst... Aber ich sage euch: es ist notwendig! Denn solange ich am Leben bliebe, würdet ihr weiter höhnen, ihr alle. Nur einer ist edel und gut: das ist der alte Doktor Walter Brauner... Ja, er hat es mir gleich gesagt; bevor er mich hineinführte, sagte er mir: „Mein lieber Thameyer, erschrecken Sie nicht und regen Sie sich und Ihre Frau nicht auf. Solche Dinge sind schon öfters dagewesen. Ich werde Ihnen morgen das Buch von Limböck bringen und andere über das Versehen der Schwangeren." — Diese Bücher liegen vor mir — jawohl! und ich richte die höfliche Bitte an meine Angehörigen, daß diesem vortrefflichen Mann, dem Doktor Brauner, seine Bücher mit ergebenstem Danke zurückgestellt werden. Weiter habe ich keine Verfügungen zu treffen. Mein Testament ist längst gemacht, ich habe keinen Grund, es abzuändern, denn meine Frau ist mir treu gewesen, und das Kind, das sie mir geboren hat, ist mein Kind. Und daß es eine so eigentümliche Hautfarbe hat, werde ich nunmehr auf die einfachste Weise erklären. Nur Böswilligkeit und Unbildung kann sich dieser Erklärung verschließen, und ich wage zu behaupten, wenn wir unter Menschen lebten, die nicht boshaft und albern wären, könnte ich am Leben bleiben, denn jeder sähe es ein. So aber will es niemand einsehen, und sie lächeln und lachen. Sogar Herr Gustav Rengelhofer, der Onkel meiner Frau, dem ich stets die größte Achtung erwiesen, hat in einer mich sehr verletzenden Weise mit den Augen gezwinkert, als er mein Kind zum erstenmal sah, und meine eigene Mutter — sie hat mir die Hand gedrückt, in einer höchst sonderbaren Art, als bedürfe ich ihrer Teilnahme. Und meine Kollegen im Bureau haben miteinander geflüstert, als ich gestern eintrat, und der Hausmeister, dessen Kindern ich zu Weihnachten meine alte verdorbene Uhr geschenkt habe — immerhin, als Spielzeug tut solch ein Uhrgehäuse seine Dienste... der Hausmeister hat sich das Lachen verbissen, als ich gestern an ihm vorbeiging, und unsere Köchin macht ein Gesicht, so lustig, als wenn sie betrunken wäre, und der Spezereihändler an der Ecke hat mir nachgeschaut, schon drei- oder viermal... neulich ist er an der Türe stehen geblieben und sagte zu einer alten Dame: das ist er. Und ein Beweis für die schleunige Verbreitung der unsinnigsten Gerüchte: — es gibt Leute, die ich gar nicht kenne, und die es wissen, ich weiß nicht, woher. Als ich vorgestern im Stellwagen nach Hause fuhr, hörte ich drei alte Weiber drin über mich sprechen, ich hörte meinen Vornamen ganz genau; ich stand auf der Plattform. Daher frage ich laut: (ich gebrauche diesen Ausdruck absichtlich, obwohl dies schriftliche Aufzeichnungen sind) — ich frage mit vernehmlicher Stimme: Was soll ich tun? Was bleibt mir übrig? Ich kann es nicht jedem sagen: Leset Hambergs „Wunder der Natur" und Limböcks vorzügliches Werk „Über das Versehen der Schwangeren". Ich kann nicht vor ihnen niederknien und sie anflehen: „Seid nicht so grausam ... seht es doch ein ... meine Frau ist mir immer treu gewesen!" Sie hat sich versehen, als sie im August mit ihrer Schwester unten im Tiergarten war, wo diese fremden Leute ihr Lager hatten, diese unheimlichen Schwarzen. Ich kann es beschwören, daß sie sich versehen hat, denn die Geschichte trug sich folgendermaßen zu: Ich war an jenem Tag — und schon ein paar Tage vorher — bei meinen Eltern auf dem Lande gewesen — mein Vater war nämlich krank, sehr krank. ... Man ermesse es daraus, daß er tatsächlich wenige Wochen darauf verstorben ist. — Aber dies gehört nicht her. — Nun, Anna war allein. Und als ich zurückkam, fand ich meine Frau zu Bett liegen — jawohl, vor Aufregung, vor Sehnsucht ... was weiß ich! lag sie danieder. — Und ich war doch nur drei Tage fort gewesen. So sehr liebte mich meine Frau. Und ich mußte mich gleich an ihr Bett setzen und mir erzählen lassen, wie sie die drei Tage verbracht hatte. Und ohne daß ich sie erst fragte, erzählte sie alles. Ich notiere es hier mit der in diesem Falle erforderlichen Genauigkeit. Montag war sie den ganzen Vormittag zu Hause gewesen, Nachmittag aber ging sie mit Fritzi — so nennen wir ihre ledige Schwester, ihr Taufname ist Friederike — mit Fritzi in die innere Stadt, Einkäufe besorgen. Fritzi ist verlobt mit einem sehr braven jungen Mann, der nun eine Stellung in Deutschland hat, und zwar in Bremen in einem großen Handlungshaus, und Fritzi soll ihm bald nachkommen, um seine Frau zu werden ... Doch auch dies ist nebensächlich. Ich weiß es sehr wohl. Dienstag verbrachte meine Frau den ganzen Tag zu Hause, denn es regnete — Auch auf dem Lande, bei meinen Eltern, regnete es an diesem Tage, wie ich mich genau erinnern kann. Dann kam der Mittwoch. An diesem Tag gingen meine Frau und Fritzi gegen Abend in den Tiergarten, wo Neger ihr Lager aufgeschlagen hatten. Hier füge ich bei, daß ich selbst diese Leute später gesehen habe, im September nämlich, und zwar ging ich mit Rudolf Bittner hinunter, mit ihm und seiner Frau, an einem Sonntagsabend; Anna wollte durchaus nicht mit, ein solches Grauen war ihr zurückgeblieben seit jenem Mittwoch. Sie sagte mir, niemals in ihrem Leben habe sie ein solches Grauen empfunden als an jenem Abend, da sie allein bei den Negern war ... Allein, denn Fritzi hatte sich plötzlich verloren ... Es ist mir nicht möglich, diese Tatsache zu verschweigen. Nun, ich will gegen Fritzi nichts sagen, da dieses mein letzter Brief ist. Aber hier scheint es mir am Platze, an Fritzi die ernste Mahnung zu richten, ihren Bräutigam nicht zu kränken, da dieser als anständiger Mensch darüber sehr unglücklich wäre. Leider aber bleibt es eine Tatsache, daß an jenem Abend Herr ... doch wozu soll ich hier einen Namen niederschreiben ... kurz und gut, mit diesem Herrn, den ich sehr wohl kenne und der sich nicht des besten Rufes erfreut, obzwar er verheiratet ist, verlor sich Fritzi an jenem Abend, und meine arme Frau war plötzlich allein. Es war ein nebeliger Abend, wie sie im Spätsommer zuweilen vorkommen; ich für meinen Teil gehe niemals abends ohne Überrock in den Prater ... ich erinnere mich, daß da auf den Wiesen oft graue Dämpfe liegen, in denen sich die Lichter spiegeln ... Nun, solch ein Abend war es an jenem Mittwoch, und Fritzi war plötzlich fort, und meine Anna war allein — mit einem Male allein . . . wer begreift nicht, daß sie unter diesen Umständen ein ungeheures Grauen vor diesen Riesenmenschen mit den glühenden Augen und den großen schwarzen Bärten empfinden mußte? . . . Zwei Stunden lang wartete sie auf Fritzi und hoffte immer, daß sie wiederkommen würde, endlich wurden die Tore geschlossen, da mußte sie gehen. So war es. Dies alles erzählte mir Anna in der Frühe, als ich an ihrem Bette saß, wie ich schon früher bemerkt habe . . . sie hatte die Arme um meinen Nacken geschlungen und zitterte, ihre Augen waren ganz trüb, ich selber bekam Angst, und dabei wußte ich an diesem Tag noch nicht, was ich später wußte, so wenig als sie. Denn hätte ich gewußt, daß sie bereits unser Kind unter dem Herzen trage, dann hätte ich nie und nimmer gestattet, daß sie mit Fritzi an einem nebeligen Abend in den Prater ginge und sich allerlei Gefahren aussetzte. Denn für eine Frau in solchem Zustand ist alles Gefahr . . . Freilich, wenn Fritzi sich nicht verloren hätte, so wäre meine Frau nie und nimmer in eine so entsetzliche Angst geraten; aber dies war eben das große Unglück, daß sie so allein war und um Fritzi zitterte . . . Nun ist ja alles vorüber, und ich werfe auf niemand einen Stein. Aber ich habe dies alles aufgeschrieben, denn ich finde es notwendig, daß diese Sache völlig klar gestellt werde. Würde ich das nicht tun, wer weiß, ob die Leute in ihrer Erbärmlichkeit nicht endlich noch sagten: er hat sich umgebracht, weil seine Frau ihn betrogen hat . . . Nein, ihr Leute, nochmals, meine Frau ist treu, und das Kind, das sie geboren hat ist mein Kind! Und ich liebe sie beide bis zum letzten Augenblick. In den Tod treibt nur ihr mich, ihr alle, die ihr zu armselig oder zu boshaft seid zu glauben oder zu verstehen. Und je mehr ich zu euch reden und versuchen würde, euch den Vorfall wissenschaftlich zu erklären ... ich weiß es ja, um so mehr würdet ihr höhnen und lachen, wenn auch nicht vor mir, so hinter meinem Rücken — oder ihr würdet gar sagen: „Thameyer ist wahnsinnig." Nun ist euch das genommen, meine Verehrten, ich sterbe für meine Überzeugung, für die Wahrheit und vor allem für die Ehre meiner Frau; denn wenn ich tot bin, werdet ihr meine Frau nicht verhöhnen und werdet über mich nicht lachen; ihr werdet einsehen, daß es solche Dinge gibt, wie sie Hamberg, Heliodor, Malebranche, Welsenburg, Preuß, Limböck und andere berichten. — Auch du, liebe Mutter — wahrhaftig, du mußtest mir nicht die Hand drücken, als wäre ich zu bedauern! Du wirst jetzt doch meine Frau um Verzeihung bitten — ich weiß es ... Nun, scheint mir, habe ich nichts mehr zu sagen. Es schlägt eins. Gute Nacht, meine Lieben. Nun geh' ich noch einmal ins Nebenzimmer und küsse mein Kind und meine Frau zum letzten Mal — dann geh' ich fort. — Lebt wohl.

DER BLINDE GERONIMO UND SEIN BRUDER

Der blinde Geronimo stand von der Bank auf und nahm die Gitarre zur Hand, die auf dem Tisch neben dem Weinglase bereit gelegen war. Er hatte das ferne Rollen der ersten Wagen vernommen. Nun tastete er sich den wohlbekannten Weg bis zur offenen Türe hin, und dann ging er die schmalen Holzstufen hinab, die frei in den gedeckten Hofraum hinunterliefen. Sein Bruder folgte ihm, und beide stellten sich gleich neben der Treppe auf, den Rücken zur Wand gekehrt, um gegen den naßkalten Wind geschützt zu sein, der über den feuchtschmutzigen Boden durch die offenen Tore strich.

Unter dem düsteren Bogen des alten Wirtshauses mußten alle Wagen passieren, die den Weg über das Stilfserjoch nahmen. Für die Reisenden, welche von Italien her nach Tirol wollten, war es die letzte Rast vor der Höhe. Zu langem Aufenthalte lud es nicht ein, denn gerade hier lief die Straße ziemlich eben, ohne Ausblicke, zwischen kahlen Erhebungen hin. Der blinde Italiener und sein Bruder Carlo waren in den Sommermonaten hier so gut wie zu Hause.

Die Post fuhr ein, bald darauf kamen andere Wagen. Die meisten Reisenden blieben sitzen, in Plaids und Mäntel wohl eingehüllt, andere stiegen aus und spazierten zwischen den Toren ungeduldig hin und her. Das Wetter wurde immer schlechter, ein kalter Regen klatschte herab. Nach einer Reihe schöner Tage schien der Herbst plötzlich und allzu früh hereinzubrechen.

Der Blinde sang und begleitete sich dazu auf der Gitarre; er sang mit einer ungleichmäßigen, manchmal plötzlich aufkreischenden Stimme, wie immer, wenn er getrunken hatte. Zuweilen wandte er den Kopf wie mit einem Ausdruck vergeblichen Flehens nach oben. Aber die Züge seines Gesichtes mit den schwarzen Bartstoppeln und den bläulichen Lippen blieben vollkommen unbeweglich. Der ältere Bruder stand neben ihm, beinahe regungslos. Wenn ihm jemand eine Münze in den Hut fallen ließ, nickte er Dank und sah dem Spender mit einem raschen, wie irren Blick ins Gesicht. Aber gleich, beinahe ängstlich, wandte er den Blick wieder fort und starrte gleich dem Bruder ins Leere. Es war, als schämten sich seine Augen des Lichts, das ihnen gewährt war, und von dem sie dem blinden Bruder keinen Strahl schenken konnten.

„Bring mir Wein," sagte Geronimo, und Carlo ging, gehorsam wie immer. Während er die Stufen aufwärts schritt, begann Geronimo wieder zu singen. Er hörte längst nicht mehr auf seine eigene Stimme, und so konnte er auf das merken, was in seiner Nähe vorging. Jetzt vernahm er ganz nahe zwei flüsternde Stimmen, die eines jungen Mannes und einer jungen Frau. Er dachte, wie oft diese beiden schon den gleichen Weg hin und her gegangen sein mochten; denn in seiner Blindheit und in seinem Rausch war ihm manchmal, als kämen Tag für Tag dieselben Menschen über das Joch gewandert, bald von Norden gegen Süden, bald von Süden gegen Norden. Und so kannte er auch dieses junge Paar seit langer Zeit.

Carlo kam herab und reichte Geronimo ein Glas Wein. Der Blinde schwenkte es dem jungen Paare zu und sagte: „Ihr Wohl, meine Herrschaften!"

„Danke," sagte der junge Mann; aber die junge Frau zog ihn fort, denn ihr war dieser Blinde unheimlich.

Jetzt fuhr ein Wagen mit einer ziemlich lärmenden

Gesellschaft ein: Vater, Mutter, drei Kinder, eine Bonne.

„Deutsche Familie," sagte Geronimo leise zu Carlo.

Der Vater gab jedem der Kinder ein Geldstück, und jedes durfte das seine in den Hut des Bettlers werfen. Geronimo neigte jedesmal den Kopf zum Dank. Der älteste Knabe sah dem Blinden mit ängstlicher Neugier ins Gesicht. Carlo betrachtete den Knaben. Er mußte, wie immer beim Anblick solcher Kinder, daran denken, daß Geronimo gerade so alt gewesen war, als das Unglück geschah, durch das er das Augenlicht verloren hatte. Denn er erinnerte sich jenes Tages auch heute noch, nach beinahe zwanzig Jahren, mit vollkommener Deutlichkeit. Noch heute klang ihm der grelle Kinderschrei ins Ohr, mit dem der kleine Geronimo auf den Rasen hingesunken war, noch heute sah er die Sonne auf der weißen Gartenmauer spielen und kringeln und hörte die Sonntagsglocken wieder, die gerade in jenem Augenblick getönt hatten. Er hatte wie oftmals mit dem Bolzen nach der Esche an der Mauer geschossen, und als er den Schrei hörte, dachte er gleich, daß er den kleinen Bruder verletzt haben mußte, der eben vorbeigelaufen war. Er ließ das Blasrohr aus den Händen gleiten, sprang durchs Fenster in den Garten und stürzte zu dem kleinen Bruder hin, der auf dem Grase lag, die Hände vors Gesicht geschlagen, und jammerte. Über die rechte Wange und den Hals floß ihm Blut herunter. In derselben Minute kam der Vater vom Felde heim, durch die kleine Gartentür, und nun knieten beide ratlos neben dem jammernden Kinde. Nachbarn eilten herbei; die alte Vanetti war die erste, der es gelang, dem Kleinen die Hände vom Gesicht zu entfernen. Dann kam auch der Schmied, bei dem Carlo damals in der Lehre war und der sich ein bißchen aufs Kurieren

231

verstand; und der sah gleich, daß das rechte Auge verloren war. Der Arzt, der abends aus Poschiavo kam, konnte auch nicht mehr helfen. Ja, er deutete schon die Gefahr an, in der das andere Auge schwebte. Und er behielt recht. Ein Jahr später war die Welt für Geronimo in Nacht versunken. Anfangs versuchte man, ihm einzureden, daß er später geheilt werden könnte, und er schien es zu glauben. Carlo, der die Wahrheit wußte, irrte damals tage- und nächtelang auf der Landstraße, zwischen den Weinbergen und in den Wäldern umher, und war nahe daran, sich umzubringen. Aber der geistliche Herr, dem er sich anvertraute, klärte ihn auf, daß es seine Pflicht war, zu leben und sein Leben dem Bruder zu widmen. Carlo sah es ein. Ein ungeheures Mitleid ergriff ihn. Nur wenn er bei dem blinden Jungen war, wenn er ihm die Haare streicheln, seine Stirne küssen durfte, ihm Geschichten erzählte, ihn auf den Feldern hinter dem Hause und zwischen den Rebengeländen spazieren führte, milderte sich seine Pein. Er hatte gleich anfangs die Lehrstunden in der Schmiede vernachlässigt, weil er sich von dem Bruder gar nicht trennen mochte, und konnte sich nachher nicht mehr entschließen, sein Handwerk wieder aufzunehmen, trotzdem der Vater mahnte und in Sorge war. Eines Tages fiel es Carlo auf, daß Geronimo vollkommen aufgehört hatte, von seinem Unglück zu reden. Bald wußte er, warum: der Blinde war zur Einsicht gekommen, daß er nie den Himmel, die Hügel, die Straßen, die Menschen, das Licht wieder sehen würde. Nun litt Carlo noch mehr als früher, so sehr er sich auch selbst damit zu beruhigen suchte, daß er ohne jede Absicht das Unglück herbeigeführt hatte. Und manchmal, wenn er am frühen Morgen den Bruder betrachtete, der neben ihm ruhte, ward er von einer

solchen Angst erfaßt, ihn erwachen zu sehen, daß er
in den Garten hinauslief, nur um nicht dabei sein
zu müssen, wie die toten Augen jeden Tag von neuem
das Licht zu suchen schienen, das ihnen für immer
erloschen war. Zu jener Zeit war es, daß Carlo auf
den Einfall kam, Geronimo, der eine angenehme
Stimme hatte, in der Musik weiter ausbilden zu lassen.
Der Schullehrer von Tola, der manchmal Sonntags
herüberkam, lehrte ihn die Gitarre spielen. Damals
ahnte der Blinde freilich noch nicht, daß die neu-
erlernte Kunst einmal zu seinem Lebensunterhalt
dienen würde.

Mit jenem traurigen Sommertag schien das Unglück
für immer in das Haus des alten Lagardi eingezogen
zu sein. Die Ernte mißriet ein Jahr nach dem anderen,
um eine kleine Geldsumme, die der Alte erspart hatte,
wurde er von einem Verwandten betrogen; und als
er an einem schwülen Augusttag auf freiem Felde vom
Schlag getroffen hinsank und starb, hinterließ er nichts
als Schulden. Das kleine Anwesen wurde verkauft,
die beiden Brüder waren obdachlos und arm und verließen das Dorf.

Carlo war zwanzig, Geronimo fünfzehn Jahre alt.
Damals begann das Bettel- und Wanderleben, das sie
bis heute führten. Anfangs hatte Carlo daran gedacht, irgendeinen Verdienst zu finden, der zugleich
ihn und den Bruder ernähren könnte; aber es wollte
nicht gelingen. Auch hatte Geronimo nirgend Ruhe;
er wollte immer auf dem Wege sein.

Zwanzig Jahre war es nun, daß sie auf Straßen
und Pässen herumzogen, im nördlichen Italien und
im südlichen Tirol, immer dort, wo eben der dichtere
Zug der Reisenden vorüberströmte.

Und wenn auch Carlo nach so vielen Jahren nicht
mehr die brennende Qual verspürte, mit der ihn früher

jedes Leuchten der Sonne, der Anblick jeder freundlichen Landschaft erfüllt hatte, es war doch ein stetes nagendes Mitleid in ihm, beständig und ihm unbewußt, wie der Schlag seines Herzens und sein Atem. Und er war froh, wenn Geronimo sich betrank.

Der Wagen mit der deutschen Familie war davongefahren. Carlo setzte sich, wie er gern tat, auf die untersten Stufen der Treppe, Geronimo aber blieb stehen, ließ die Arme schlaff herabhängen und hielt den Kopf nach oben gewandt.

Maria, die Magd, kam aus der Wirtsstube.

„Habt's viel verdient heut?" rief sie herunter.

Carlo wandte sich gar nicht um. Der Blinde bückte sich nach seinem Glas, hob es vom Boden auf und trank es Maria zu. Sie saß manchmal abends in der Wirtsstube neben ihm; er wußte auch, daß sie schön war.

Carlo beugte sich vor und blickte gegen die Straße hinaus. Der Wind blies, und der Regen prasselte, so daß das Rollen des nahenden Wagens in den heftigen Geräuschen unterging. Carlo stand auf und nahm wieder seinen Platz an des Bruders Seite ein.

Geronimo begann zu singen, schon während der Wagen einfuhr, in dem nur ein Passagier saß. Der Kutscher spannte die Pferde eilig aus, dann eilte er hinauf in die Wirtsstube. Der Reisende blieb eine Weile in seiner Ecke sitzen, ganz eingewickelt in einen grauen Regenmantel; er schien auf den Gesang gar nicht zu hören. Nach einer Weile aber sprang er aus dem Wagen und lief mit großer Hast hin und her, ohne sich weit vom Wagen zu entfernen. Er rieb immerfort die Hände aneinander, um sich zu erwärmen. Jetzt erst schien er die Bettler zu bemerken. Er stellte sich ihnen gegenüber und sah sie lange wie prüfend an. Carlo neigte leicht den Kopf, wie zum

Gruße. Der Reisende war ein sehr junger Mensch mit einem hübschen, bartlosen Gesicht und unruhigen Augen. Nachdem er eine ganze Weile vor den Bettlern gestanden, eilte er wieder zu dem Tore, durch das er weiterfahren sollte, und schüttelte bei dem trostlosen Ausblick in Regen und Nebel verdrießlich den Kopf.

„Nun?" fragte Geronimo.

„Noch nichts," erwiderte Carlo. „Er wird wohl geben, wenn er fortfährt."

Der Reisende kam wieder zurück und lehnte sich an die Deichsel des Wagens. Der Blinde begann zu singen. Nun schien der junge Mann plötzlich mit großem Interesse zuzuhören. Der Knecht erschien und spannte die Pferde wieder ein. Und jetzt erst, als besänne er sich eben, griff der junge Mann in die Tasche und gab Carlo einen Frank.

„O danke, danke," sagte dieser.

Der Reisende setzte sich in den Wagen und wickelte sich wieder in seinen Mantel. Carlo nahm das Glas vom Boden auf und ging die Holzstufen hinauf. Geronimo sang weiter. Der Reisende beugte sich zum Wagen heraus und schüttelte den Kopf mit einem Ausdruck von Überlegenheit und Traurigkeit zugleich. Plötzlich schien ihm ein Einfall zu kommen, und er lächelte. Dann sagte er zu dem Blinden, der kaum zwei Schritte weit von ihm stand: „Wie heißt du?"

„Geronimo."

„Nun, Geronimo, laß dich nur nicht betrügen." In diesem Augenblick erschien der Kutscher auf der obersten Stufe der Treppe.

„Wieso, gnädiger Herr, betrügen?"

„Ich habe deinem Begleiter ein Zwanzig-Frankstück gegeben."

„O Herr, Dank, Dank!"

„Ja; also paß auf."

„Er ist mein Bruder, Herr; er betrügt mich nicht."

Der junge Mann stutzte eine Weile, aber während er noch überlegte, war der Kutscher auf den Bock gestiegen und hatte die Pferde angetrieben. Der junge Mann lehnte sich zurück mit einer Bewegung des Kopfes, als wollte er sagen: Schicksal, nimm deinen Lauf! und der Wagen fuhr davon.

Der Blinde winkte mit beiden Händen lebhafte Gebärden des Dankes nach. Jetzt hörte er Carlo, der eben aus der Wirtsstube kam. Der rief herunter: „Komm, Geronimo, es ist warm heroben, Maria hat Feuer gemacht!"

Geronimo nickte, nahm die Gitarre unter den Arm und tastete sich am Geländer die Stufen hinauf. Auf der Treppe schon rief er: „Laß es mich anfühlen! Wie lang hab' ich schon kein Goldstück angefühlt!"

„Was gibt's?" fragte Carlo. „Was redest du da?"

Geronimo war oben und griff mit beiden Händen nach dem Kopf seines Bruders, ein Zeichen, mit dem er stets Freude oder Zärtlichkeit auszudrücken pflegte. „Carlo, mein lieber Bruder, es gibt doch gute Menschen!"

„Gewiß," sagte Carlo. „Bis jetzt sind es zwei Lire und dreißig Zentesimi; und hier ist noch österreichisches Geld, vielleicht eine halbe Lira."

„Und zwanzig Franken — und zwanzig Franken!" rief Geronimo. „Ich weiß es ja!" Er torkelte in die Stube und setzte sich schwer auf die Bank.

„Was weißt du?" fragte Carlo.

„So laß doch die Späße! Gib es mir in die Hand! Wie lang hab' ich schon kein Goldstück in der Hand gehabt!"

„Was willst du denn? Woher soll ich ein Goldstück nehmen? Es sind zwei Lire oder drei."

Der Blinde schlug auf den Tisch. „Jetzt ist es aber genug, genug! Willst du es etwa vor mir verstecken?"

Carlo blickte den Bruder besorgt und verwundert an. Er setzte sich neben ihn, rückte ganz nahe und faßte wie begütigend seinen Arm: „Ich verstecke nichts vor dir. Wie kannst du das glauben? Niemandem ist es eingefallen, mir ein Goldstück zu geben."

„Aber er hat mir's doch gesagt!"

„Wer?"

„Nun, der junge Mensch, der hin- und herlief."

„Wie? Ich versteh' dich nicht!"

„So hat er zu mir gesagt: ‚Wie heißt du?' und dann: ‚Gib acht, gib acht, laß dich nicht betrügen!' "

„Du mußt geträumt haben, Geronimo — das ist ja Unsinn!"

„Unsinn? Ich hab' es doch gehört, und ich höre gut. ‚Laß dich nicht betrügen; ich habe ihm ein Goldstück . . .' — nein so sagte er: ‚Ich habe ihm ein Zwanzig-Frankstück gegeben.' "

Der Wirt kam herein. „Nun, was ist's mit euch? Habt ihr das Geschäft aufgegeben? Ein Vierspänner ist gerade angefahren."

„Komm!" rief Carlo, „komm!"

Geronimo blieb sitzen. „Warum denn? Warum soll ich kommen? Was hilft's mir denn? Du stehst ja dabei und —"

Carlo berührte ihn am Arm. „Still, komm jetzt hinunter!"

Geronimo schwieg und gehorchte dem Bruder. Aber auf den Stufen sagte er: „Wir reden noch, wir reden noch!"

Carlo begriff nicht, was geschehen war. War Geronimo plötzlich verrückt geworden? Denn, wenn er auch leicht in Zorn geriet, in dieser Weise hatte er noch nie gesprochen.

In dem eben angekommenen Wagen saßen zwei Engländer; Carlo lüftete den Hut vor ihnen, und der Blinde sang. Der eine Engländer war ausgestiegen und warf einige Münzen in Carlos Hut. Carlo sagte: „Danke" und dann, wie vor sich hin: „Zwanzig Zentisimi." Das Gesicht Geronimos blieb unbewegt; er begann ein neues Lied. Der Wagen mit den zwei Engländern fuhr davon.

Die Brüder gingen schweigend die Stufen hinauf. Geronimo setzte sich auf die Bank, Carlo blieb beim Ofen stehen.

„Warum sprichst du nicht?" fragte Geronimo.

„Nun", erwiderte Carlo, „es kann nur so sein, wie ich dir gesagt habe." Seine Stimme zitterte ein wenig.

„Was hast du gesagt?" fragte Geronimo.

„Es war vielleicht ein Wahnsinniger."

„Ein Wahnsinniger? Das wäre ja vortrefflich! Wenn einer sagt: ‚Ich habe deinem Bruder zwanzig Franken gegeben', so ist er wahnsinnig! — Eh, und warum hat er gesagt: ‚Laß dich nicht betrügen' — eh?"

„Vielleicht war er auch nicht wahnsinnig . . . aber es gibt Menschen, die mit uns armen Leuten Späße machen . . ."

„Eh!" schrie Geronimo, „Späße? — Ja, das hast du noch sagen müssen — darauf habe ich gewartet!" Er trank das Glas Wein aus, das vor ihm stand.

„Aber, Geronimo!" rief Carlo, und er fühlte, daß er vor Bestürzung kaum sprechen konnte, „warum sollte ich . . . wie kannst du glauben . . .?"

„Warum zittert deine Stimme . . . . eh . . . . warum . . .?"

„Geronimo, ich versichere dir, ich —"

„Eh — und ich glaube dir nicht! Jetzt lachst du . . . ich weiß ja, daß du jetzt lachst!"

Der Knecht rief von unten: „He, blinder Mann, Leut' sind da!"

Ganz mechanisch standen die Brüder auf und schritten die Stufen hinab. Zwei Wagen waren zugleich gekommen, einer mit drei Herren, ein anderer mit einem alten Ehepaar. Geronimo sang; Carlo stand neben ihm, fassungslos. Was sollte er nur tun? Der Bruder glaubte ihm nicht! Wie war das nur möglich? — Und er betrachtete Geronimo, der mit zerbrochener Stimme seine Lieder sang, angstvoll von der Seite. Es war ihm, als sähe er über diese Stirne Gedanken fliehen, die er früher dort niemals gewahrt hatte.

Die Wagen waren schon fort, aber Geronimo sang weiter. Carlo wagte nicht, ihn zu unterbrechen. Er wußte nicht, was er sagen sollte, er fürchtete, daß seine Stimme wieder zittern würde. Da tönte Lachen von oben, und Maria rief: „Was singst denn noch immer? Von mir kriegst du ja doch nichts!"

Geronimo hielt inne, mitten in einer Melodie; es klang, als wäre seine Stimme und die Saiten zugleich abgerissen. Dann ging er wieder die Stufen hinauf, und Carlo folgte ihm. In der Wirtsstube setzte er sich neben ihn. Was sollte er tun? Es blieb ihm nichts anderes übrig: er mußte noch einmal versuchen, den Bruder aufzuklären.

„Geronimo," sagte er, „ich schwöre dir . . . bedenk doch, Geronimo, wie kannst du glauben, daß ich —"

Geronimo schwieg, seine toten Augen schienen durch das Fenster in den grauen Nebel hinauszublicken. Carlo redete weiter: „Nun, er braucht ja nicht wahnsinnig gewesen zu sein, er wird sich geirrt haben . . ja, er hat sich geirrt . . ." Aber er fühlte wohl, daß er selbst nicht glaubte, was er sagte.

Geronimo rückte ungeduldig fort. Aber Carlo redete weiter, mit plötzlicher Lebhaftigkeit: „Wozu sollte ich denn — du weißt doch, ich esse und trinke nicht mehr als du, und wenn ich mir einen neuen Rock kaufe, so weißt du's doch ... wofür brauch' ich denn soviel Geld? Was soll ich denn damit tun?"

Da stieß Geronimo zwischen den Zähnen hervor: „Lüg nicht, ich höre, wie du lügst!"

„Ich lüge nicht, Geronimo, ich lüge nicht!" sagte Carlo erschrocken.

„Eh! hast du ihr's schon gegeben, ja? Oder bekommt sie's erst nachher?" schrie Geronimo.

„Maria?"

„Wer denn, als Maria? Eh, du Lügner, du Dieb!" Und als wollte er nicht mehr neben ihm am Tische sitzen, stieß er mit dem Ellbogen den Bruder in die Seite.

Carlo stand auf. Zuerst starrte er den Bruder an, dann verließ er das Zimmer und ging über die Stiege in den Hof. Er schaute mit weit offenen Augen auf die Straße hinaus, die vor ihm in bräunlichen Nebel versank. Der Regen hatte nachgelassen. Carlo steckte die Hände in die Hosentaschen und ging ins Freie. Es war ihm, als hätte ihn sein Bruder davongejagt. Was war denn nur geschehen? ... Er konnte es noch immer nicht fassen. Was für ein Mensch mochte das gewesen sein? Einen Franken schenkt er her und sagt, es waren zwanzig! Er mußte doch irgendeinen Grund dazu gehabt haben? ... Und Carlo suchte in seiner Erinnerung, ob er sich nicht irgendwo jemanden zum Feind gemacht, der nun einen anderen hergeschickt hatte, um sich zu rächen ... Aber soweit er zurückdenken mochte, nie hatte er jemanden beleidigt, nie irgendeinen ernsten Streit mit jemandem vorgehabt. Er hatte ja seit zwanzig Jahren nichts anderes getan, als daß er in Höfen oder an Straßenrändern gestanden war mit dem Hut in der Hand ... War ihm vielleicht einer wegen eines Frauenzimmers böse? . . . Aber wie lange hatte er schon mit keiner was zu tun gehabt . . . die Kellnerin in La Rosa war die letzte gewesen, im vorigen Frühjahr . . . aber um die war ihm gewiß niemand neidisch . . . Es war nicht zu begreifen! . . . Was mochte es da draußen in der Welt, die er nicht kannte, für Menschen geben? . . . Von überall her kamen sie . . . was wußte er von ihnen? . . . Für diesen Fremden hatte es wohl irgendeinen Sinn gehabt, daß er zu Geronimo sagte: Ich habe deinem Bruder zwanzig Franken gegeben . . . Nun ja . . . Aber was war nun zu tun? . . . Mit einemmal war es offenbar geworden, daß Geronimo ihm mißtraute! . . . Das konnte er nicht ertragen! Irgend etwas mußte er dagegen unternehmen . . . Und er eilte zurück.

Als er wieder in die Wirtsstube trat, lag Geronimo auf der Bank ausgestreckt und schien das Eintreten Carlos nicht zu bemerken. Maria brachte den beiden Essen und Trinken. Sie sprachen während der Mahlzeit kein Wort. Als Maria die Teller abräumte, lachte Geronimo plötzlich auf und sagte zu ihr: „Was wirst du dir denn dafür kaufen?"

„Wofür denn?"

„Nun, was? Einen neuen Rock oder Ohrringe?"

„Was will er denn von mir?" wandte sie sich an Carlo.

Indes dröhnte unten der Hof von lastenbeladenen Fuhrwerken, laute Stimmen tönten herauf und Maria eilte hinunter. Nach ein paar Minuten kamen drei Fuhrleute und nahmen an einem Tische Platz; der Wirt trat zu ihnen und begrüßte sie. Sie schimpften über das schlechte Wetter.

„Heute Nacht werdet ihr Schnee haben," sagte der eine.

Der zweite erzählte, wie er vor zehn Jahren Mitte August auf dem Joch eingeschneit und beinahe erfroren war. Maria setzte sich zu ihnen. Auch der Knecht kam herbei und erkundigte sich nach seinen Eltern, die unten in Bormio wohnten.

Jetzt kam wieder ein Wagen mit Reisenden. Geronimo und Carlo gingen hinunter, Geronimo sang, Carlo hielt den Hut hin, und die Reisenden gaben ihr Almosen. Geronimo schien jetzt ganz ruhig. Er fragte manchmal: „Wieviel?" und nickte zu den Antworten Carlos leicht mit dem Kopfe. Indes versuchte Carlo selbst seine Gedanken zu fassen. Aber er hatte immer nur das dumpfe Gefühl, daß etwas Schreckliches geschehen und daß er ganz wehrlos war.

Als die Brüder wieder die Stufen hinaufschritten, hörten sie die Fuhrleute oben wirr durcheinander reden und lachen. Der jüngste rief dem Geronimo entgegen: „Sing uns doch auch was vor, wir zahlen schon! — Nicht wahr?" wandte er sich an die anderen.

Maria, die eben mit einer Flasche rotem Wein kam, sagte: „Fangt heut nichts mit ihm an, er ist schlechter Laune."

Statt jeder Antwort stellte sich Geronimo mitten ins Zimmer hin und fing an zu singen. Als er geendet, klatschten die Fuhrleute in die Hände.

„Komm her, Carlo!" rief einer, „wir wollen dir unser Geld auch in den Hut werfen wie die Leute unten!" Und er nahm eine kleine Münze und hielt die Hand hoch, als wollte er sie in den Hut fallen lassen, den ihm Carlo entgegenstreckte. Da griff der Blinde nach dem Arm des Fuhrmannes und sagte: „Lieber mir, lieber mir! Es könnte daneben fallen — daneben!"

„Wieso daneben?"

„Eh, nun! Zwischen die Beine Marias!"

Alle lachten, der Wirt und Maria auch, nur Carlo stand regungslos da. Nie hatte Geronimo solche Späße gemacht! . . .

„Setz dich zu uns!" riefen die Fuhrleute. „Du bist ein lustiger Kerl!" Und sie rückten zusammen, um Geronimo Platz zu machen. Immer lauter und wirrer war das Durcheinanderreden; Geronimo redete mit, lauter und lustiger als sonst, und hörte nicht auf zu trinken. Als Maria eben wieder hereinkam, wollte er sie an sich ziehen; da sagte der eine von den Fuhrleuten lachend: „Meinst du vielleicht, sie ist schön? Sie ist ja ein altes häßliches Weib!"

Aber der Blinde zog Maria auf seinen Schoß. „Ihr seid alle Dummköpfe," sagte er. „Glaubt ihr, ich brauche meine Augen, um zu sehen? Ich weiß auch, wo Carlo jetzt ist — eh! — dort am Ofen steht er, hat die Hände in den Hosentaschen und lacht."

Alle schauten auf Carlo, der mit offenem Munde am Ofen lehnte und nun wirklich das Gesicht zu einem Grinsen verzog, als dürfte er seinen Bruder nicht Lügen strafen.

Der Knecht kam herein; wenn die Fuhrleute noch vor Dunkelheit in Bormio sein wollten, mußten sie sich beeilen. Sie standen auf und verabschiedeten sich lärmend. Die beiden Brüder waren wieder allein in der Wirtsstube. Es war die Stunde, um die sie sonst manchmal zu schlafen pflegten. Das ganze Wirtshaus versank in Ruhe wie immer um diese Zeit der ersten Nachmittagsstunden. Geronimo, den Kopf auf dem Tisch, schien zu schlafen. Carlo ging anfangs hin und her, dann setzte er sich auf die Bank. Er war sehr müde. Es schien ihm, als wäre er in einem schweren Traum befangen. Er mußte an allerlei denken, an gestern, vorgestern und alle Tage, die früher waren, und besonders an warme Sommertage und an weiße Landstraßen, über die er mit seinem Bruder zu wandern pflegte, und alles war so weit und unbegreiflich, als wenn es nie wieder so sein könnte.

Am späten Nachmittage kam die Post aus Tirol und bald darauf in kleinen Zwischenpausen Wagen, die den gleichen Weg nach dem Süden nahmen. Noch viermal mußten die Brüder in den Hof hinab. Als sie das letztemal heraufgingen, war die Dämmerung hereingebrochen, und das Öllämpchen, das von der Holzdecke herunterhing, fauchte. Arbeiter kamen, die in einem nahen Steinbruche beschäftigt waren und ein paar hundert Schritte unterhalb des Wirtshauses ihre Holzhütten aufgeschlagen hatten. Geronimo setzte sich zu ihnen; Carlo blieb allein an seinem Tische. Es war ihm, als dauerte seine Einsamkeit schon sehr lange. Er hörte, wie Geronimo drüben laut, beinahe schreiend, von seiner Kindheit erzählte: daß er sich noch ganz gut an allerlei erinnerte, was er mit seinen Augen gesehen, Personen und Dinge: an den Vater, wie er auf dem Felde arbeitete, an den kleinen Garten mit der Esche an der Mauer, an das niedrige Häuschen, das ihnen gehörte, an die zwei kleinen Töchter des Schusters, an den Weinberg hinter der Kirche, ja an sein eigenes Kindergesicht, wie es ihm aus dem Spiegel entgegengeblickt hatte. Wie oft hatte Carlo das alles gehört. Heute ertrug er es nicht. Es klang anders als sonst: jedes Wort, das Geronimo sprach, bekam einen neuen Sinn und schien sich gegen ihn zu richten. Er schlich hinaus und ging wieder auf die Landstraße, die nun ganz im Dunkel lag. Der Regen hatte aufgehört, die Luft war sehr kalt, und der Gedanke erschien Carlo beinahe verlockend, weiterzugehen, immer weiter, tief in die Finsternis hinein, sich am Ende irgendwohin in den Straßengraben zu legen, einzuschlafen, nicht mehr zu erwachen. — Plötzlich hörte er das Rollen eines Wagens und erblickte den Lichtschimmer von zwei Laternen, die immer näher kamen. In dem Wagen, der vorüberfuhr, saßen zwei Herren.

Einer von ihnen mit einem schmalen, bartlosen Gesichte fuhr erschrocken zusammen, als Carlos Gestalt im Lichte der Laternen aus dem Dunkel hervortauchte. Carlo, der stehen geblieben war, lüftete den Hut. Der Wagen und die Lichter verschwanden. Carlo stand wieder in tiefer Finsternis. Plötzlich schrak er zusammen. Das erstemal in seinem Leben machte ihm das Dunkel Angst. Es war ihm, als könnte er es keine Minute länger ertragen. In einer sonderbaren Art vermengten sich in seinem dumpfen Sinnen die Schauer, die er für sich selbst empfand, mit einem quälenden Mitleid für den blinden Bruder und jagten ihn nach Hause.

Als er in die Wirtsstube trat, sah er die beiden Reisenden, die vorher an ihm vorbeigefahren waren, bei einer Flasche Rotwein an einem Tische sitzen und sehr angelegentlich miteinander reden. Sie blickten kaum auf, als er eintrat.

An dem anderen Tische saß Geronimo wie früher unter den Arbeitern.

„Wo steckst du denn, Carlo?" sagte ihm der Wirt schon an der Tür. „Warum läßt du deinen Bruder allein?"

„Was gibt's denn?" fragte Carlo erschrocken.

„Geronimo traktiert die Leute. Mir kann's ja egal sein, aber ihr solltet doch denken, daß bald wieder schlechtere Zeiten kommen."

Carlo trat rasch zu dem Bruder und faßte ihn am Arme. „Komm!" sagte er.

„Was willst du?" schrie Geronimo.

„Komm zu Bett," sagte Carlo.

„Laß mich, laß mich! Ich verdiene das Geld, ich kann mit meinem Gelde tun, was ich will — eh! — alles kannst du ja doch nicht einstecken! Ihr meint wohl, er gibt mir alles! O nein! Ich bin ja ein blinder

Mann! Aber es gibt Leute — es gibt gute Leute, die sagen mir: ‚Ich habe deinem Bruder zwanzig Franken gegeben!‘"

Die Arbeiter lachten auf.

„Es ist genug," sagte Carlo, „komm!" Und er zog den Bruder mit sich, schleppte ihn beinah die Treppe hinauf bis in den kahlen Bodenraum, wo sie ihr Lager hatten. Auf dem ganzen Wege schrie Geronimo: „Ja, nun ist es an den Tag gekommen, ja, nun weiß ich's! Ah, wartet nur. Wo ist sie? Wo ist Maria? Oder legst du's ihr in die Sparkassa? — Eh, ich singe für dich, ich spiele Gitarre, von mir lebst du — und du bist ein Dieb!" Er fiel auf den Strohsack hin.

Vom Gang her schimmerte ein schwaches Licht herein; drüben stand die Tür zu dem einzigen Fremdenzimmer des Wirtshauses offen, und Maria richtete die Betten für die Nachtruhe her. Carlo stand vor seinem Bruder und sah ihn daliegen mit dem gedunsenen Gesicht, mit den bläulichen Lippen, das feuchte Haar an der Stirne klebend, um viele Jahre älter aussehend, als er war. Und langsam begann er zu verstehen. Nicht von heute konnte das Mißtrauen des Blinden sein, längst mußte es in ihm geschlummert haben, und nur der Anlaß, vielleicht der Mut hatte ihm gefehlt, es auszusprechen. Und alles, was Carlo für ihn getan, war vergeblich gewesen; vergeblich die Reue, vergeblich das Opfer seines ganzen Lebens. Was sollte er nun tun? — Sollte er noch weiterhin Tag für Tag, wer weiß wie lange noch, ihn durch die ewige Nacht führen, ihn betreuen, für ihn betteln und keinen anderen Lohn dafür haben als Mißtrauen und Schimpf? Wenn ihn der Bruder für einen Dieb hielt, so konnte ihm ja jeder Fremde dasselbe oder Besseres leisten als er. Wahrhaftig, ihn allein lassen, sich für immer von ihm trennen, das wäre das Klügste. Dann mußte

Geronimo wohl sein Unrecht einsehen, denn dann erst würde er erfahren, was es heißt, betrogen und bestohlen werden, einsam und elend sein. Und er selbst, was sollte er beginnen? Nun, er war ja noch nicht alt; wenn er für sich allein war, konnte er noch mancherlei anfangen. Als Knecht zum mindesten fand er überall sein Unterkommen. Aber während diese Gedanken durch seinen Kopf zogen, blieben seine Augen immer auf den Bruder geheftet. Und er sah ihn plötzlich vor sich, allein am Rande einer sonnbeglänzten Straße auf einem Stein sitzen, mit den weit offenen, weißen Augen zum Himmel starrend, der ihn nicht blenden konnte, und mit den Händen in die Nacht greifend, die immer um ihn war. Und er fühlte, so wie der Blinde niemand anderen auf der Welt hatte als ihn, so hatte auch er niemand anderen als diesen Bruder. Er verstand, daß die Liebe zu diesem Bruder der ganze Inhalt seines Lebens war, und wußte zum ersten Male mit völliger Deutlichkeit, nur der Glaube, daß der Blinde diese Liebe erwiderte und ihm verziehen, hatte ihn alles Elend so geduldig tragen lassen. Er konnte auf diese Hoffnung nicht mit einem Male verzichten. Er fühlte, daß er den Bruder gerade so notwendig brauchte als der Bruder ihn. Er konnte nicht, er wollte ihn nicht verlassen. Er mußte entweder das Mißtrauen erdulden oder ein Mittel finden, um den Blinden von der Grundlosigkeit seines Verdachtes zu überzeugen ... Ja, wenn er sich irgendwie das Goldstück verschaffen könnte! Wenn er dem Blinden morgen früh sagen könnte: „Ich habe es nur aufbewahrt, damit du's nicht mit den Arbeitern vertrinkst, damit es dir die Leute nicht stehlen" ... oder sonst irgend etwas ...

Schritte näherten sich auf der Holztreppe; die Reisenden gingen zur Ruhe. Plötzlich durchzuckte seinen Kopf der Einfall, drüben anzuklopfen, den

Fremden wahrheitsgetreu den heutigen Vorfall zu erzählen und sie um die zwanzig Franken zu bitten. Aber er wußte auch gleich: das war vollkommen aussichtslos! Sie würden ihm die ganze Geschichte nicht einmal glauben. Und er erinnerte sich jetzt, wie erschrocken der eine blasse zusammengefahren war, als er, Carlo, plötzlich im Dunkel vor dem Wagen aufgetaucht war.

Er streckte sich auf den Strohsack hin. Es war ganz finster im Zimmer. Jetzt hörte er, wie die Arbeiter laut redend und mit schweren Schritten über die Holzstufen hinabgingen. Bald darauf wurden beide Tore geschlossen. Der Knecht ging noch einmal die Treppe auf und ab, dann war es ganz still. Carlo hörte nur mehr das Schnarchen Geronimos. Bald verwirrten sich seine Gedanken in beginnenden Träumen. Als er erwachte, war noch tiefe Dunkelheit um ihn. Er sah nach der Stelle, wo das Fenster war; wenn er die Augen anstrengte, gewahrte er dort mitten in dem undurchdringlichen Schwarz ein tiefgraues Viereck. Geronimo schlief noch immer den schweren Schlaf des Betrunkenen. Und Carlo dachte an den Tag, der morgen war; und ihn schauderte. Er dachte an die Nacht nach diesem Tage, an den Tag nach dieser Nacht, an die Zukunft, die vor ihm lag, und Grauen erfüllte ihn vor der Einsamkeit, die ihm bevorstand. Warum war er abends nicht mutiger gewesen? Warum war er nicht zu den Fremden gegangen und hatte sie um die zwanzig Franken gebeten? Vielleicht hätten sie doch Erbarmen mit ihm gehabt. Und doch — vielleicht war es gut, daß er sie nicht gebeten hatte. Ja, warum war es gut? ... Er setzte sich jäh auf und fühlte sein Herz klopfen. Er wußte, warum es gut war: Wenn sie ihn abgewiesen hätten, so wäre er ihnen jedenfalls verdächtig geblieben — so aber . . . Er starrte auf

den grauen Fleck, der matt zu leuchten begann . .
Das, was ihm gegen seinen eigenen Willen durch den
Kopf gefahren, war ja unmöglich, vollkommen unmöglich! . . . Die Tür drüben war versperrt — und
überdies: sie konnten aufwachen . . . Ja, dort — der
graue leuchtende Fleck mitten im Dunkel war der
neue Tag — — —

Carlo stand auf, als zöge es ihn dorthin, und berührte
mit der Stirn die kalte Scheibe. Warum war er denn
aufgestanden? Um zu überlegen? . . . Um es zu versuchen? . . . Was denn? . . . Es war ja unmöglich —
und überdies war es ein Verbrechen. Ein Verbrechen?
Was bedeuten zwanzig Franken für solche Leute, die
zum Vergnügen tausend Meilen weit reisen? Sie
würden ja gar nicht merken, daß sie ihnen fehlten . . .
Er ging zur Türe und öffnete sie leise. Gegenüber
war die andere, mit zwei Schritten zu erreichen, geschlossen. An einem Nagel im Pfosten hingen Klei-
dungsstücke. Carlo fuhr mit der Hand über sie . . .
Ja, wenn die Leute ihre Börsen in der Tasche ließen,
dann wäre das Leben sehr einfach, dann brauchte bald
niemand mehr betteln zu gehen . . . Aber die Taschen
waren leer. Nun, was blieb übrig? Wieder zurück ins
Zimmer, auf den Strohsack. Es gab vielleicht doch
eine bessere Art, sich zwanzig Franken zu verschaffen
— eine weniger gefährliche und rechtlichere. Wenn er
wirklich jedesmal einige Zentesimi von den Almosen zu-
rückbehielte, bis er zwanzig Franken zusammengespart,
und dann das Goldstück kaufte . . . Aber wie lang konnte
das dauern — Monate, vielleicht ein Jahr. Ah, wenn er
nur Mut hätte! Noch immer stand er auf dem Gang.
Er blickte zur Tür hinüber . . . Was war das für ein
Streif, der senkrecht von oben auf den Fußboden fiel?
War es möglich? Die Tür war nur angelehnt, nicht
versperrt? . . . Warum staunte er denn darüber? Seit

Monaten schon schloß die Tür nicht. Wozu auch? Er erinnerte sich: nur dreimal hatten hier in diesem Sommer Leute geschlafen, zweimal Handwerksburschen und einmal ein Tourist, der sich den Fuß verletzt hatte. Die Tür schließt nicht — er braucht jetzt nur Mut — ja, und Glück! Mut? Das Schlimmste, was ihm geschehen kann, ist, daß die beiden aufwachen, und da kann er noch immer eine Ausrede finden. Er lugt durch den Spalt ins Zimmer. Es ist noch so dunkel, daß er eben nur die Umrisse von zwei auf den Betten lagernden Gestalten gewahren kann. Er horcht auf: sie atmen ruhig und gleichmäßig. Carlo öffnet die Tür leicht und tritt mit seinen nackten Füßen völlig geräuschlos ins Zimmer. Die beiden Betten stehen der Länge nach an der gleichen Wand dem Fenster gegenüber. In der Mitte des Zimmers ist ein Tisch; Carlo schleicht bis hin. Er fährt mit der Hand über die Fläche und fühlt einen Schlüsselbund, ein Federmesser, ein kleines Buch — weiter nichts . . . Nun natürlich! . . . Daß er nur daran denken konnte, sie würden ihr Geld auf den Tisch legen! Ah, nun kann er gleich wieder fort! . . . Und doch, vielleicht braucht es nur einen guten Griff und es ist geglückt . . . Und er nähert sich dem Bett neben der Tür; hier auf dem Sessel liegt etwas — er fühlt danach — es ist ein Revolver . . . Carlo zuckt zusammen . . . Ob er ihn nicht lieber gleich behalten sollte? Denn warum hat dieser Mensch den Revolver bereitliegen? Wenn er erwacht und ihn bemerkt . . . Doch nein, er würde ja sagen: Es ist drei Uhr, gnädiger Herr, aufstehn! . . . Und er läßt den Revolver liegen.

Und er schleicht tiefer ins Zimmer. Hier auf dem anderen Sessel unter den Wäschestücken . . . Himmel! das ist sie . . . das ist eine Börse — er hält sie in der Hand! . . . In diesem Moment hört er ein leises Krachen.

Mit einer raschen Bewegung streckt er sich der Länge nach zu Füßen des Bettes hin ... Noch einmal dieses Krachen — ein schweres Aufatmen — ein Räuspern — dann wieder Stille, tiefe Stille. Carlo bleibt auf dem Boden liegen, die Börse in der Hand, und wartet. Es rührt sich nichts mehr. Schon fällt der Dämmer blaß ins Zimmer herein. Carlo wagt nicht aufzustehen, sondern kriecht auf dem Boden vorwärts bis zur Tür, die weit genug offen steht, um ihn durchzulassen, kriecht weiter bis auf den Gang hinaus, und hier erst erhebt er sich langsam, mit einem tiefen Atemzug. Er öffnet die Börse; sie ist dreifach geteilt: links und rechts nur kleine Silberstücke. Nun öffnet Carlo den mittleren Teil, der durch einen Schieber nochmals verschlossen ist, und fühlt drei Zwanzigfrankenstücke. Einen Augenblick denkt er daran, zwei davon zu nehmen, aber rasch weist er diese Versuchung von sich, nimmt nur ein Goldstück heraus und schließt die Börse zu. Dann kniet er nieder, blickt durch die Spalte in die Kammer, in der es wieder völlig still ist, und dann gibt er der Börse einen Stoß, so daß sie bis unter das zweite Bett gleitet. Wenn der Fremde aufwacht, wird er glauben müssen, daß sie vom Sessel heruntergefallen ist. Carlo erhebt sich langsam. Da knarrt der Boden leise, und im gleichen Augenblick hört er eine Stimme von drinnen: „Was ist's? Was gibt's denn?" Carlo macht rasch zwei Schritte rückwärts, mit verhaltenem Atem, und gleitet in seine eigene Kammer. Er ist in Sicherheit und lauscht ... Noch einmal kracht drüben das Bett, und dann ist alles still. Zwischen seinen Fingern hält er das Goldstück. Es ist gelungen — gelungen! Er hat die zwanzig Franken, und er kann seinem Bruder sagen: ‚Siehst du nun, daß ich kein Dieb bin!' Und sie werden sich noch heute auf die Wanderschaft machen — gegen den Süden zu, nach Bormio, dann weiter durchs Veltlin . . . dann nach Tirano . . . nach Edole . . . nach Breno . . . an den See von Iseo wie voriges Jahr . . . Das wird durchaus nicht verdächtig sein, denn schon vorgestern hat er selbst zum Wirt gesagt: „In ein paar Tagen gehen wir hinunter."

Immer lichter wird es, das ganze Zimmer liegt in grauem Dämmer da. Ah, wenn Geronimo nur bald aufwachte! Es wandert sich so gut in der Frühe! Noch vor Sonnenaufgang werden sie fortgehen. Einen guten Morgen dem Wirt, dem Knecht und Maria auch, und dann fort, fort . . . Und erst wenn sie zwei Stunden weit sind, schon nahe dem Tale, wird er es Geronimo sagen.

Geronimo reckt und dehnt sich. Carlo ruft ihn an: „Geronimo!"

„Nun, was gibt's?" Und er stützt sich mit beiden Händen und setzt sich auf.

„Geronimo, wir wollen aufstehen."

„Warum?" Und er richtet die toten Augen auf den Bruder. Carlo weiß, daß Geronimo sich jetzt des gestrigen Vorfalles besinnt, aber er weiß auch, daß der keine Silbe darüber reden wird, ehe er wieder betrunken ist.

„Es ist kalt, Geronimo, wir wollen fort. Es wird heuer nicht mehr besser; ich denke, wir gehen. Zu Mittag können wir in Boladore sein."

Geronimo erhob sich. Die Geräusche des erwachenden Hauses wurden vernehmbar. Unten im Hof sprach der Wirt mit dem Knecht. Carlo stand auf und begab sich hinunter. Er war immer früh wach und ging oft schon in der Dämmerung auf die Straße hinaus. Er trat zum Wirt hin und sagte: „Wir wollen Abschied nehmen."

„Ah, geht ihr schon heut?" fragte der Wirt.

„Ja. Es friert schon zu arg, wenn man jetzt im Hof steht, und der Wind zieht durch."

„Nun, grüß mir den Baldetti, wenn du nach Bormio hinunterkommst, und er soll nicht vergessen, mir das Öl zu schicken."

„Ja, ich will ihn grüßen. Im übrigen — das Nachtlager von heut." Er griff in den Sack.

„Laß sein, Carlo," sagte der Wirt. „Die zwanzig Zentesimi schenk' ich deinem Bruder; ich hab' ihm ja auch zugehört. Guten Morgen."

„Dank," sagte Carlo. „Im übrigen, so eilig haben wir's nicht. Wir sehen dich noch, wenn du von den Hütten zurückkommst; Bormio bleibt am selben Fleck stehen, nicht wahr?" Er lachte und ging die Holzstufen hinauf.

Geronimo stand mitten im Zimmer und sagte: „Nun, ich bin bereit zu gehen."

„Gleich," sagte Carlo.

Aus einer alten Kommode, die in einem Winkel des Raumes stand, nahm er ihre wenigen Habseligkeiten und packte sie in ein Bündel. Dann sagte er: „Ein schöner Tag, aber sehr kalt."

„Ich weiß," sagte Geronimo. Beide verließen die Kammer.

„Geh leise," sagte Carlo, „hier schlafen die zwei, die gestern Abend gekommen sind." Behutsam schritten sie hinunter. „Der Wirt läßt dich grüßen," sagte Carlo; „er hat uns die zwanzig Zentesimi für heut Nacht geschenkt. Nun ist er bei den Hütten draußen und kommt erst in zwei Stunden wieder. Wir werden ihn ja im nächsten Jahre wiedersehen."

Geronimo antwortete nicht. Sie traten auf die Landstraße, die im Dämmerschein vor ihnen lag. Carlo ergriff den linken Arm seines Bruders, und beide schritten schweigend talabwärts. Schon nach kurzer

Wanderung waren sie an der Stelle, wo die Straße in langgezogenen Kehren weiterzulaufen beginnt. Nebel stiegen nach aufwärts, ihnen entgegen, und über ihnen die Höhen schienen von den Wolken wie eingeschlungen. Und Carlo dachte: Nun will ich's ihm sagen.

Carlo sprach aber kein Wort, sondern nahm das Goldstück aus der Tasche und reichte es dem Bruder; dieser nahm es zwischen die Finger der rechten Hand, dann führte er es an die Wange und an die Stirn, endlich nickte er. „Ich hab's ja gewußt," sagte er.

„Nun ja," erwiderte Carlo und sah Geronimo befremdet an.

„Auch wenn der Fremde mir nichts gesagt hätte, ich hätte es doch gewußt."

„Nun ja," sagte Carlo ratlos. „Aber du verstehst doch, warum ich da oben vor den anderen — ich habe gefürchtet, daß du das Ganze auf einmal — — Und sieh, Geronimo, es wäre doch an der Zeit, hab' ich mir gedacht, daß du dir einen neuen Rock kaufst und ein Hemd und Schuhe auch, glaube ich; darum habe ich . . ."

Der Blinde schüttelte heftig den Kopf. „Wozu?" Und er strich mit der einen Hand über seinen Rock. „Gut genug, warm genug; jetzt kommen wir nach dem Süden."

Carlo begriff nicht, daß Geronimo sich gar nicht zu freuen schien, daß er sich nicht entschuldigte. Und er redete weiter: „Geronimo, war es denn nicht recht von mir? Warum freust du dich denn nicht? Nun haben wir es doch, nicht wahr? Nun haben wir es ganz. Wenn ich dir's oben gesagt hätte, wer weiß . . . Oh, es ist gut, daß ich dir's nicht gesagt habe — gewiß!"

Da schrie Geronimo: „Hör' auf zu lügen, Carlo, ich habe genug davon!"

Carlo blieb stehen und ließ den Arm des Bruders los. „Ich lüge nicht."

„Ich weiß doch, daß du lügst! . . . Immer lügst du! . . . Schon hundertmal hast du gelogen! . . . Auch das hast du für dich behalten wollen, aber Angst hast du bekommen, das ist es!"

Carlo senkte den Kopf und antwortete nichts. Er faßte wieder den Arm des Blinden und ging mit ihm weiter. Es tat ihm weh, daß Geronimo so sprach; aber er war eigentlich erstaunt, daß er nicht trauriger war.

Die Nebel zerteilten sich. Nach langem Schweigen sprach Geronimo: „Es wird warm." Er sagte es gleichgültig, selbstverständlich, wie er es schon hundertmal gesagt, und Carlo fühlte in diesem Augenblick: für Geronimo hatte sich nichts geändert. Für Geronimo war er immer ein Dieb gewesen.

„Hast du schon Hunger?" fragte er.

Geronimo nickte, zugleich nahm er ein Stück Käse und Brot aus der Rocktasche und aß davon. Und sie gingen weiter.

Die Post von Bormio begegnete ihnen; der Kutscher rief sie an: „Schon hinunter?" Dann kamen noch andere Wagen, die alle aufwärts fuhren.

„Luft aus dem Tal," sagte Geronimo, und im gleichen Augenblick, nach einer raschen Wendung, lag das Veltlin zu ihren Füßen.

Wahrhaftig — nichts hat sich geändert, dachte Carlo . . . Nun hab' ich gar für ihn gestohlen — und auch das ist umsonst gewesen.

Die Nebel unter ihnen wurden immer dünner, der Glanz der Sonne riß Löcher hinein. Und Carlo dachte: ,Vielleicht war es doch nicht klug, so rasch das Wirtshaus zu verlassen . . . Die Börse liegt unter dem Bett, das ist jedenfalls verdächtig . . .' Aber wie gleichgültig war das alles! Was konnte ihm noch Schlimmes geschehen? Sein Bruder, dem er das Licht der Augen zerstört, glaubte sich von ihm bestohlen und glaubte es schon jahrelang und wird es immer glauben — was konnte ihm noch Schlimmes geschehen?

Da unter ihnen lag das große weiße Hotel wie in Morgenglanz gebadet, und tiefer unten, wo das Tal sich zu weiten beginnt, lang hingestreckt, das Dorf. Schweigend gingen die beiden weiter, und immer lag Carlos Hand auf dem Arm des Blinden. Sie gingen an dem Park des Hotels vorüber, und Carlo sah auf der Terrasse Gäste in lichten Sommergewändern sitzen und frühstücken. „Wo willst du rasten?" fragte Carlo.

„Nun, im ‚Adler', wie immer."

Als sie bei dem kleinen Wirtshause am Ende des Dorfes angelangt waren, kehrten sie ein. Sie setzten sich in die Schenke und ließen sich Wein geben.

„Was macht ihr so früh bei uns?" fragte der Wirt.

Carlo erschrak ein wenig bei dieser Frage. „Ist's denn so früh? Der zehnte oder elfte September — nicht?"

„Im vergangenen Jahr war es gewiß viel später, als ihr herunterkamt."

„Es ist so kalt oben," sagte Carlo. „Heut Nacht haben wir gefroren. Ja richtig, ich soll dir bestellen, du möchtest nicht vergessen, das Öl hinaufzuschicken."

Die Luft in der Schenke war dumpf und schwül. Eine sonderbare Unruhe befiel Carlo; er wollte gern wieder im Freien sein, auf der großen Straße, die nach Tirano, nach Edole, nach dem See von Iseo, überallhin, in die Ferne führt! Plötzlich stand er auf.

„Gehen wir schon?" fragte Geronimo.

„Wir wollen doch heut Mittag in Boladore sein, im ‚Hirschen' halten die Wagen Mittagsrast; es ist ein guter Ort."

Und sie gingen. Der Friseur Benozzi stand rauchend

vor seinem Laden. „Guten Morgen," rief er. „Nun, wie sieht's da oben aus? Heut Nacht hat es wohl geschneit?"

„Ja, ja", sagte Carlo und beschleunigte seine Schritte. Das Dorf lag hinter ihnen, weiß dehnte sich die Straße zwischen Wiesen und Weinbergen, dem rauschenden Fluß entlang. Der Himmel war blau und still. ‚Warum hab' ich's getan?' dachte Carlo. Er blickte den Blinden von der Seite an. ‚Sieht sein Gesicht denn anders aus als sonst? Immer hat er es geglaubt — immer bin ich allein gewesen — und immer hat er mich gehaßt.' Und ihm war, als schritte er unter einer schweren Last weiter, die er doch niemals von den Schultern werfen dürfte, und als könnte er die Nacht sehen, durch die Geronimo an seiner Seite schritt, während die Sonne leuchtend auf allen Wegen lag.

Und sie gingen weiter, gingen, gingen stundenlang. Von Zeit zu Zeit setzte sich Geronimo auf einen Meilenstein, oder sie lehnten beide an einem Brückengeländer, um zu rasten. Wieder kamen sie durch ein Dorf. Vor dem Wirtshause standen Wagen, Reisende waren ausgestiegen und gingen hin und her; aber die beiden Bettler blieben nicht. Wieder hinaus auf die offene Straße. Die Sonne stieg immer höher; Mittag mußte nahe sein. Es war ein Tag wie tausend andere.

„Der Turm von Boladore," sagte Geronimo. Carlo blickte auf. Er wunderte sich, wie genau Geronimo die Entfernungen berechnen konnte: wirklich war der Turm von Boladore am Horizont erschienen. Noch von ziemlich weither kam ihnen jemand entgegen. Es schien Carlo, als sei er am Wege gesessen und plötzlich aufgestanden. Die Gestalt kam näher. Jetzt sah Carlo, daß es ein Gendarm war, wie er ihnen so oft auf der Landstraße begegnete. Trotzdem schrak Carlo leicht zusammen. Aber als der Mann näher kam, erkannte er ihn und war beruhigt. Es war Pietro Tenelli; erst im Mai waren die beiden Bettler im Wirtshaus des Raggazzi in Morignone mit ihm zusammen gesessen, und er hatte ihnen eine schauerliche Geschichte erzählt, wie er von einem Strolch einmal beinahe erdolcht worden war.

„Es ist einer stehen geblieben," sagte Geronimo.

„Tenelli, der Gendarm," sagte Carlo.

Nun waren sie an ihn herangekommen.

„Guten Morgen, Herr Tenelli," sagte Carlo und blieb vor ihm stehen.

„Es ist nun einmal so," sagte der Gendarm, „ich muß euch vorläufig beide auf den Posten nach Boladore führen."

„Eh!" rief der Blinde.

Carlo wurde blaß. ,Wie ist das nur möglich?' dachte er. ,Aber es kann sich nicht darauf beziehen. Man kann es ja hier unten noch nicht wissen.'

„Es scheint ja euer Weg zu sein," sagte der Gendarm lachend, „es macht euch wohl nichts, wenn ihr mitgeht."

„Warum redest du nichts, Carlo?" fragte Geronimo.

„O ja, ich rede . . . Ich bitte, Herr Gendarm, wie ist es denn möglich . . . was sollen wir denn . . . oder vielmehr, was soll ich . . . wahrhaftig, ich weiß nicht . . ."

„Es ist nun einmal so. Vielleicht bist du auch unschuldig. Was weiß ich. Jedenfalls haben wir die telegraphische Anzeige ans Kommando bekommen, daß wir euch aufhalten sollen, weil ihr verdächtig seid, dringend verdächtig, da oben den Leuten Geld gestohlen zu haben. Nun, es ist auch möglich, daß ihr unschuldig seid. Also vorwärts!"

„Warum sprichst du nichts, Carlo?" fragte Geronimo.

„Ich rede — o ja, ich rede . . ."

„Nun geht endlich! Was hat es für einen Sinn, auf der Straße stehen zu bleiben! Die Sonne brennt. In einer Stunde sind wir an Ort und Stelle. Vorwärts!"

Carlo berührte den Arm Geronimos wie immer, und so gingen sie langsam weiter, der Gendarm hinter ihnen. „Carlo, warum redest du nicht?" fragte Geronimo wieder.

„Aber was willst du, Geronimo, was soll ich sagen? Es wird sich alles herausstellen; ich weiß selber nicht.."

Und es ging ihm durch den Kopf: ‚Soll ich's ihm erklären, eh wir vor Gericht stehen? . . . Es geht wohl nicht. Der Gendarm hört uns zu . . . Nun, was tut's. Vor Gericht werd' ich ja doch die Wahrheit sagen. „Herr Richter," werd' ich sagen, „es ist doch kein Diebstahl wie ein anderer. Es war nämlich so:..." Und nun mühte er sich, die Worte zu finden, um vor Gericht die Sache klar und verständlich darzustellen. „Da fuhr gestern ein Herr über den Paß . . . es mag ein Irrsinniger gewesen sein — oder am End' hat er sich nur geirrt . . . und dieser Mann . . ."

Aber was für ein Unsinn! Wer wird es glauben? . . . Man wird ihn gar nicht so lange reden lassen. — Niemand kann diese dumme Geschichte glauben . . . nicht einmal Geronimo glaubt sie . . . — Und er sah ihn von der Seite an. Der Kopf des Blinden bewegte sich nach alter Gewohnheit während des Gehens wie im Takte auf und ab, aber das Gesicht war regungslos, und die leeren Augen stierten in die Luft. — Und Carlo wußte plötzlich, was für Gedanken hinter dieser Stirne liefen . . . ‚So also stehen die Dinge,' mußte Geronimo wohl denken. — ‚Carlo bestiehlt nicht nur mich, auch die anderen Leute bestiehlt er . . . Nun, er hat es gut, er hat Augen, die sehen, und er nützt sie aus . . .' — Ja, das denkt Geronimo, ganz gewiß . . . Und auch, daß man kein Geld bei mir finden wird, kann mir nicht helfen, — nicht vor Gericht, nicht vor Geronimo. Sie werden mich einsperren und ihn . . . Ja, ihn geradeso wie mich, denn er hat ja das Geldstück. —

Und er konnte nicht mehr weiter denken, er fühlte sich so sehr verwirrt. Es schien ihm, als verstünde er überhaupt nichts mehr von der ganzen Sache, und wußte nur eines: daß er sich gern auf ein Jahr in den Arrest setzen ließe ... oder auf zehn, wenn nur Geronimo wüßte, daß er für ihn allein zum Dieb geworden war.

Und plötzlich blieb Geronimo stehen, so daß auch Carlo innehalten mußte.

„Nun, was ist denn?" sagte der Gendarm ärgerlich. „Vorwärts, vorwärts!" Aber da sah er mit Verwunderung, daß der Blinde die Gitarre auf den Boden fallen ließ, seine Arme erhob und mit beiden Händen nach den Wangen des Bruders tastete. Dann näherte er seine Lippen dem Munde Carlos, der zuerst nicht wußte, wie ihm geschah, und küßte ihn.

„Seid ihr verrückt?" fragte der Gendarm. „Vorwärts! vorwärts! Ich habe keine Lust zu braten."

Geronimo hob die Gitarre vom Boden auf, ohne ein Wort zu sprechen. Carlo atmete tief auf und legte die Hand wieder auf den Arm des Blinden. War es denn möglich? Der Bruder zürnte ihn nicht mehr? Er begriff am Ende —? Und zweifelnd sah er ihn von der Seite an.

„Vorwärts!" schrie der Gendarm. „Wollt ihr endlich —!" Und er gab Carlo eins zwischen die Rippen.

Und Carlo, mit festem Druck den Arm des Blinden leitend, ging wieder vorwärts. Er schlug einen viel rascheren Schritt ein als früher. Denn er sah Geronimo lächeln in einer milden glückseligen Art wie er es seit den Kinderjahren nicht mehr an ihm gesehen hatte. Und Carlo lächelte auch. Ihm war, als könnte ihm jetzt nichts Schlimmes mehr geschehen, — weder vor Gericht, noch sonst irgendwo auf der Welt. — Er hatte seinen Bruder wieder ... Nein, er hatte ihn zum erstenmal ...

LEUTNANT GUSTL

Wie lange wird denn das noch dauern? Ich muß auf die Uhr schauen ... schickt sich wahrscheinlich nicht in einem so ernsten Konzert. Aber wer sieht's denn? Wenn's einer sieht, so paßt er gerade so wenig auf, wie ich, und vor dem brauch' ich mich nicht zu genieren ... Erst viertel auf zehn? . . Mir kommt vor, ich sitz' schon drei Stunden in dem Konzert. Ich bin's halt nicht gewohnt ... Was ist es denn eigentlich? Ich muß das Programm anschauen ... Ja, richtig: Oratorium? Ich hab' gemeint: Messe. Solche Sachen gehören doch nur in die Kirche. Die Kirche hat auch das Gute, daß man jeden Augenblick fortgehen kann. — Wenn ich wenigstens einen Ecksitz hätt'! — Also Geduld, Geduld! Auch Oratorien nehmen ein End'! Vielleicht ist es sehr schön, und ich bin nur nicht in der Laune. Woher sollt' mir auch die Laune kommen? Wenn ich denke, daß ich hergekommen bin, um mich zu zerstreuen ... Hätt' ich die Karte lieber dem Benedek geschenkt, dem machen solche Sachen Spaß; er spielt ja selber Violine. Aber da wär' der Kopetzky beleidigt gewesen. Es war ja sehr lieb von ihm, wenigstens gut gemeint. Ein braver Kerl, der Kopetzky! Der einzige, auf den man sich verlassen kann ... Seine Schwester singt ja mit unter denen da oben. Mindestens hundert Jungfrauen, alle schwarz gekleidet; wie soll ich sie da herausfinden? Weil sie mitsingt, hat er auch das Billett gehabt, der Kopetzky ... Warum ist er denn nicht selber gegangen? — Sie singen übrigens sehr schön. Es ist sehr erhebend — sicher! Bravo! bravo! ... Ja, applaudieren wir mit. Der neben mir klatscht wie verrückt. Ob's ihm wirklich so gut gefällt? — Das Mädel drüben in der Loge ist sehr hübsch. Sieht sie mich an oder den Herrn dort mit dem blonden Vollbart? ... Ah, ein Solo! Wer ist das? Alt: Fräulein Walker, Sopran: Fräulein Michalek ... das ist wahrscheinlich Sopran ... Lang' war ich schon nicht in der Oper. In der Oper unterhalt' ich mich immer, auch wenn's langweilig ist. Übermorgen könnt' ich eigentlich wieder hineingeh'n, zur „Traviata". Ja, übermorgen bin ich vielleicht schon eine tote Leiche! Ah, Unsinn, das glaub' ich selber nicht! Warten S' nur, Herr Doktor, Ihnen wird's vergeh'n, solche Bemerkungen zu machen! Das Nasenspitzel hau' ich Ihnen herunter ...

Wenn ich die in der Loge nur genau sehen könnt'! Ich möcht' mir den Operngucker von dem Herrn neben mir ausleih'n, aber der frißt mich ja auf, wenn ich ihn in seiner Andacht stör' ... In welcher Gegend die Schwester vom Kopetzky steht? Ob ich sie erkennen möcht'? Ich hab' sie ja nur zwei- oder dreimal gesehen, das letztemal im Offizierskasino ... Ob das lauter anständige Mädeln sind, alle hundert? O jeh! ... „Unter Mitwirkung des Singvereins!" — Singverein ... komisch! Ich hab' mir darunter eigentlich immer so was Ähnliches vorgestellt, wie die Wiener Tanzsängerinnen, das heißt, ich hab' schon gewußt, daß es was anderes ist! ... Schöne Erinnerungen! Damals beim „Grünen Tor" ... Wie hat sie nur geheißen? Und dann hat sie mir einmal eine Ansichtskarte aus Belgrad geschickt ... auch eine schöne Gegend! — Der Kopetzky hat's gut, der sitzt jetzt längst im Wirtshaus und raucht seine Virginia! ...

Was guckt mich denn der Kerl dort immer an? Mir scheint, der merkt, daß ich mich langweil' und nicht herg'hör' ... Ich möcht' Ihnen raten, ein etwas weniger freches Gesicht zu machen, sonst stell' ich Sie mir nachher im Foyer! — Schaut schon weg! ... Daß sie alle vor meinem Blick so eine Angst hab'n . . . „Du hast die schönsten Augen, die mir je vorgekommen sind!" hat neulich die Steffi gesagt . . . O Steffi, Steffi, Steffi! — Die Steffi ist eigentlich schuld, daß ich dasitz' und mir stundenlang vorlamentieren lassen muß. — Ah, diese ewige Abschreiberei von der Steffi geht mir wirklich schon auf die Nerven! Wie schön hätt' der heutige Abend sein können. Ich hätt' große Lust, das Brieferl von der Steffi zu lesen. Da hab' ich's ja. Aber wenn ich die Brieftasche herausnehm', frißt mich der Kerl daneben auf! — Ich weiß ja, was drinsteht . . . sie kann nicht kommen, weil sie mit „ihm" nachtmahlen gehen muß . . . Ah, das war komisch vor acht Tagen, wie sie mit ihm in der Gartenbaugesellschaft gewesen ist, und ich vis-a-vis mit'm Kopetzky; und sie hat mir immer die Zeichen gemacht mit den Augerln, die verabredeten. Er hat nichts gemerkt — unglaublich! Muß übrigens ein Jud' sein! Freilich, in einer Bank ist er, und der schwarze Schnurrbart . . . Reserveleutnant soll er auch sein! Na, in mein Regiment sollt' er nicht zur Waffenübung kommen! Überhaupt, daß sie noch immer so viel Juden zu Offizieren machen — da pfeif' ich auf'n ganzen Antisemitismus! Neulich in der Gesellschaft, wo die G'schicht' mit dem Doktor passiert ist bei den Mannheimers . . . die Mannheimer selber sollen ja auch Juden sein, getauft natürlich . . . denen merkt man's aber gar nicht an — besonders die Frau . . . so blond, bildhübsch die Figur . . . War sehr amüsant im ganzen. Famoses Essen, großartige Zigarren . . . Na ja, wer hat's Geld? . . .

Bravo, bravo! Jetzt wird's doch bald aus sein? — Ja, jetzt steht die ganze G'sellschaft da droben auf . . . sieht sehr gut aus — imposant! — Orgel auch? . . . Orgel hab' ich sehr gern . . . So, das laß' ich mir g'fall'n

— sehr schön! Es ist wirklich wahr, man sollt' öfter in Konzerte gehen ... Wunderschön ist's g'wesen, werd' ich dem Kopetzky sagen ... Werd' ich ihn heut' im Kaffeehaus treffen? — Ah, ich hab' gar keine Lust, ins Kaffeehaus zu geh'n; hab' mich gestern so gegiftet! Hundertsechzig Gulden auf einem Sitz verspielt — zu dumm! Und wer hat alles gewonnen? Der Ballert, grad' der, der's nicht notwendig hat ... Der Ballert ist eigentlich schuld, daß ich in das blöde Konzert hab' geh'n müssen ... Na ja, sonst hätt' ich heut' wieder spielen können, vielleicht doch was zurück-gewonnen. Aber es ist ganz gut, daß ich mir selber das Ehrenwort gegeben hab', einen Monat lang keine Karte anzurühren ... Die Mama wird wieder ein G'sicht machen, wenn sie meinen Brief bekommt! — Ah, sie soll zum Onkel geh'n, der hat Geld wie Mist; auf die paar hundert Gulden kommt's ihm nicht an. Wenn ich's nur durchsetzen könnt', daß er mir eine regelmäßige Sustentation gibt ... aber nein, um jeden Kreuzer muß man extra betteln. Dann heißt's wieder: Im vorigen Jahr war die Ernte schlecht! ... Ob ich heuer im Sommer wieder zum Onkel fahren soll auf vierzehn Tag'? Eigentlich langweilt man sich dort zum Sterben ... Wenn ich die ... wie hat sie nur ge-heißen? ... Es ist merkwürdig, ich kann mir keinen Namen merken! ... Ah, ja: Etelka! ... Kein Wort deutsch hat sie verstanden, aber das war auch nicht notwendig ... hab' gar nichts zu reden brauchen! ... Ja, es wird ganz gut sein, vierzehn Tage Landluft und vierzehn Nächt' Etelka oder sonstwer ... Aber acht Tag' sollt' ich doch auch wieder beim Papa und bei der Mama sein ... Schlecht hat sie ausg'seh'n heuer zu Weihnachten ... Na, jetzt wird die Kränkung schon überwunden sein. Ich an ihrer Stelle wär' froh, daß der Papa in Pension gegangen ist. — Und die

Klara wird schon noch einen Mann kriegen ... Der Onkel kann schon was hergeben ... Achtundzwanzig Jahr, das ist doch nicht so alt ... Die Steffi ist sicher nicht jünger ... Aber es ist merkwürdig: die Frauenzimmer erhalten sich länger jung. Wenn man so bedenkt: die Maretti neulich in der „Madame Sans-Gêne" — siebenunddreißig Jahr ist sie sicher, und sieht aus ... Na, ich hätt' nicht Nein g'sagt! — Schad', daß sie mich nicht g'fragt hat ...

Heiß wird's! Noch immer nicht aus? Ah, ich freu' mich so auf die frische Luft! Werd' ein bißl spazieren geh'n, übern Ring ... Heut' heißt's: früh ins Bett, morgen nachmittag frisch sein! Komisch, wie wenig ich daran denk', so egal ist mir das! Das erstemal hat's mich doch ein bißl aufgeregt. Nicht, daß ich Angst g'habt hätt'; aber nervös bin ich gewesen in der Nacht vorher ... Freilich, der Oberleutnant Bisanz war ein ernster Gegner. — Und doch, nichts ist mir g'scheh'n! ... Auch schon anderthalb Jahr her. Wie die Zeit vergeht! Und wenn mir der Bisanz nichts getan hat, der Doktor wird mir schon gewiß nichts tun! Obzwar, gerade diese ungeschulten Fechter sind manchmal die gefährlichsten. Der Doschintzky hat mir erzählt, daß ihn ein Kerl, der das erstemal einen Säbel in der Hand gehabt hat, auf ein Haar abgestochen hätt'; und der Doschintzky ist heut Fechtlehrer bei der Landwehr. Freilich — ob er damals schon so viel können hat ... Das Wichtigste ist: kaltes Blut. Nicht einmal einen rechten Zorn hab' ich mehr in mir, und es war doch eine Frechheit — unglaublich! Sicher hätt' er sich's nicht getraut, wenn er nicht Champagner getrunken hätt' vorher ... So eine Frechheit! Gewiß ein Sozialist! Die Rechtsverdreher sind doch heutzutag' alle Sozialisten! Eine Bande ... am liebsten möchten sie gleich 's ganze Militär abschaffen; aber wer ihnen dann helfen möcht', wenn die Chinesen über sie kommen, daran denken sie nicht. Blödisten! — Man muß gelegentlich ein Exempel statuieren. Ganz recht hab' ich g'habt. Ich bin froh, daß ich ihn nimmer auslassen hab' nach der Bemerkung. Wenn ich dran denk', werd' ich ganz wild! Aber ich hab' mich famos benommen; der Oberst sagt auch, es war absolut korrekt. Wird mir überhaupt nützen, die Sache. Ich kenn' manche, die den Burschen hätten durchschlüpfen lassen. Der Müller sicher, der wär' wieder objektiv gewesen oder so was. Mit dem Objektivsein hat sich noch jeder blamiert... „Herr Leutnant!"... schon die Art, wie er „Herr Leutnant" gesagt hat, war unverschämt!... „Sie werden mir doch zugeben müssen" ... — Wie sind wir denn nur d'rauf gekommen? Wieso hab' ich mich mit dem Sozialisten in ein Gespräch eingelassen? Wie hat's denn nur angefangen? ... Mir scheint, die schwarze Frau, die ich zum Büfett geführt hab', ist auch dabei gewesen... und dann dieser junge Mensch, der die Jagdbilder malt — wie heißt er denn nur?... Meiner Seel', der ist an der ganzen Geschichte schuld gewesen! Der hat von den Manövern geredet; und dann erst ist dieser Doktor dazugekommen und hat irgendwas g'sagt, was mir nicht gepaßt hat, von Kriegsspielerei oder so was — aber wo ich noch nichts hab' reden können... Ja, und dann ist von den Kadettenschulen gesprochen worden... ja, so war's... und ich hab' von einem patriotischen Fest erzählt... und dann hat der Doktor gesagt — nicht gleich, aber aus dem Fest hat es sich entwickelt — „Herr Leutnant, Sie werden mir doch zugeben, daß nicht alle Ihre Kameraden zum Militär gegangen sind, ausschließlich um das Vaterland zu verteidigen!" So eine Frechheit! Das wagt so ein Mensch einem Offizier ins Gesicht zu sagen! Wenn

266

ich mich nur erinnern könnt', was ich d'rauf geantwortet hab'?... Ah ja, etwas von Leuten, die sich in Dinge dreinmengen, von denen sie nichts versteh'n... Ja, richtig... und dann war einer da, der hat die Sache gütlich beilegen wollen, ein älterer Herr mit einem Stockschnupfen... Aber ich war zu wütend! Der Doktor hat das absolut in dem Ton gesagt, als wenn er direkt mich gemeint hätt'. Er hätt' nur noch sagen müssen, daß sie mich aus dem Gymnasium hinausg'schmissen haben, und daß ich deswegen in die Kadettenschul' gesteckt worden bin... Die Leut' können eben unserein'n nicht versteh'n, sie sind zu dumm dazu... Wenn ich mich so erinner', wie ich das erstemal den Rock angehabt hab', so was erlebt eben nicht ein jeder... Im vorigen Jahr bei den Manövern — ich hätt' was drum gegeben, wenn's plötzlich Ernst gewesen wär'... Und der Mirovic hat mir g'sagt, es ist ihm ebenso gegangen. Und dann, wie Seine Hoheit die Front abgeritten sind, und die Ansprache vom Obersten — da muß einer schon ein ordentlicher Lump sein, wenn ihm das Herz nicht höher schlägt... Und da kommt so ein Tintenfisch daher, der sein Lebtag nichts getan hat, als hinter den Büchern gesessen, und erlaubt sich eine freche Bemerkung!... Ah, wart' nur, mein Lieber — bis zur Kampfunfähigkeit... jawohl, du sollst so kampfunfähig werden...

Ja, was ist denn? Jetzt muß es doch bald aus sein? ..."Ihr, seine Engel, lobet den Herrn"... — Freilich, das ist der Schlußchor... Wunderschön, da kann man gar nichts sagen. Wunderschön! — Jetzt hab' ich ganz die aus der Loge vergessen, die früher zu kokettieren angefangen hat. Wo ist sie denn?... Schon fortgegangen... Die dort scheint auch sehr nett zu sein... Zu dumm, daß ich keinen Operngucker bei mir hab'! Der Brunnthaler ist ganz gescheit, der hat sein Glas immer im Kaffeehaus bei der Kassa liegen, da kann einem nichts g'scheh'n ... Wenn sich die Kleine da vor mir nur einmal umdreh'n möcht'! So brav sitzt s' alleweil da. Das neben ihr ist sicher die Mama. — Ob ich nicht doch einmal ernstlich ans Heiraten denken soll? Der Willy war nicht älter als ich, wie er hineingesprungen ist. Hat schon was für sich, so immer gleich ein hübsches Weiberl zu Haus vorrätig zu haben ... Zu dumm, daß die Steffi grad heut' keine Zeit hat! Wenn ich wenigstens wüßte, wo sie ist, möcht' ich mich wieder vis-a-vis von ihr hinsetzen. Das wär' eine schöne G'schicht', wenn ihr der draufkommen möcht', da hätt' ich sie am Hals ... Wenn ich so denk', was dem Fließ sein Verhältnis mit der Winterfeld kostet! Und dabei betrügt sie ihn hinten und vorn. Das nimmt noch einmal ein Ende mit Schrecken ... Bravo, bravo! Ah, aus! ... So, das tut wohl, aufsteh'n können, sich rühren ... Na, vielleicht! Wie lang' wird der da noch brauchen, um sein Glas ins Futteral zu stecken?

„Pardon, pardon, wollen mich nicht hinauslassen?"

Ist das ein Gedränge! Lassen wir die Leut' lieber vorbeipassieren ... Elegante Person ... ob das echte Brillanten sind? ... Die da ist nett ... Wie sie mich anschaut! ... O ja, mein Fräulein, ich möcht' schon! ... O, die Nase! — Jüdin ... Noch eine ... Es ist doch fabelhaft, da sind auch die Hälfte Juden ... nicht einmal ein Oratorium kann man mehr in Ruhe genießen ... So, jetzt schließen wir uns an ... Warum drängt denn der Idiot hinter mir? Das werd' ich ihm abgewöhnen ... Ah, ein älterer Herr! ... Wer grüßt mich denn dort von drüben? ... Habe die Ehre, habe die Ehre! Keine Ahnung hab' ich, wer das ist ... das Einfachste wär', ich ging gleich zum Leidinger hinüber nachtmahlen ... oder soll ich in die Gartenbaugesellschaft? Am End' ist die Steffi auch dort? Warum hat sie mir eigentlich nicht geschrieben, wohin sie mit ihm geht? Sie wird's selber noch nicht gewußt haben. Eigentlich schrecklich, so eine abhängige Existenz ... Armes Ding! — So, da ist der Ausgang ... Ah, die ist aber bildschön! Ganz allein? Wie sie mich anlacht. Das wär' eine Idee, der geh' ich nach! ... So, jetzt die Treppen hinunter ... Oh, ein Major von Fünfundneunzig ... Sehr liebenswürdig hat er gedankt ... Bin doch nicht der einzige Offizier hiern gewesen ... Wo ist denn das hübsche Mädel? Ah, dort ... am Geländer steht sie ... So, jetzt heißt's noch zur Garderobe ... Daß mir die Kleine nicht auskommt ... Hat ihm schon! So ein elender Fratz! Laßt sich da von einem Herrn abholen, und jetzt lacht sie noch auf mich herüber! — Es ist doch keine was wert ... Herrgott, ist das ein Gedränge bei der Garderobe! ... Warten wir lieber noch ein bissel ... So! Ob der Blödist meine Nummer nehmen möcht'? ...

„Sie, zweihundertvierundzwanzig! Da hängt er! Na, hab'n Sie keine Augen? Da hängt er! Na, Gott sei Dank! ... Also bitte!" ... Der Dicke da verstellt einem schier die ganze Garderobe ... „Bitte sehr!" ..

„Geduld, Geduld!"

Was sagt der Kerl?

„Nur ein bissel Geduld!"

Dem muß ich doch antworten ... „Machen Sie doch Platz!"

„Na, Sie werden's auch nicht versäumen!"

Was sagt er da? Sagt er das zu mir? Das ist doch stark! Das darf ich mir nicht gefallen lassen! „Ruhig!"

„Was meinen Sie?"

Ah, so ein Ton? Da hört sich doch alles auf! „Stoßen Sie nicht!"

„Sie, halten Sie das Maul!" Das hätt' ich nicht sagen sollen, ich war zu grob . . . Na, jetzt ist's schon g'scheh'n!

„Wie meinen?"

Jetzt dreht er sich um . . . Den kenn' ich ja! — Donnerwetter, das ist ja der Bäckermeister, der immer ins Kaffeehaus kommt . . . Was macht denn der da? Hat sicher auch eine Tochter oder so was bei der Singakademie . . . Ja, was ist denn das? Ja, was macht er denn? Mir scheint gar . . . ja, meiner Seel', er hat den Griff von meinem Säbel in der Hand . . . Ja, ist der Kerl verrückt? . . . „Sie, Herr . . ."

„Sie, Herr Leutnant, sein S' jetzt ganz stad."

Was sagt er da? Um Gottes willen, es hat's doch keiner gehört? Nein, er red't ganz leise . . . Ja, warum laßt er denn meinen Säbel net aus? . . . Herrgott noch einmal . . . Ah, da heißt's rabiat sein . . . ich bring' seine Hand vom Griff nicht weg . . . nur keinen Skandal jetzt! . . . Ist nicht am End' der Major hinter mir? . . . Bemerkt's nur niemand, daß er den Griff von meinem Säbel hält? Er red't ja zu mir! Was red't er denn?

„Herr Leutnant, wenn Sie das geringste Aufsehen machen, so zieh' ich den Säbel aus der Scheide, zerbrech' ihn und schick' die Stück' an Ihr Regimentskommando. Versteh'n Sie mich, Sie dummer Bub?"

Was hat er g'sagt? Mir scheint, ich träum'! Red't er wirklich zu mir? Ich sollt' was antworten . . . Aber der Kerl macht ja Ernst — der zieht wirklich den Säbel heraus. Herrgott — er tut's! . . . Ich spür's, er reißt schon dran. Was red't er denn? . . . Um Gottes willen, nur kein' Skandal — — Was red't er denn noch immer?

„Aber ich will Ihnen die Karriere nicht verderben . . . Also, schön brav sein! . . . So, hab'n S' keine Angst, 's hat niemand was gehört . . . es ist schon alles gut . . .

so! Und damit keiner glaubt, daß wir uns gestritten haben, werd' ich jetzt sehr freundlich mit Ihnen sein! — Habe die Ehre, Herr Leutnant, hat mich sehr gefreut — habe die Ehre."

Um Gottes willen, hab' ich geträumt?... Hat er das wirklich gesagt?... Wo ist er denn?... Da geht er... Ich müßt' ja den Säbel ziehen und ihn zusammen hauen — — Um Gottes willen, es hat's doch niemand gehört?... Nein, er hat ja nur ganz leise geredet, mir ins Ohr... Warum geh' ich denn nicht hin und hau' ihm den Schädel auseinander?... Nein, es geht ja nicht, es geht ja nicht... gleich hätt' ich's tun müssen... Warum hab' ich's denn nicht gleich getan?... Ich hab's ja nicht können... er hat ja den Griff nicht auslassen, und er ist zehnmal stärker als ich... Wenn ich noch ein Wort gesagt hätt', hätt' er mir wirklich den Säbel zerbrochen... Ich muß ja noch froh sein, daß er nicht laut geredet hat! Wenn's ein Mensch gehört hätt', so müßt' ich mich ja *stante pede* erschießen... Vielleicht ist es doch ein Traum gewesen... Warum schaut mich denn der Herr dort an der Säule so an? — hat der am End' was gehört?.. Ich werd' ihn fragen... Fragen? — Ich bin ja verrückt! — Wie schau' ich denn aus? — Merkt man mir was an? — Ich muß ganz blaß sein. — Wo ist der Hund?... Ich muß ihn umbringen!... Fort ist er.. Überhaupt schon ganz leer... Wo ist denn mein Mantel?... Ich hab' ihn ja schon angezogen... Ich hab's gar nicht gemerkt... Wer hat mir denn geholfen? ... Ah, der da... dem muß ich ein Sechserl geben.. So!... Aber was ist denn das? Ist es denn wirklich gescheh'n? Hat wirklich einer so zu mir geredet? Hat mir wirklich einer „dummer Bub" gesagt? Und ich hab' ihn nicht auf der Stelle zusammengehauen?... Aber ich hab' ja nicht können... er hat ja eine Faust gehabt wie Eisen ... ich bin ja dagestanden wie angenagelt ... Nein, ich muß den Verstand verloren gehabt haben, sonst hätt' ich mit der anderen Hand ... Aber da hätt' er ja meinen Säbel herausgezogen und zerbrochen, und aus wär's gewesen — alles wär' aus gewesen! Und nachher, wie er fortgegangen ist, war's zu spät ... ich hab' ihm doch nicht den Säbel von hinten in den Leib rennen können.

Was, ich bin schon auf der Straße? Wie bin ich denn da herausgekommen? — So kühl ist es ... ah, der Wind, der ist gut ... Wer ist denn das da drüben? Warum schau'n denn die zu mir herüber? Am Ende haben die was gehört ... Nein, es kann niemand was gehört haben ... ich weiß ja, ich hab' mich gleich nachher umgeschaut! Keiner hat sich um mich gekümmert, niemand hat was gehört ... Aber gesagt hat er's, wenn's auch niemand gehört hat; gesagt hat er's doch. Und ich bin dagestanden und hab' mir's gefallen lassen, wie wenn mich einer vor den Kopf geschlagen hätt'! ... Aber ich hab' ja nichts sagen können, nichts tun können; es war ja noch das einzige, was mir übrig geblieben ist: stad sein, stad sein! ... 's ist fürchterlich, es ist nicht zum Aushalten; ich muß ihn totschlagen, wo ich ihn treff'! ... Mir sagt das einer! Mir sagt das so ein Kerl, so ein Hund! Und er kennt mich ... Herrgott noch einmal, er kennt mich, er weiß, wer ich bin! ... Er kann jedem Menschen erzählen, daß er mir das g'sagt hat! ... Nein, nein, das wird er ja nicht tun, sonst hätt' er auch nicht so leise geredet ... er hat auch nur wollen, daß ich es allein hör'! ... Aber wer garantiert mir, daß er's nicht doch erzählt, heut' oder morgen, seiner Frau, seiner Tochter, seinen Bekannten im Kaffeehaus. — — Um Gottes willen, morgen seh' ich ihn ja wieder! Wenn ich morgen ins Kaffeehaus komm', sitzt er wieder dort wie alle Tag' und spielt seinen Tapper mit dem Herrn Schlesinger und mit dem Kunstblumenhändler ... Nein, nein, das geht ja nicht, das geht ja nicht ... Wenn ich ihn seh', so hau' ich ihn zusammen ... Nein, das darf ich ja nicht ... gleich hätt' ich's tun müssen, gleich! ... Wenn's nur gegangen wär'! Ich werd' zum Obersten geh'n und ihm die Sache melden ... ja, zum Obersten ... Der Oberst ist immer sehr freundlich — und ich werd' ihm sagen: Herr Oberst, ich melde gehorsamst, er hat den Griff gehalten, er hat ihn nicht aus'lassen; es war genau so, als wenn ich ohne Waffe gewesen wäre ... — Was wird der Oberst sagen? — Was er sagen wird? — Aber da gibt's ja nur eins: quittieren mit Schimpf und Schand' — quittieren! ... Sind das Freiwillige da drüben? ... Ekelhaft, bei der Nacht schau'n sie aus, wie Offiziere ... sie salutieren! — Wenn die wüßten — wenn die wüßten! ... — Da ist das Café Hochleitner ... Sind jetzt gewiß ein paar Kameraden drin ... vielleicht auch einer oder der andere, den ich kenn' ... Wenn ich's dem ersten Besten erzählen möcht', aber so, als wär's einem andern passiert? ... — Ich bin ja schon ganz irrsinnig ... Wo lauf' ich denn da herum? Was tu' ich denn auf der Straße? — Ja, aber wo soll ich denn hin? Hab' ich nicht zum Leidinger wollen? Haha, unter Menschen mich niedersetzen ... ich glaub', ein jeder müßt' mir's anseh'n ... Ja, aber irgenwas muß doch gescheh'n ... Was soll denn gescheh'n? ... Nichts, nichts — es hat ja niemand was gehört ... es weiß ja niemand was ... in dem Moment weiß niemand was .. Wenn ich jetzt zu ihm in die Wohnung ginge und ihn beschwören möchte, daß er's niemandem erzählt? ... — Ah, lieber gleich eine Kugel vor den Kopf, als so was! ... Wär' so das Gescheiteste! ... Das Gescheiteste? Das Gescheiteste? — Gibt ja überhaupt nichts anderes . . . gibt nichts anderes . . . Wenn ich den Oberst fragen möcht', oder den Kopetzky — oder den Blany — oder den Friedmair: — jeder möcht' sagen: Es bleibt dir nichts anderes übrig! . . . Wie wär's, wenn ich mit dem Kopetzky spräch'? . . . Ja, es wär' doch das Vernünftigste . . . schon wegen morgen . . . Ja, natürlich — wegen morgen . . . um vier in der Reiterkasern' . . . ich soll mich ja morgen um vier Uhr schlagen . . . und ich darf's ja nimmer, ich bin satisfaktionsunfähig . . . Unsinn! Unsinn! Kein Mensch weiß was, kein Mensch weiß was! — Es laufen viele herum, denen ärgere Sachen passiert sind, als mir . . . Was hat man nicht alles von dem Deckener erzählt, wie er sich mit dem Rederow geschossen hat . . . und der Ehrenrat hat entschieden, das Duell darf stattfinden . . . Aber wie möcht' der Ehrenrat bei mir entscheiden? — Dummer Bub — dummer Bub . . . und ich bin dagestanden —! heiliger Himmel, es ist doch ganz egal, ob ein anderer was weiß! . . . ich weiß es doch, und das ist die Hauptsache! Ich spür', daß ich jetzt wer anderer bin, als vor einer Stunde — Ich weiß, daß ich satisfaktionsunfähig bin, und darum muß ich mich totschießen . . . Keine ruhige Minute hätt' ich mehr im Leben . . . immer hätt' ich die Angst, daß es doch einer erfahren könnt', so oder so . . . und daß mir's einer einmal ins Gesicht sagt, was heut' abend gescheh'n ist! — Was für ein glücklicher Mensch bin ich vor einer Stund' gewesen . . . Muß mir der Kopetzky die Karte schenken — und die Steffi muß mir absagen, das Mensch! — Von so was hängt man ab . . . Nachmittag war noch alles gut und schön, und jetzt bin ich ein verlorener Mensch und muß mich totschießen . . . Warum renn' ich denn so? Es lauft mir ja nichts davon . . . Wieviel schlagt's denn? . . . 1, 2, 3, 4, 5, 6, 7, 8, 9, 10, 11 . . . elf, elf . . . ich sollt' doch nachtmahlen

274

geh'n! Irgendwo muß ich doch schließlich hingeh'n ..
ich könnt' mich ja in irgendein Beisl setzen, wo mich
kein Mensch kennt — schließlich, essen muß der
Mensch, auch wenn er sich nachher gleich totschießt
... Haha, der Tod ist ja kein Kinderspiel ... wer hat
das nur neulich gesagt? ... Aber das ist ja ganz
egal ...

Ich möcht' wissen, wer sich am meisten kränken
möcht'? ... die Mama, oder die Steffi? ... die Steffi
... Gott, die Steffi ... die dürft' sich ja nicht einmal
was anmerken lassen, sonst gibt „er" ihr den Abschied
... Arme Person! — Beim Regiment — kein Mensch
hätt' eine Ahnung, warum ich's getan hab' ... sie
täten sich alle den Kopf zerbrechen ... warum hat
sich denn der Gustl umgebracht? — Darauf möcht'
keiner kommen, daß ich mich hab' totschießen müssen,
weil ein elender Bäckermeister, so ein niederträchtiger,
der zufällig stärkere Fäust' hat ... es ist ja zu dumm,
zu dumm! — Deswegen soll ein Kerl wie ich, so ein
junger, fescher Mensch ... Ja, nachher möchten's gewiß alle sagen: das hätt' er doch nicht tun müssen,
wegen so einer Dummheit; ist doch schad'! ... Aber
wenn ich jetzt wen immer fragen tät', jeder möcht'
mir die gleiche Antwort geben ... und ich selber,
wenn ich mich frag' ... das ist doch zum Teufelholen
... ganz wehrlos sind wir gegen die Zivilisten ...
Da meinen die Leut', wir sind besser dran, weil wir
einen Säbel haben ... und wenn schon einmal einer
von der Waffe Gebrauch macht, geht's über uns her,
als wenn wir alle die geborenen Mörder wären ...
In der Zeitung möcht's auch steh'n: ... „Selbstmord eines jungen Offiziers" ... Wie schreiben sie
nur immer? ... „Die Motive sind in Dunkel gehüllt"
... Haha! ... „An seinem Sarge trauern" ... — Aber
es ist ja wahr ... mir ist immer, als wenn ich mir eine

Geschichte erzählen möcht' . . . aber es ist wahr . . . ich muß mich umbringen, es bleibt mir ja nichts anderes übrig — ich kann's ja nicht drauf ankommen lassen, daß morgen früh der Kopetzky und der Blany mir ihr Mandat zurückgeben und mir sagen: wir können dir nicht sekundieren! . . . Ich wär' ja ein Schuft, wenn ich's ihnen zumuten möcht' . . . So ein Kerl wie ich, der dasteht und sich einen dummen Buben heißen läßt . . . morgen wissen's ja alle Leut' . . das ist zu dumm, daß ich mir einen Moment einbilde, so ein Mensch erzählt's nicht weiter . . . überall wird er's erzählen . . . seine Frau weiß's jetzt schon . . . morgen weiß es das ganze Kaffeehaus . . . die Kellner werd'n's wissen . . . der Herr Schlesinger — die Kassierin — — Und selbst wenn er sich vorgenommen hat, er red't nicht davon, so sagt er's übermorgen . . . und wenn er's übermorgen nicht sagt, in einer Woche . . . Und wenn ihn heut nacht der Schlag trifft, so weiß ich's . . . ich weiß es . . . und ich bin nicht der Mensch, der weiter den Rock trägt und den Säbel, wenn ein solcher Schimpf auf ihm sitzt! . . . So, ich muß es tun, und Schluß! — Was ist weiter dabei? — Morgen nachmittag könnt' mich der Doktor mit 'm Säbel erschlagen . . . so was ist schon einmal dagewesen . . . und der Bauer, der arme Kerl, der hat eine Gehirnentzündung kriegt und war in drei Tagen hin . . . und der Brenitsch ist vom Pferd gestürzt und hat sich 's Genick gebrochen . . . und schließlich und endlich: es gibt nichts anderes — für mich nicht, für mich nicht! — Es gibt ja Leut', die's leichter nähmen . . . Gott, was gibt's für Menschen! . . . Dem Ringeimer hat ein Fleischselcher, wie er ihn mit seiner Frau erwischt hat, eine Ohrfeige gegeben, und er hat quittiert und sitzt irgendwo auf'm Land und hat geheiratet . . . Daß es Weiber gibt, die so einen Menschen heiraten! . . . —

Meiner Seel', ich gäb' ihm nicht die Hand, wenn er wieder nach Wien käm' . . . Also, hast's gehört, Gustl: — aus, aus, abgeschlossen mit dem Leben! Punktum und Streusand drauf! . . . So, jetzt weiß ich's, die Geschichte ist ganz einfach . . . So! Ich bin eigentlich ganz ruhig . . . Das hab' ich übrigens immer gewußt: wenn's einmal dazu kommt, werd' ich ruhig sein, ganz ruhig . . . aber daß es so dazu kommt, das hab' ich doch nicht gedacht . . . daß ich mich umbringen muß, weil so ein . . . Vielleicht hab' ich ihn doch nicht recht verstanden . . . am End' hat er ganz was anderes gesagt . . . Ich war ja ganz blöd von der Singerei und der Hitz' . . . vielleicht bin ich verrückt gewesen, und es ist alles gar nicht wahr? . . . Nicht wahr, haha, nicht wahr! — Ich hör's ja noch . . . es klingt mir noch immer im Ohr . . . und ich spür's in den Fingern, wie ich seine Hand vom Säbelgriff hab' wegbringen wollen . . . Ein Kraftmensch ist er, ein Jagendorfer . . . Ich bin doch auch kein Schwächling . . . der Franziski ist der einzige im Regiment, der stärker ist als ich . . .

Die Aspernbrücke . . . Wie weit renn' ich denn noch? — Wenn ich so weiterrenn', bin ich um Mitternacht in Kagran . . . Haha! — Herrgott, froh sind wir gewesen, wie wir im vorigen September dort eingerückt sind. Noch zwei Stunden, und Wien . . . todmüd' war ich, wie wir angekommen sind . . . den ganzen Nachmittag hab' ich geschlafen wie ein Stock, und am Abend waren wir schon beim Ronacher . . . der Kopetzky, der Ladinser und . . . wer war denn nur noch mit uns? — Ja, richtig, der Freiwillige, der uns auf dem Marsch die jüdischen Anekdoten erzählt hat . . . Manchmal sind's ganz nette Burschen, die Einjährigen . . . aber sie sollten alle nur Stellvertreter werden — denn was hat das für einen Sinn? Wir müssen uns jahrelang plagen, und so ein Kerl dient ein Jahr und

hat genau dieselbe Distinktion wie wir . . . es ist eine
Ungerechtigkeit! — Aber was geht mich denn das
alles an? — Was scher' ich mich denn um solche
Sachen? — Ein Gemeiner von der Verpflegsbranche
ist ja jetzt mehr als ich . . . ich bin ja überhaupt nicht
mehr auf der Welt . . . es ist ja aus mit mir . . . Ehre
verloren, alles verloren! . . . Ich hab' ja nichts anderes
zu tun, als meinen Revolver zu laden und . . . Gustl,
Gustl, mir scheint, du glaubst noch immer nicht recht
dran? Komm' nur zur Besinnung . . . es gibt nichts
anderes . . . wenn du auch dein Gehirn zermarterst, es
gibt nichts anderes! — Jetzt heißt's nur mehr, im
letzten Moment sich anständig benehmen, ein Mann sein,
ein Offizier sein, so daß der Oberst sagt: Er ist ein braver
Kerl gewesen, wir werden ihm ein treues Angedenken
bewahren! . . . Wieviel Kompagnien rücken denn aus
beim Leichenbegängnis von einem Leutnant? . . . Das
müßt' ich eigentlich wissen . . . Haha! wenn das ganze
Bataillon ausrückt, oder die ganze Garnison, und sie
feuern zwanzig Salven ab, davon wach' ich doch
nimmer auf! — Vor dem Kaffeehaus, da bin ich im
vorigen Sommer einmal mit dem Herrn von Engel
gesessen, nach der Armee-Steeple-Chase . . . Komisch,
den Menschen hab' ich seitdem nie wieder geseh'n . . .
Warum hat er denn das linke Aug' verbunden gehabt?
Ich hab' ihn immer drum fragen wollen, aber es hätt'
sich nicht gehört . . . Da geh'n zwei Artilleristen . . .
die denken gewiß, ich steig der Person nach . . . Muß
sie mir übrigens anseh'n . . . O schrecklich! — Ich
möcht' nur wissen, wie sich so eine ihr Brot verdient . .
da möcht' ich doch eher . . . Obzwar, in der Not frißt
der Teufel Fliegen . . . in Przemysl — mir hat's nachher so gegraut, daß ich gemeint hab', nie wieder rühr'
ich ein Frauenzimmer an . . . Das war eine gräßliche
Zeit da oben in Galizien . . . eigentlich ein Mordsglück,

daß wir nach Wien gekommen sind. Der Bokorny sitzt noch immer in Sambor und kann noch zehn Jahr dort sitzen und alt und grau werden... Aber wenn ich dort geblieben wär', wär' mir das nicht passiert, was mir heut passiert ist... und ich möcht' lieber in Galizien alt und grau werden, als daß... als was? als was? — Ja, was ist denn? was ist denn? — Bin ich denn wahnsinnig, daß ich das immer vergeß'? — Ja, meiner Seel', vergessen tu' ich's jeden Moment... ist das schon je erhört worden, daß sich einer in ein paar Stunden eine Kugel durch'n Kopf jagen muß, und er denkt an alle möglichen Sachen, die ihn gar nichts mehr angeh'n? Meiner Seel', mir ist geradeso, als wenn ich einen Rausch hätt'! Haha! ein schöner Rausch! ein Mordsrausch! ein Selbstmordsrausch! — Ha! Witze mach' ich, das ist sehr gut! — Ja, ganz gut aufgelegt bin ich — so was muß doch angeboren sein... Wahrhaftig, wenn ich's einem erzählen möcht', er würd' es nicht glauben. — Mir scheint, wenn ich das Ding bei mir hätt'... jetzt würd' ich abdrücken — in einer Sekunde ist alles vorbei... Nicht jeder hat's so gut — andere müssen sich monatelang plagen ... meine arme Cousin', zwei Jahr ist sie gelegen, hat sich nicht rühren können, hat die gräßlichsten Schmerzen g'habt — so ein Jammer!... Ist es nicht besser, wenn man das selber besorgt? Nur Obacht geben heißt's, gut zielen, daß einem nicht am End' das Malheur passiert, wie dem Kadett-Stellvertreter im vorigen Jahr... Der arme Teufel, gestorben ist er nicht, aber blind ist er geworden... Was mit dem nur geschehen ist? Wo er jetzt lebt? — Schrecklich, so herumlaufen, wie der — das heißt: herumlaufen kann er nicht, g'führt muß er werden — so ein junger Mensch, kann heut noch keine Zwanzig sein... seine Geliebte hat er besser getroffen... gleich war sie tot...

Unglaublich, weswegen sich die Leut' totschießen! Wie kann man überhaupt nur eifersüchtig sein? ... Mein Lebtag hab' ich so was nicht gekannt ... Die Steffi ist jetzt gemütlich in der Gartenbaugesellschaft; dann geht sie mit „ihm" nach Haus ... Nichts liegt mir dran, gar nichts! Hübsche Einrichtung hat sie — das kleine Badezimmer mit der roten Latern'. — Wie sie neulich in dem grünseidenen Schlafrock hereingekommen ist ... den grünen Schlafrock werd' ich auch nimmer seh'n — und die ganze Steffi auch nicht ... und die schöne, breite Treppe in der Gußhausstraße werd' ich auch nimmer hinaufgeh'n ... Das Fräulein Steffi wird sich weiter amüsieren, als wenn gar nichts gescheh'n wär' ... nicht einmal erzählen darf sie's wem, daß ihr lieber Gustl sich umgebracht hat ... Aber weinen wird s' schon — ah ja, weinen wird s' ... Überhaupt, weinen werden gar viele Leut' ... Um Gottes willen, die Mama! — Nein, nein, daran darf ich nicht denken. — Ah, nein, daran darf absolut nicht gedacht werden ... An Zuhaus wird nicht gedacht, Gustl, verstanden? — nicht mit dem allerleisesten Gedanken ...

Das ist nicht schlecht, jetzt bin ich gar im Prater .. mitten in der Nacht ... das hätt' ich mir auch nicht gedacht in der Früh, daß ich heut' nacht im Prater spazieren geh'n werd' ... Was sich der Sicherheitswachmann dort denkt? ... Na, geh'n wir nur weiter .. es ist ganz schön ... Mit'm Nachtmahlen ist's eh' nichts, mit dem Kaffeehaus auch nichts; die Luft ist angenehm, und ruhig ist es ... sehr ... Zwar, ruhig werd' ich's jetzt bald haben, so ruhig, als ich's mir nur wünschen kann. Haha! — aber ich bin ja ganz außer Atem ... ich bin ja gerannt wie nicht g'scheit ... langsamer, langsamer, Gustl, versäumst nichts, hast gar nichts mehr zu tun — gar nichts, aber absolut

280

nichts mehr! — Mir scheint gar, ich fröstel'? — Es
wird halt doch die Aufregung sein . . . dann hab' ich
ja nichts gegessen . . . Was riecht denn da so eigentümlich? . . . es kann doch noch nichts blühen? . . .
Was haben wir denn heut'? — den vierten April . . .
freilich, es hat viel geregnet in den letzten Tagen . . .
aber die Bäume sind beinah' noch ganz kahl . . . und
dunkel ist es, hu! man könnt' schier Angst kriegen . . .
Das ist eigentlich das einzigemal in meinem Leben,
daß ich Furcht gehabt hab', als kleiner Bub, damals
im Wald . . . aber ich war ja gar nicht so klein . . . vierzehn oder fünfzehn . . . Wie lang ist das jetzt her? —
neun Jahr' . . . freilich — mit achtzehn war ich Stellvertreter, mit zwanzig Leutnant . . . und im nächsten
Jahr werd' ich . . . Was werd ich im nächsten Jahr?
Was heißt das überhaupt: nächstes Jahr? Was heißt
das: in der nächsten Woche? Was heißt das: übermorgen? . . . Wie? Zähneklappern? Oho! —
Na lassen wir's nur ein bissel klappern . . . Herr
Leutnant, Sie sind jetzt allein, brauchen niemandem
einen Pflanz vorzumachen . . . es ist bitter, es ist
bitter . . .

Ich will mich auf die Bank setzen . . . Ah! — wie
weit bin ich denn da? — So eine Dunkelheit! Das da
hinter mir, das muß das zweite Kaffeehaus sein . . .
bin ich im vorigen Sommer auch einmal gewesen,
wie unsere Kapelle konzertiert hat . . . mit'm Kopetzky
und mit'm Rüttner — noch ein paar waren dabei . . .
— Ich bin aber müd' . . . nein, ich bin müd', als wenn
ich einen Marsch von zehn Stunden gemacht hätt' . . .
Ja, das wär' sowas, da einschlafen. — Ha! ein obdach-
loser Leutnant . . . Ja, ich sollt' doch eigentlich nach
Haus . . . was tu' ich denn zu Haus? aber was tu' ich
denn im Prater? — Ah, mir wär' am liebsten, ich müßt'
gar nicht aufsteh'n — da einschlafen und nimmer auf-

wachen ... ja, das wär' halt bequem! — Nein, so bequem wird's Innen nicht gemacht, Herr Leutnant ... Aber wie und wann? — Jetzt könnt' ich mir doch endlich einmal die Geschichte ordentlich überlegen ... überlegt muß ja alles werden ... so ist es schon einmal im Leben ... Also überlegen wir ... Was denn? ... — Nein, ist die Luft gut ... man sollt' öfters bei der Nacht in' Prater geh'n ... Ja, das hätt' mir eben früher einfallen müssen, jetzt ist's aus mit'm Prater, mit der Luft und mit'm Spazierengeh'n ... Ja, also was ist denn? — Ah, fort mit dem Kappl; mir scheint, das drückt mir aufs Gehirn ... ich kann ja gar nicht ordentlich denken ... Ah ... so! ... also jetzt Verstand zusammennehmen, Gustl ... letzte Verfügungen treffen! Also morgen früh wird Schluß gemacht ... morgen früh um sieben Uhr ... sieben Uhr ist eine schöne Stund'. Haha! — also um acht, wenn die Schul' anfangt ist alles vorbei ... der Kopetzky wird aber keine Schul' halten können, weil er zu sehr erschüttert sein wird ... Aber vielleicht weiß er's noch gar nicht ... man braucht ja nichts zu hören ... Den Max Lippay haben sie auch erst am Nachmittag gefunden, und in der Früh hat er sich erschossen, und kein Mensch hat was davon gehört ... Aber was geht mich das an, ob der Kopetzky Schul' halten wird oder nicht? ... Ha — also um sieben Uhr! — Ja ... na, was denn noch? ... Weiter ist ja nichts zu überlegen. Im Zimmer schieß' ich mich tot, und dann is basta! Montag ist die Leich' ... Einen kenn' ich, der wird eine Freud' haben: das ist der Doktor ... Duell kann nicht stattfinden wegen Selbstmord des einen Kombattanten ... Was sie bei Mannheimers sagen werden? — Na, er wird sich nicht viel draus machen ... aber die Frau, die hübsche, blonde ... mit der war was zu machen ... O ja, mir scheint, bei der hätt' ich Chance gehabt, wenn ich mich nur ein bissl zusammengenommen hätt' . . . ja, das wär' doch was anders gewesen, als die Steffi, dieses Mensch . . . Aber faul darf man halt nicht sein . . . da heißt's: Cour machen, Blumen schicken, vernünftig reden . . . das geht nicht so, daß man sagt: Komm' morgen nachmittag zu mir in die Kasern'! . . . Ja, so eine anständige Frau, das wär' halt was g'wesen . . . Die Frau von meinem Hauptmann in Przemysl, das war ja doch keine anständige Frau . . . ich könnt' schwören: der Libitzky und der Wermutek und der schäbige Stellvertreter, der hat sie auch g'habt . . . Aber die Frau Mannheimer . . . ja, das wär' was anders, das wär' doch auch ein Umgang gewesen, das hätt' einen beinah' zu einem andern Menschen gemacht — da hätt' man doch noch einen andern Schliff gekriegt — da hätt' man einen Respekt vor sich selber haben dürfen. — — Aber ewig diese Menscher . . . und so jung hab' ich ang'fangen — ein Bub war ich ja noch, wie ich damals den ersten Urlaub gehabt hab' und in Graz bei den Eltern zu Haus war . . . der Riedl war auch dabei — eine Böhmin ist es gewesen . . . die muß doppelt so alt gewesen sein wie ich — in der Früh bin ich erst nach Haus gekommen . . . Wie mich der Vater ang'schaut hat . . . und die Klara . . . Vor der Klara hab' ich mich am meisten g'schämt . . . Damals war sie verlobt . . . warum ist denn nichts draus geworden? Ich hab' mich eigentlich nicht viel drum gekümmert . . . Armes Hascherl, hat auch nie Glück gehabt — und jetzt verliert sie noch den einzigen Bruder . . . Ja, wirst mich nimmer seh'n, Klara — aus! Was, das hast du dir nicht gedacht, Schwesterl, wie du mich am Neujahrstag zur Bahn begleitet hast, daß du mich nie wieder seh'n wirst? — und die Mama . . Herrgott, die Mama . . . nein, ich darf daran nicht denken . . . wenn ich daran denk', bin ich imstand, eine Gemeinheit zu begehen ... Ah ... wenn ich zuerst noch nach Haus fahren möcht' ... sagen, es ist ein Urlaub auf einen Tag ... noch einmal den Papa, die Mama, die Klara sehn, bevor ich einen Schluß mach' ... Ja, mit dem ersten Zug um sieben kann ich nach Graz fahren, um eins bin ich dort ... Grüß dich Gott, Mama ... Servus, Klara! Na, wie geht's euch denn? ... Nein, das ist eine Überraschung! ... Aber sie möchten was merken ... wenn niemand anders ... die Klara ... die Klara gewiß ... Die Klara ist ein so gescheites Mädel ... Wie lieb sie mir neulich geschrieben hat, und ich bin ihr noch immer die Antwort schuldig — und die guten Ratschläge, die sie mir immer gibt ... ein so seelengutes Geschöpf ... Ob nicht alles ganz anders geworden wär', wenn ich zu Haus geblieben wär'? Ich hätt' Ökonomie studiert, wär' zum Onkel gegangen ... sie haben's ja alle wollen, wie ich noch ein Bub war ... Jetzt wär' ich am End' schon verheiratet, ein liebes, gutes Mädel ... vielleicht die Anna, die hat mich so gern gehabt ... auch jetzt hab' ich's noch gemerkt, wie ich das letztemal zu Haus war, obzwar sie schon einen Mann hat und zwei Kinder ... ich hab's g'seh'n, wie sie mich ang'schaut hat ... Und noch immer sagt sie mir „Gustl" wie früher ... Der wird's ordentlich in die Glieder fahren, wenn sie erfährt, was es mit mir für ein End' genommen hat — aber ihr Mann wird sagen: Das hab' ich voraus gesehen — so ein Lump! — Alle werden meinen, es ist, weil ich Schulden gehabt hab' ... und es ist doch gar nicht wahr, es ist doch alles bezahlt ... nur die letzten hundertsechzig Gulden — na, und die sind morgen da ... Ja, dafür muß ich auch noch sorgen, daß der Ballert die hundertsechzig Gulden kriegt ... das muß ich niederschreiben, bevor ich mich erschieß' ... Es ist schrecklich, es ist schrecklich! ... Wenn ich lieber auf und davon fahren möcht' — nach Amerika, wo mich niemand kennt ... In Amerika weiß kein Mensch davon, was hier heut' abend gescheh'n ist ... da kümmert sich kein Mensch drum ... Neulich ist in der Zeitung gestanden von einem Grafen Runge, der hat fortmüssen wegen einer schmutzigen Geschichte, und jetzt hat er drüben ein Hotel und pfeift auf den ganzen Schwindel ... Und in ein paar Jahren könnt' man ja wieder zurück ... nicht nach Wien natürlich ... auch nicht nach Graz ... aber aufs Gut könnt' ich ... und der Mama und dem Papa und der Klara möchts doch tausendmal lieber sein, wenn ich nur lebendig blieb' ... Und was geh'n mich denn die andern Leut' an? Wer meint's denn sonst gut mit mir? — Außerm Kopetzky könnt' ich allen gestohlen werden ... der Kopetzky ist doch der einzige ... Und gerad der hat mir heut das Billett geben müssen ... und das Billett ist an allem schuld ... ohne das Billett wär' ich nicht ins Konzert gegangen, und alles das wär' nicht passiert ... Was ist denn nur passiert? ... Es ist grad', als wenn hundert Jahr seitdem vergangen wären, und es kann noch keine zwei Stunden sein ... Vor zwei Stunden hat mir einer „dummer Bub" gesagt und hat meinen Säbel zerbrechen wollen ... Herrgott, ich fang' noch zu schreien an mitten in der Nacht! Warum ist denn das alles gescheh'n? Hätt' ich nicht länger warten können, bis ganz leer wird in der Garderobe? Und warum hab' ich ihm denn nur gesagt: „Halten Sie's Maul!" Wie ist mir denn das nur ausgerutscht? Ich bin doch sonst ein höflicher Mensch ... nicht einmal mit meinem Burschen bin ich sonst so grob ... aber natürlich, nervos bin ich gewesen — alle die Sachen, die da zusammengekommen sind ... das Pech im Spiel und die ewige Absagerei von der Steffi — und das Duell morgen nachmittag — und zu wenig schlafen

tu' ich in der letzten Zeit — und die Rackerei in der
Kasern' — das halt' man auf die Dauer nicht aus! ...
Ja, über kurz oder lang wär' ich krank geworden —
hätt' um einen Urlaub einkommen müssen ... Jetzt
ist es nicht mehr notwendig — jetzt kommt ein langer
Urlaub — mit Karenz der Gebühren — haha! ...

Wie lang werd' ich denn da noch sitzen bleiben?
Es muß Mitternacht vorbei sein ... hab' ich's nicht
früher schlagen hören? — Was ist denn das ... ein
Wagen fährt da? Um die Zeit? Gummiradler —
kann mir schon denken ... Die haben's besser wie ich
— vielleicht ist es der Ballert mit der Berta ... Warum
soll's grad' der Ballert sein? — Fahr' nur zu! — Ein
hübsches Zeug'l hat Seine Hoheit in Przemysl gehabt
... mit dem ist er immer in die Stadt hinuntergefahren
zu der Rosenberg ... Sehr leutselig war Seine Hoheit
— ein echter Kamerad, mit allen auf du und du ...
War doch eine schöne Zeit ... obzwar ... die Gegend
war trostlos und im Sommer zum verschmachten ...
an einem Nachmittag sind einmal drei vom Sonnenstich getroffen worden ... auch der Korporal von
meinem Zug — ein so verwendbarer Mensch ... Nachmittag haben wir uns nackt aufs Bett hingelegt. — Einmal ist plötzlich der Wiesner zu mir hereingekommen;
ich muß grad' geträumt haben und steh' auf und zieh'
den Säbel, der neben mir liegt ... muß gut ausg'schaut
haben ... der Wiesner hat sich halb tot gelacht — der
ist jetzt schon Rittmeister ... — Schad', daß ich nicht
zur Kavallerie gegangen bin ... aber das hat der Alte
nicht wollen — wär' ein zu teurer Spaß gewesen —
jetzt ist es ja doch alles eins ... Warum denn? — Ja, ich
ich weiß schon: sterben muß ich, darum ist es alles
eins — sterben muß ich ... Also wie? — Schau, Gustl,
du bist doch extra da herunter in den Prater gegangen,
mitten in der Nacht, wo dich keine Menschenseele

stört — jetzt kannst du dir alles ruhig überlegen ...
Das ist ja lauter Unsinn mit Amerika und quittieren,
und du bist ja viel zu dumm, um was anderes anzufangen — und wenn du hundert Jahr alt wirst, und du
denkst dran, daß dir einer hat den Säbel zerbrechen
wollen und dich einen dummen Buben geheißen, und
du bist dag'standen und hast nichts tun können —
nein, zu überlegen ist da gar nichts — gescheh'n ist gescheh'n — auch das mit der Mama und mit der Klara
ist ein Unsinn — die werden's schon verschmerzen
— man verschmerzt alles ... Wie hat die Mama ge-
jammert, wie ihr Bruder gestorben ist — und nach
vier Wochen hat sie kaum mehr dran gedacht ... auf
den Friedhof ist sie hinausgefahren ... zuerst alle
Wochen, dann alle Monat — und jetzt nur mehr am
Todestag. — — Morgen ist mein Todestag — fünfter
April. — — Ob sie mich nach Graz überführen? Haha!
da werden die Würmer in Graz eine Freud' haben! —
Aber das geht mich nichts an — darüber sollen sich die
andern den Kopf zerbrechen ... Also, was geht mich
denn eigentlich an? ... Ja, die hundertsechzig Gulden
für den Ballert — das ist alles — weiter brauch' ich
keine Verfügungen zu treffen. — Briefe schreiben?
Wozu denn? An wen denn? ... Abschied nehmen?
— Ja, zum Teufel hinein, das ist doch deutlich genug,
wenn man sich totschießt! — Dann merken's die
andern schon, daß man Abschied genommen hat ...
Wenn die Leut' wüßten, wie egal mir die ganze Geschichte ist, möchten sie mich gar nicht bedauern —
ist eh' nicht schad' um mich ... Und was hab' ich
denn vom ganzen Leben gehabt? — Etwas hätt' ich
gern noch mitgemacht: einen Krieg — aber da hätt'
ich lang' warten können ... Und alles übrige kenn'
ich ... Ob so ein Mensch Steffi oder Kunigunde heißt,
bleibt sich gleich. — — Und die schönsten Operetten

kenn' ich auch — und im Lohengrin bin ich zwölfmal drin gewesen — und heut' abend war ich sogar bei einem Oratorium — und ein Bäckermeister hat mich einen dummen Buben geheißen — meiner Seel', es ist grad' genug! — Und ich bin gar nimmer neugierig . . . — Also geh'n wir nach Haus, langsam, ganz langsam . . Eile hab' ich ja wirklich keine. — Noch ein paar Minuten ausruhen da im Prater, auf einer Bank — obdachlos. — Ins Bett leg' ich mich ja doch nimmer — hab' ja genug Zeit zum Ausschlafen. — — Ah, die Luft! — Die wird mir abgeh'n . . .

Was ist denn? — He, Johann, bringen S' mir ein Glas frisches Wasser . . . Was ist? . . . Wo . . . Ja, träum' ich denn? . . . Mein Schädel . . . o, Donnerwetter . . . Fischamend . . . Ich bring' die Augen nicht auf! — Ich bin ja angezogen! — Wo sitz ich denn? — Heiliger Himmel, eingeschlafen bin ich! Wie hab' ich denn nur schlafen können; es dämmert ja schon! — Wie lang' hab' ich denn geschlafen? — Muß auf die Uhr schau'n . . Ich seh' nichts? . . . Wo sind denn meine Zündhölzeln? . . . Na, brennt eins an? . . . Drei . . . und ich soll mich um vier duellieren — nein, nicht duellieren — totschießen soll ich mich! — Es ist gar nichts mit dem Duell; ich muß mich totschießen, weil ein Bäckermeister mich einen dummen Buben genannt hat . . . Ja, ist es denn wirklich g'scheh'n? — Mir ist im Kopf so merkwürdig . . . wie in einem Schraubstock ist mein Hals — ich kann mich gar nicht rühren — das rechte Bein ist eingeschlafen. — Aufstehn! Aufstehn! . . . Ah, so ist es besser! — Es wird schon lichter . . . Und die Luft . . . ganz wie damals in der Früh, wie ich auf Vorposten war und im Wald kampiert hab' . . . Das war ein anderes Aufwachen — da war ein anderer Tag vor mir . . . Mir scheint, ich

glaub's noch nicht recht — Da liegt die Straße, grau,
leer — ich bin jetzt sicher der einzige Mensch im
Prater. — Um vier Uhr früh war ich schon einmal
herunten, mit'm Pausinger — geritten sind wir — ich
auf dem Pferd vom Hauptmann Mirovic und der
Pausinger auf seinem eigenen Krampen — das war im
Mai, im vorigen Jahr — da hat schon alles geblüht —
alles war grün. Jetzt ist's noch kahl — aber der Frühling kommt bald — in ein paar Tagen ist er schon da.
— Maiglöckerln, Veigerln — schad', daß ich nichts
mehr davon haben werd' — jeder Schubiak hat was
davon, und ich muß sterben! Es ist ein Elend! Und
die andern werden im Weingartl sitzen beim Nacht-
mahl, als wenn gar nichts g'wesen wär' — so wie wir
alle im Weingartl g'sessen sind, noch am Abend nach
dem Tag, wo sie den Lippay hinausgetragen haben ...
Und der Lippay war so beliebt ... sie haben ihn lieber
g'habt, als mich, beim Regiment — warum sollen sie
denn nicht im Weingartl sitzen, wenn ich abkratz'?
— Ganz warm ist es — viel wärmer als gestern — und
so ein Duft — es muß doch schon blühen ... Ob die
Steffi mir Blumen bringen wird? — Aber fallt ihr ja
gar nicht ein! Die wird grad' hinausfahren ... Ja,
wenn's noch die Adel' wär' ... Nein, die Adel'! Mir
scheint, seit zwei Jahren hab' ich an die nicht mehr
gedacht ... mein Lebtag hab' ich kein Frauenzimmer
so weinen geseh'n ... Das war doch eigentlich das
Hübscheste, was ich erlebt hab' ... So bescheiden, so
anspruchslos, wie die war — die hat mich gern gehabt,
da könnt' ich drauf schwören. — War doch was ganz
anderes, als die Steffi ... Ich möcht' nur wissen,
warum ich die aufgegeben hab' ... so eine Eselei!
Zu fad ist es mir geworden, ja, das war das Ganze ...
So jeden Abend mit ein und derselben ausgeh'n ...
Dann hab' ich eine Angst g'habt, daß ich überhaupt

nimmer loskomm' — eine solche Raunzen — — Na,
Gustl, hätt'st schon noch warten können — war doch
die einzige, die dich gern gehabt hat... Was sie jetzt
macht? Na was wird s' machen? — Jetzt wird s' halt
einen andern haben. ... Freilich, das mit der Steffi
ist bequemer — wenn man nur gelegentlich engagiert
ist und ein anderer hat die ganzen Unannehmlichkeiten, und ich hab' nur das Vergnügen... Ja, da
kann man auch nicht verlangen, daß sie auf den Friedhof hinauskommt... Wer ging denn überhaupt mit,
wenn er nicht müßt'! — Vielleicht der Kopetzky, und
dann wär' Rest! — Ist doch traurig, so gar niemanden
zu haben ...

Aber so ein Unsinn! der Papa und die Mama und
die Klara ... Ja, ich bin halt der Sohn, der Bruder ...
aber was ist denn weiter zwischen uns? gern haben
sie mich ja — aber was wissen sie denn von mir? —
Daß ich meinen Dienst mach', daß ich Karten spiel'
und daß ich mit Menschern herumlauf'... aber sonst?
— Daß mich manchmal selber vor mir graust, das hab'
ich ihnen ja doch nicht geschrieben — na, mir scheint,
ich hab's auch selber gar nicht recht gewußt — Ah
was, kommst du jetzt mit solchen Sachen, Gustl?
Fehlt nur noch, daß du zum Weinen anfangst...
pfui Teufel! — Ordentlich Schritt... so! Ob man
zu einem Rendezvous geht oder auf Posten oder in
die Schlacht... wer hat das nur gesagt?... ah ja,
der Major Lederer, in der Kantin', wie man von dem
Wingleder erzählt hat, der so blaß geworden ist vor
seinem ersten Duell — und gespieben hat... Ja:
ob man zu einem Rendezvous geht oder in den sichern
Tod, am Gang und am G'sicht laßt sich das der richtige
Offizier nicht anerkennen! — Also Gustl — der Major
Lederer hat's g'sagt! ha! —

Immer lichter... man könnt' schon lesen... Was

pfeift denn da? . . . Ah, drüben ist der Nordbahnhof
. . . Die Tegetthoffsäule . . . so lang hat sie noch nie
ausg'schaut . . . Da drüben stehen Wagen. . . . Aber
nichts als Straßenkehrer auf der Straße . . . meine
letzten Straßenkehrer — ha! ich muß immer lachen,
wenn ich dran denk' . . . das versteh' ich gar nicht . . .
Ob das bei allen Leuten so ist, wenn sie's einmal ganz
sicher wissen? Halb vier auf der Nordbahnuhr . . .
jetzt ist nur die Frage, ob ich mich um sieben nach
Bahnzeit oder nach Wiener Zeit erschieß'? . . . Sieben
. . . ja, warum grad' sieben? . . . Als wenn's gar nicht
anders sein könnt' . . . Hunger hab' ich — meiner Seel',
ich hab' Hunger — kein Wunder . . . seit wann hab'
ich denn nichts gegessen? . . . Seit — seit gestern sechs
Uhr abends im Kaffeehaus . . . ja! Wie mir der Kopetzky das Billett gegeben hat — eine Melange und
zwei Kipfel. — Was der Bäckermeister sagen wird,
wenn er's erfahrt? . . . der verfluchte Hund! — Ah,
der wird wissen, warum — dem wird der Knopf auf-
geh'n — der wird draufkommen, was es heißt: Offizier!
— So ein Kerl kann sich auf offener Straße prügeln
lassen, und es hat keine Folgen, und unsereiner wird
unter vier Augen insultiert und ist ein toter Mann . . .
Wenn sich so ein Fallot wenigstens schlagen möcht' —
aber nein, da wär' er ja vorsichtiger, da möcht' er sowas nicht riskieren . . . Und der Kerl lebt weiter, ruhig
weiter, während ich — krepieren muß! — Der hat
mich doch umgebracht . . . Ja, Gustl, merkst d' was?
— der ist es, der dich umbringt! Aber so glatt soll's
ihm doch nicht ausgeh'n! — Nein, nein, nein! Ich
werd' dem Kopetzky einen Brief schreiben, wo alles
drinsteht, die ganze G'schicht' schreib' ich auf . . .
oder noch besser: ich schreib's dem Obersten, ich mach'
eine Meldung ans Regimentskommando . . . ganz wie
eine dienstliche Meldung . . . Ja, wart', du glaubst,

daß sowas geheim bleiben kann? — Du irrst dich —
aufgeschrieben wird's zum ewigen Gedächtnis, und
dann möcht' ich sehen, ob du dich noch ins Kaffeehaus traust — Ha! „das möcht' ich sehen," ist gut!
... Ich möcht' noch manches gern sehen, wird nur
leider nicht möglich sein — aus is! —

Jetzt kommt der Johann in mein Zimmer, jetzt
merkt er, daß der Herr Leutnant nicht zu Haus geschlafen hat. — Na, alles mögliche wird er sich denken;
aber daß der Herr Leutnant im Prater übernachtet
hat, das, meiner Seel', das nicht ... Ah, die Vierund-
vierziger! zur Schießstätte marschieren s' — lassen
wir sie vorübergeh'n ... so, stellen wir uns daher ...
— Da oben wird ein Fenster aufgemacht — hübsche
Person — na, ich möcht' mir wenigstens ein Tüchel
umnehmen, wenn ich zum Fenster geh' ... Vorigen
Sonntag war's zum letztenmal ... Daß grad' die Steffi
die letzte sein wird, hab' ich mir nicht träumen lassen.
— Ach Gott, das ist doch das einzige reelle Vergnügen
... Na ja, der Herr Oberst wird in zwei Stunden nobel
nachreiten ... die Herren haben's gut — ja, ja, rechts
g'schaut! — Ist schon gut ... Wenn ihr wüßtet, wie
ich auf euch pfeif'! — Ah, das ist nicht schlecht: der
Katzer ... seit wann ist denn der zu den Vierund-
vierzigern übersetzt? — Servus, servus! — Was der
für ein G'sicht macht? ... Warum deut' er denn auf
seinen Kopf? — Mein Lieber, dein Schädel interessiert mich sehr wenig ...Ah, so! Nein, mein Lieber,
du irrst dich: im Prater hab' ich übernachtet ...
wirst schon heut' im Abendblatt lesen. — „Nicht
möglich!" wird er sagen, „heut' früh, wie wir zur
Schießstätte ausgerückt sind, hab' ich ihn noch auf
der Praterstraße getroffen!" — Wer wird denn meinen
Zug kriegen? — Ob sie ihn dem Walterer geben werden? — Na, da wird was Schönes herauskommen —

ein Kerl ohne Schneid, der hätt' auch lieber Schuster
werden sollen . . . Was, geht schon die Sonne auf? —
Das wird heut ein schöner Tag — so ein rechter Früh-
lingstag . . . Ist doch eigentlich zum Teufelholen! —
der Komfortabelkutscher wird noch um achte in der
Früh auf der Welt sein, und ich . . . na, was ist denn
das? He, das wär' sowas — noch im letzten Moment
die Kontenance verlieren wegen einem Komfortabelkutscher . . . Was ist denn das, daß ich auf einmal so
ein blödes Herzklopfen krieg'? — Das wird doch
nicht deswegen sein . . . Nein, o nein . . . es ist ,weil
ich so lang' nichts gegessen hab'. — — Aber Gustl,
sei doch aufrichtig mit dir selber: — Angst hast du —
Angst, weil du's noch nie probiert hast . . . Aber das
hilft dir ja nichts, die Angst hat noch keinem was geholfen, jeder muß es einmal durchmachen, der eine
früher, der andere später, und du kommst halt früher
dran . . . Viel wert bist du ja nie gewesen, so benimm
dich wenigstens anständig zu guter Letzt, das verlang'
ich von dir! — So, jetzt heißt's nur überlegen — aber
was denn? . . . Immer will ich mir was überlegen . . .
ist doch ganz einfach: — im Nachtkastelladel liegt er,
geladen ist er auch, heißt's nur: losdrucken — das
wird doch keine Kunst sein! — —

Die geht schon ins Geschäft . . . die armen Mädeln!
die Adel' war auch in einem G'schäft — ein paarmal
hab' ich sie am Abend abg'holt . . . Wenn sie in einem
Geschäft sind, werd'n sie doch keine solchen Menscher
. . . Wenn die Steffi mir allein g'hören möcht', ich
ließ sie Modistin werden oder sowas . . . Wie wird sie's
denn erfahren? — Aus der Zeitung! . . . Sie wird sich
ärgern, daß ich ihr's nicht geschrieben hab' . . . Mir
scheint, ich schnapp' doch noch über . . . Was geht
denn das mich an, ob sie sich ärgert . . . Wie lang' hat
denn die ganze G'schicht' gedauert? . . . Seit'm

Jänner? . . . Ah nein, es muß doch schon vor Weihnachten gewesen sein . . . ich hab' ihr ja aus Graz Zuckerln mitgebracht, und zu Neujahr hat sie mir ein Brieferl g'schickt . . . Richtig, die Briefe, die ich zu Haus hab', — sind keine da, die ich verbrennen sollt'? . . . Hm, der vom Fallsteiner — wenn man den Brief findet . . . der Bursch könnt' Unannehmlichkeiten haben . . . Was mir das schon aufliegt! — Na, es ist ja keine große Anstrengung . . . aber hervorsuchen kann ich den Wisch nicht . . . Das beste ist, ich verbrenn' alles zusammen . . . wer braucht's denn? Ist lauter Makulatur. — — Und meine paar Bücher könnt' ich dem Blany vermachen. — „Durch Nacht und Eis" . . . schad', daß ich's nimmer auslesen kann . . bin wenig zum Lesen gekommen in der letzten Zeit . . . Orgel — ah, aus der Kirche . . . Frühmesse — bin schon lang bei keiner gewesen . . . das letztemal im Feber, wie mein Zug dazu kommandiert war . . . Aber das galt nichts — ich hab' auf meine Leut' aufgepaßt, ob sie andächtig sind und sich ordentlich benehmen . . . — Möcht' in die Kirche hineingeh'n . . . am End' ist doch was dran . . . — Na, heut nach Tisch werd' ich's schon genau wissen . . . Ah, „nach Tisch" ist sehr gut! . . . Also, was ist, soll ich hineingeh'n? — Ich glaub', der Mama wär's ein Trost, wenn sie das wüßt'! . . . Die Klara gibt weniger drauf . . . Na, geh'n wir hinein — schaden kann's ja nicht!

Orgel — Gesang — hm! — was ist denn das? — Mir ist ganz schwindlig . . . O Gott, o Gott, o Gott! ich möcht' einen Menschen haben, mit dem ich ein Wort reden könnt' vorher! — Das wär' so was — zur Beicht' geh'n! Der möcht' Augen machen, der Pfaff', wenn ich zum Schluß sagen möcht': Habe die Ehre, Hochwürden; jetzt geh' ich mich umbringen! . . . — Am liebsten läg' ich da auf dem Steinboden und tät'

heulen ... Ah nein, das darf man nicht tun! Aber
weinen tut manchmal so gut ... Setzen wir uns einen
Moment — aber nicht wieder einschlafen wie im
Prater! ... — Die Leut', die eine Religion haben,
sind doch besser dran ... Na, jetzt fangen mir gar die
Händ' zu zittern an! ... Wenn's so weitergeht, werd'
ich mir selber auf die Letzt' so ekelhaft, daß ich mich
vor lauter Schand' umbring'! — Das alte Weib da —
um was betet denn die noch? ... Wär' eine Idee,
wenn ich ihr sagen möcht': Sie, schließen Sie mich
auch ein ... ich hab' das nicht ordentlich gelernt,
wie man das macht ... Ha! mir scheint, das Sterben
macht blöd'! — Aufsteh'n! — Woran erinnert mich
denn nur die Melodie? — Heiliger Himmel! gestern
abend! — Fort, fort! das halt' ich gar nicht aus! ...
Pst! keinen solchen Lärm, nicht mit dem Säbel schlep-
pern — die Leut' nicht in der Andacht stören — so!
— doch besser im Freien ... Licht ... Ah, es kommt
immer näher — wenn es lieber schon vorbei wär'! —
Ich hätt's gleich tun sollen — im Prater ... man sollt'
nie ohne Revolver ausgehn ... Hätt' ich gestern abend
einen gehabt ... Herrgott noch einmal! — In das
Kaffeehaus könnt' ich geh'n frühstücken ... Hunger
hab' ich ... Früher ist's mir immer sonderbar vorgekommen, daß die Leut', die verurteilt sind, in der
Früh noch ihren Kaffee trinken und ihr Zigarrl
rauchen ... Donnerwetter, geraucht hab' ich gar
nicht! gar keine Lust zum Rauchen! — Es ist komisch:
ich hätt' Lust, in mein Kaffeehaus zu geh'n ... Ja,
aufgesperrt ist schon, und von uns ist jetzt doch keiner
dort — und wenn schon ... ist höchstens ein Zeichen
von Kaltblütigkeit. „Um sechs hat er noch im Kaffeehaus gefrühstückt, und um sieben hat er sich erschossen"
... — Ganz ruhig bin ich wieder ... das Gehen ist
so angenehm — und das Schönste ist, daß mich keiner

zwingt. — Wenn ich wollt', könnt' ich noch immer den ganzen Krempel hinschmeißen ... Amerika ... Was ist das: „Krempel"? Was ist ein „Krempel"? Mir scheint, ich hab' den Sonnenstich! ... Oho, bin ich vielleicht deshalb so ruhig, weil ich mir immer noch einbild', ich muß nicht? ... Ich muß! Ich muß! Nein, ich will! — Kannst du dir denn überhaupt vorstellen, Gust., daß du dir die Uniform ausziehst und durchgehst! Und der verfluchte Hund lacht sich den Buckel voll — und der Kopetzky selbst möcht' dir nicht mehr die Hand geben ... Mir kommt vor, ich bin ganz rot geworden. — — Der Wachmann salutiert mir .. ich muß danken ... „Servus!" — Jetzt hab' ich gar „Servus" gesagt! ... Das freut so einen armen Teufel immer ... Na, über mich hat sich keiner zu beklagen gehabt — außer Dienst war ich immer gemütlich. — Wie wir auf Manöver waren, hab' ich den Chargen von der Kompagnie Britannikas geschenkt; — einmal hab' ich gehört, wie ein Mann hinter mir bei den Gewehrgriffen was von „verfluchter Rackerei" g'sagt hat, und ich hab' ihn nicht zum Rapport geschickt — ich hab' ihm nur gesagt: „Sie, passen S' auf, das könnt' einmal wer anderer hören — da ging's Ihnen schlecht!" ... Der Burghof ... Wer ist denn heut auf der Wach'? — Die Bosniaken — schau'n gut aus — der Oberstleutnant hat neulich g'sagt: Wie wir im 78er Jahr unten waren, hätt' keiner geglaubt, daß uns die einmal so parieren werden! ... Herrgott, bei so was hätt' ich dabei sein mögen — Da steh'n sie alle auf von der Bank. — Servus, servus! — Das ist halt zuwider, daß unsereiner nicht dazu kommt. — Wär' doch schöner gewesen, auf dem Felde der Ehre, fürs Vaterland, als so ... Ja, Herr Doktor, Sie kommen eigentlich gut weg! ... Ob das nicht einer für mich übernehmen könnt'? — Meiner Seel', das

sollt' ich hinterlassen, daß sich der Kopetzky oder der
Wymetal an meiner Statt mit dem Kerl schlagen ...
Ah, so leicht sollt' der doch nicht davonkommen! —
Ah, was! Ist das nicht egal, was nachher geschieht?
Ich erfahr's ja doch nimmer! — Da schlagen die
Bäume aus ... Im Volksgarten hab' ich einmal eine
angesprochen — ein rotes Kleid hat sie angehabt —
in der Strozzigasse hat sie gewohnt — nachher hat sie
der Rochlitz übernommen ... Mir scheint, er hat sie
noch immer, aber er red't nichts mehr davon — er
schämt sich vielleicht ... Jetzt schlaft die Steffi noch
... so lieb sieht sie aus, wenn sie schläft ... als wenn
sie nicht bis fünf zählen könnt'! — Na, wenn sie schlafen, schau'n sie alle so aus! — Ich sollt' ihr doch noch
ein Wort schreiben ... warum denn nicht? Es tut's
ja doch ein jeder, daß er vorher noch Briefe schreibt.
— Auch der Klara sollt' ich schreiben, daß sie den
Papa und die Mama tröstet — und was man halt so
schreibt! — und dem Kopetzky doch auch ... Meiner
Seel', mir kommt vor, es wär' viel leichter, wenn man
ein paar Leuten Adieu gesagt hätt' ... Und die Anzeige an das Regimentskommando — und die hundertsechzig Gulden für den Ballert ... eigentlich noch
viel zu tun ... Na, es hat's mir ja keiner g'schafft,
daß ich's um sieben tu' ... von acht an ist noch immer
Zeit genug zum Totsein! ... Totsein, ja — so heißt's
— da kann man nichts machen ...

Ringstraße — jetzt bin ich ja bald in meinem Kaffeehaus ... Mir scheint gar, ich freu' mich aufs Frühstück ... es ist nicht zum glauben. — — Ja, nach dem
Frühstück zünd' ich mir eine Zigarre an, und dann
geh' ich nach Haus und schreib' ... Ja, vor allem mach'
ich die Anzeige ans Kommando; dann kommt der
Brief an die Klara — dann an den Kopetzky — dann
an die Steffi ... Was soll ich denn dem Luder schreiben

... „Mein liebes Kind, du hast wohl nicht gedacht" ..
— Ah, was, Unsinn! — „Mein liebes Kind, ich danke
dir sehr" ... — „Mein liebes Kind, bevor ich von
hinnen gehe, will ich es nicht verabsäumen" ... — Na,
Briefschreiben war auch nie meine starke Seite...
„Mein liebes Kind, ein letztes Lebewohl von deinem
Gustl" ... — Die Augen, die sie machen wird! Ist
doch ein Glück, daß ich nicht in sie verliebt war...
das muß traurig sein, wenn man eine gern hat und so
... Na, Gustl, sei gut: so ist es auch traurig genug...
Nach der Steffi wär' ja noch manche andere gekommen,
und am End' auch eine, die was wert ist — junges
Mädel aus guter Familie mit Kaution — es wär' ganz
schön gewesen... — Der Klara muß ich ausführlich
schreiben, daß ich nicht hab' anders können... „Du
mußt mir verzeihen, liebe Schwester, und bitte, tröste
auch die lieben Eltern. Ich weiß, daß ich euch allen
manche Sorge gemacht habe und manchen Schmerz
bereitet; aber glaube mir, ich habe euch alle immer
sehr lieb gehabt, und ich hoffe, du wirst noch einmal
glücklich werden, meine liebe Klara, und deinen un-
glücklichen Bruder nicht ganz vergessen" ... — Ah,
ich schreib' ihr lieber gar nicht!... Nein, da wird
mir zum Weinen... es beißt mich ja schon in den
Augen, wenn ich dran denk' ... Höchstens dem Kopetzky schreib' ich — ein kameradschaftliches Lebewohl, und er soll's den andern ausrichten... — Ist's
schon sechs? — Ah, nein: halb — dreiviertel. — Ist
das ein liebes G'sichtel!... der kleine Fratz mit den
schwarzen Augen, den ich so oft in der Florianigasse
treff'! — was die sagen wird? — Aber die weiß ja gar
nicht, wer ich bin — die wird sich nur wundern, daß
sie mich nimmer sieht... Vorgestern hab' ich mir
vorgenommen, das nächstemal sprech' ich sie an. —
Kokettiert hat sie genug... so jung war die — am

End' war die gar noch eine Unschuld!... Ja, Gustl!
Was du heute kannst besorgen, das verschiebe nicht
auf morgen!... Der da hat sicher auch die ganze
Nacht nicht geschlafen. — Na, jetzt wird er schön
nach Haus geh'n und sich niederlegen — ich auch! —
Haha! jetzt wird's ernst, Gustl, ja!... Na, wenn
nicht einmal das biss'l Grausen wär', so wär' ja schon
gar nichts dran — und im ganzen, ich muß's schon
selber sagen, halt' ich mich brav... Ah, wohin denn
noch? Da ist ja schon mein Kaffeehaus... auskehren
tun sie noch... Na, geh'n wir hinein...

Da hinten ist der Tisch, wo die immer Tarok spielen
... Merkwürdig, ich kann mir's gar nicht vorstellen,
daß der Kerl, der immer da hinten sitzt an der Wand,
derselbe sein soll, der mich... — Kein Mensch ist
noch da... Wo ist denn der Kellner?... He! Da
kommt er aus der Küche... er schlieft schnell in den
Frack hinein... Ist wirklich nimmer notwendig!...
ah, für ihn schon... er muß heut' noch andere Leut'
bedienen! —

„Habe die Ehre, Herr Leutnant!"

„Guten Morgen."

„So früh heute, Herr Leutnant?"

„Ah, lassen S' nur — ich hab' nicht viel Zeit, ich
kann mit'm Mantel dasitzen."

„Was befehlen Herr Leutnant?"

„Eine Melange mit Haut."

„Bitte gleich, Herr Leutnant!"

Ah, da liegen ja Zeitungen... schon heutige Zeitungen?... Ob schon was drinsteht?... Was denn?
— Mir scheint, ich will nachseh'n, ob drinsteht, daß
ich mich umgebracht hab'! Haha! — Warum steh' ich
denn noch immer?... Setzen wir uns da zum Fenster
... Er hat mir ja schon die Melange hingestellt...
So, den Vorhang zieh' ich zu; es ist mir zuwider, wenn

die Leut' hereingucken . . . Es geht zwar noch keiner
vorüber . . . Ah, gut schmeckt der Kaffee — doch
kein leerer Wahn, das Frühstücken! . . . Ah, ein ganz
anderer Mensch wird man — der ganze Blödsinn ist,
daß ich nicht genachtmahlt hab' . . . Was steht denn
der Kerl schon wieder da? — Ah, die Semmeln hat
er mir gebracht . . .

„Haben Herr Leutnant schon gehört?" . . .

„Was denn?" Ja, um Gotteswillen, weiß der schon
was? . . . Aber, Unsinn, es ist ja nicht möglich!

„Den Herrn Habetswallner . . ."

Was? So heißt ja der Bäckermeister . . . was wird
der jetzt sagen? . . . Ist der am End' schon dagewesen?
Ist er am End' gestern schon dagewesen und hat's erzählt? . . . Warum red't er denn nicht weiter? . . .
Aber er red't ja . . .

„ . . . hat heut' nacht um zwölf der Schlag getroffen."

„Was?" . . . Ich darf nicht so schreien . . . nein, ich
darf mir nichts anmerken lassen . . . aber vielleicht
träum' ich . . . ich muß ihn noch einmal fragen . . .
„Wen hat der Schlag getroffen?" — Famos, famos!
— ganz harmlos hab' ich das gesagt! —

„Den Bäckermeister, Herr Leutnant! . . . Herr
Leutnant werd'n ihn ja kennen . . . na, den Dicken,
der jeden Nachmittag neben die Herren Offiziere
seine Tarokpartie hat . . . mit'n Herrn Schlesinger und
'n Herrn Wasner von der Kunstblumenhandlung
vis-a-vis!"

Ich bin ganz wach — stimmt alles — und doch kann
ich's noch nicht recht glauben — ich muß ihn noch
einmal fragen . . . aber ganz harmlos . . .

„Der Schlag hat ihn getroffen? . . . Ja, wieso denn?
Woher wissen S' denn das?"

„Aber Herr Leutnant, wer soll's denn früher wissen,

als unsereiner — die Semmel, die der Herr Leutnant
da essen, ist ja auch vom Herrn Habetswallner. Der
Bub, der uns das Gebäck um halber fünfe in der Früh
bringt, hat's uns erzählt."

Um Himmelswillen, ich darf mich nicht verraten . . .
ich möcht' ja schreien . . . ich möcht' ja lachen . . . ich
möcht' ja dem Rudolf ein Bussel geben . . . Aber ich
muß ihn noch was fragen! . . . Vom Schlag getroffen
werden, heißt noch nicht: tot sein . . . ich muß fragen,
ob er tot ist . . . aber ganz ruhig, denn was geht mich
der Bäckermeister an — ich muß in die Zeitung schau'n,
während ich den Kellner frag' . . .

„Ist er tot?"

„Na, freilich, Herr Leutnant; auf'm Fleck ist er
tot geblieben."

O, herrlich, herrlich! — Am End' ist das alles, weil
ich in der Kirchen g'wesen bin . . .

„Er ist am Abend im Theater g'wesen; auf der
Stiegen ist er umg'fallen — der Hausmeister hat den
Krach gehört . . . na, und dann haben s' ihn in die
Wohnung getragen, und wie der Doktor gekommen
ist, war's schon lang' aus."

„Ist aber traurig. Er war doch noch in den besten
Jahren." — Das hab' ich jetzt famos gesagt — kein
Mensch könnt' mir was anmerken . . . und ich muß
mich wirklich zurückhalten, daß ich nicht schrei' oder
aufs Billard spring' . . .

„Ja, Herr Leutnant, sehr traurig; war ein so lieber
Herr, und zwanzig Jahr' ist er schon zu uns kommen
— war ein guter Freund von unserm Herrn. Und
die arme Frau . . ."

Ich glaub', so froh bin ich in meinem ganzen Leben
nicht gewesen . . . Tot ist er — tot ist er! Keiner weiß
was, und nichts ist g'scheh'n! — Und das Mordsglück,
daß ich in das Kaffeehaus gegangen bin . . . sonst hätt'

ich mich ja ganz umsonst erschossen — es ist doch wie eine Fügung des Schicksals ... Wo ist denn der Rudolf? — Ah, mit dem Feuerburschen redt' er ... — Also, tot ist er — tot ist er — ich kann's noch gar nicht glauben! Am liebsten möcht' ich hingeh'n, um's zu seh'n. — — Am End' hat ihn der Schlag getroffen aus Wut, aus verhaltenem Zorn ... Ah, warum, ist mir ganz egal! Die Hauptsach' ist: er ist tot, und ich darf leben, und alles g'hört wieder mein! ... Komisch, wie ich mir da immerfort die Semmel einbrock', die mir der Herr Habetswallner gebacken hat! Schmeckt mir ganz gut, Herr von Habetswallner! Famos! — So, jetzt möcht' ich noch ein Zigarrl rauchen ...

„Rudolf! Sie, Rudolf! Sie, lassen S' mir den Feuerburschen dort in Ruh'!"

„Bitte, Herr Leutnant!"

„Trabucco" ... — Ich bin so froh, so froh! ... Was mach' ich denn nur? ... Was mach ich denn nur? ... Es muß ja was gescheh'n, sonst trifft mich auch noch der Schlag vor lauter Freud'! ... In einer Viertelstund' geh' ich hinüber in die Kasern' und laß mich vom Johann kalt abreiben ... um halb acht sind die Gewehrgriff', und um halb zehn ist Exerzieren. — Und der Steffi schreib' ich, sie muß sich für heut abend frei machen, und wenn's Graz gilt! Und nachmittag um vier ... na wart', mein Lieber, wart', mein Lieber! Ich bin grad' gut aufgelegt ... Dich hau' ich zu Krenfleisch!

DIE GRIECHISCHE TÄNZERIN

Die Leute mögen sagen, was sie wollen, ich glaube nicht daran, daß Frau Mathilde Samodeski an Herzschlag gestorben ist. Ich weiß es besser. Ich gehe auch nicht in das Haus, aus dem man sie heute zur ersehnten Ruhe hinausträgt; ich habe keine Lust, den Mann zu sehen, der es ebensogut weiß als ich, warum sie gestorben ist; ihm die Hand zu drücken und zu schweigen.

Einen anderen Weg schlag' ich ein; er ist allerdings etwas weit, aber der Herbsttag ist schön und still, und es tut mir wohl, allein zu sein. Bald werde ich hinter dem Gartengitter stehen, hinter dem ich im vergangenen Frühjahr Mathilde zum letztenmal gesehen habe. Die Fensterladen der Villa werden alle geschlossen sein, auf dem Kiesweg werden rötliche Blätter liegen, und an irgendeiner Stelle werde ich wohl den weißen Marmor durch die Bäume schimmern sehen, aus dem die griechische Tänzerin gemeißelt ist.

An jenen Abend muß ich heute viel denken. Es kommt mir fast wie eine Fügung vor, daß ich mich damals noch im letzten Augenblick entschlossen hatte, die Einladung von Wartenheimers anzunehmen, da ich doch im Laufe der Jahre die Freude an allem geselligen Treiben so ganz verloren habe. Vielleicht war der laue Wind schuld, der abends von den Hügeln in die Stadt geweht kam und mich aufs Land hinauslockte. Überdies sollte es ja ein Gartenfest sein, mit dem die Wartenheimers ihre Villa einweihen wollten, und man brauchte keinerlei besonderen Zwang zu fürchten. Sonderbar ist es auch, daß ich im Hinausfahren kaum an die Möglichkeit dachte, Frau Mathilde draußen zu begegnen. Und dabei war mir doch bekannt, daß Herr Wartenheimer die griechische Tän-

zerin von Samodeski für seine Villa gekauft hatte; —
und daß Frau von Wartenheimer in den Bildhauer verliebt war, wie alle übrigen Frauen, das wußt' ich nicht
minder. Aber selbst davon abgesehen hätte ich wohl
an Mathilde denken können, denn zur Zeit, da sie
noch Mädchen war, hatte ich manche schöne Stunde
mit ihr verbracht. Insbesondere gab es einen Sommer
am Genfersee vor sieben Jahren, gerade ein Jahr vor
ihrer Verlobung, den ich nicht so leicht vergessen
werde. Es scheint sogar, daß ich mir damals trotz
meiner grauen Haare mancherlei eingebildet hatte,
denn als sie im Jahre darauf Samodeskis Gattin wurde,
empfand ich einige Enttäuschung und war vollkommen
überzeugt — oder hoffte sogar —, daß sie mit ihm
nicht glücklich werden könnte. Erst auf dem Fest, das
Gregor Samodeski kurz nach der Rückkehr von der
Hochzeitsreise in seinem Atelier in der Gußhausgasse
gab, wo alle Geladenen lächerlicherweise in japanischen
oder chinesischen Kostümen erscheinen mußten, habe
ich Mathilde wiedergesehen. Ganz unbefangen begrüßte sie mich; ihr ganzes Wesen machte den Eindruck der Ruhe und Heiterkeit. Aber später, während
sie im Gespräch mit anderen war, traf mich manchmal ein seltsamer Blick aus ihren Augen, und nach
einiger Bemühung habe ich deutlich verstanden, was
er zu bedeuten hatte. Er sagte: ,Lieber Freund, Sie
glauben, daß er mich um des Geldes willen geheiratet
hat; Sie glauben, daß er mich nicht liebt; Sie glauben,
daß ich nicht glücklich bin — aber Sie irren sich . . .
Sie irren sich ganz bestimmt. Sehen Sie doch, wie gut
gelaunt ich bin, wie meine Augen leuchten.'
    Ich bin ihr auch später noch einige Male begegnet,
aber immer nur ganz flüchtig. Einmal auf einer Reise
kreuzten sich unsere Züge; ich speiste mit ihr und
ihrem Gatten in einem Bahnhofsrestaurant, und er

erzählte allerhand Witze, die mich nicht sonderlich amüsierten. Auch im Theater sprach ich sie einmal, sie war mit ihrer Mutter dort, die eigentlich noch immer schöner ist als sie ... der Teufel weiß, wo Herr Samodeski damals gewesen ist. Und im letzten Winter hab' ich sie im Prater gesehen; an einem klaren, kalten Tage. Sie ging mit ihrem kleinen Mäderl unter den kahlen Kastanien über den Schnee. Der Wagen fuhr langsam nach. Ich befand mich auf der anderen Seite der Fahrbahn und ging nicht einmal hinüber. Wahrscheinlich war ich innerlich mit ganz anderen Dingen beschäftigt; auch interessierte mich Mathilde schließlich nicht mehr besonders. So würde ich mir heute vielleicht gar keine weiteren Gedanken über sie und über ihren plötzlichen Tod machen, wenn nicht jenes letzte Wiedersehen bei Wartenheimers stattgefunden hätte. Dieses Abends erinnere ich mich heute mit einer merkwürdigen, geradezu peinlichen Deutlichkeit, etwa so wie manchen Tags am Genfersee. Es war schon ziemlich dämmerig, als ich hinauskam. Die Gäste gingen in den Alleen spazieren, ich begrüßte den Hausherrn und einige Bekannte. Irgendwoher tönte die Musik einer kleinen Salonkapelle, die in einem Boskett versteckt war. Bald kam ich zu dem kleinen Teich, der im Halbkreis von hohen Bäumen umgeben ist; in der Mitte auf einem dunklen Postament, so daß sie über dem Wasser zu schweben schien, leuchtete die griechische Tänzerin; durch elektrische Flammen vom Hause her war sie übrigens etwas theatralisch beleuchtet. Ich erinnere mich des Aufsehens, das sie im Jahre vorher in der Sezession erregt hatte; ich muß gestehen, auch auf mich machte sie einigen Eindruck, obwohl mir Samodeski ausnehmend zuwider ist, und trotzdem ich die sonderbare Empfindung habe, daß eigentlich nicht er es ist, der die schönen Sachen macht, die ihm zuweilen gelingen, sondern irgend etwas anderes in ihm, irgend etwas Unbegreifliches, Glühendes, Dämonisches meinethalben, das ganz bestimmt erlöschen wird, wenn er einmal aufhören wird, jung und geliebt zu sein. Ich glaube, es gibt mancherlei Künstler dieser Art, und dieser Umstand erfüllt mich seit jeher mit einer gewissen Genugtuung.

In der Nähe des Teiches begegnete ich Mathilden. Sie schritt am Arm eines jungen Mannes, der aussah wie ein Korpsstudent und sich mir als Verwandter des Hauses vorstellte. Wir spazierten zu dritt sehr vergnügt plaudernd im Garten hin und her, in dem jetzt überall Lichter aufgeflackert waren. Die Frau des Hauses mit Samodeski kam uns entgegen. Wir blieben alle eine Weile stehen, und zu meiner eigenen Verwunderung sagte ich dem Bildhauer einige höchst anerkennende Worte über die griechische Tänzerin. Ich war eigentlich ganz unschuldig daran; offenbar lag in der Luft eine friedliche, heitere Stimmung, wie das an solchen Frühlingsabenden manchmal vorkommt: Leute, die einander sonst gleichgültig sind, begrüßen sich herzlich, andere, die schon eine gewisse Sympathie verbindet, fühlen sich zu allerlei Herzensergießungen angeregt. Als ich beispielsweise eine Weile später auf einer Bank saß und eine Zigarette rauchte, gesellte sich ein Herr zu mir, den ich nur oberflächlich kannte und der plötzlich die Leute zu preisen begann, die von ihrem Reichtum einen so vornehmen Gebrauch machen wie unser Gastgeber. Ich war vollkommen seiner Meinung, obwohl ich Herrn von Wartenheimer sonst für einen ganz einfältigen Snob halte. Dann teilte ich wieder dem Herrn ganz ohne Grund meine Ansichten über moderne Skulptur mit, von der ich nicht sonderlich viel verstehe, Ansichten, die für ihn sonst gewiß ohne jedes Interesse gewesen wären; aber unter dem Einflusse dieses verführerischen Frühlingsabends stimmte er mir begeistert zu. Später traf ich die Nichten des Hausherrn, die das Fest äußerst romantisch fanden, hauptsächlich, weil die Lichter zwischen den Blättern hervorglänzten und Musik in der Ferne ertönte. Dabei standen wir gerade neben der Kapelle: aber trotzdem fand ich die Bemerkung nicht unsinnig. So sehr stand auch ich unter dem Banne der allgemeinen Stimmung.

Das Abendessen wurde an kleinen Tischen eingenommen, die, soweit es der Platz erlaubte, auf der großen Terrasse, zum anderen Teil im anstoßenden Salon aufgestellt waren. Die drei großen Glastüren standen weit offen. Ich saß an einem Tisch im Freien mit einer der Nichten; an meiner anderen Seite hatte Mathilde Platz genommen mit dem Herrn, der aussah wie ein Korpsstudent, übrigens aber Bankbeamter und Reserveoffizier war. Gegenüber von uns, aber schon im Saal, saß Samodeski zwischen der Frau des Hauses und irgendeiner anderen schönen Dame, die ich nicht kannte. Er warf seiner Gattin eine scherzhaft verwegene Kußhand zu; sie nickte ihm zu und lächelte. Ohne weitere Absicht beobachtete ich ihn ziemlich genau. Er war wirklich schön mit seinen stahlblauen Augen und dem langen schwarzen Spitzbarte, den er manchmal mit zwei Fingern der linken Hand am Kinn zurechtstrich. Ich glaube aber auch, daß ich nie in meinem Leben einen Mann so sehr von Worten, Blicken, Gebärden gewissermaßen umglüht gesehen habe als ihn an diesem Abend. Anfangs schien es, als ließe er sich das eben nur gefallen. Aber bald sah ich an seiner Art, den Frauen leise zuzuflüstern, an seinen unerträglichen Siegerblicken und besonders an der erregten Munterkeit seiner Nachbarinnen, daß die scheinbar harmlose Unterhaltung von irgendeinem geheimen Feuer genährt wurde. Natürlich mußte Mathilde das alles geradeso gut bemerken, als ich; aber sie plauderte anscheinend unbewegt bald mit ihrem Nachbarn, bald mit mir. Allmählich wandte sie sich zu mir allein, erkundigte sich nach verschiedenen äußeren Umständen meines Lebens und ließ sich von meiner vorjährigen Reise nach Athen berichten. Dann sprach sie von ihrer Kleinen, die merkwürdigerweise schon heute Lieder von Schumann nach dem Gehör singen konnte, von ihren Eltern, die sich nun auch auf ihre alten Tage ein Häuschen in Hietzing gekauft, von alten Kirchenstoffen, die sie selbst im vorigen Jahr in Salzburg angeschafft hatte, und von hundert anderen Dingen. Aber unter der Oberfläche dieses Gespräches ging etwas ganz anderes zwischen uns vor; ein stummer erbitterter Kampf: sie versuchte mich durch ihre Ruhe von der Ungetrübtheit ihres Glückes zu überzeugen — und ich wehrte mich dagegen, ihr zu glauben. Ich mußte wieder an jenen japanisch-chinesischen Abend in Samodeskis Atelier denken, wo sie sich in gleicher Weise bemüht hatte. Diesmal fühlte sie wohl, daß sie gegen meine Bedenken wenig ausrichtete und daß sie irgend etwas ganz Besonderes ausdenken mußte, um sie zu zerstreuen. Und so kam sie auf den Einfall, mich selbst auf das zutunliche und verliebte Benehmen der zwei schönen Frauen ihrem Gatten gegenüber aufmerksam zu machen und begann von seinem Glück bei Frauen zu sprechen, als wenn sie sich auch daran geradeso wie an seiner Schönheit und an seinem Genie ohne jede Unruhe und jedes Mißtrauen als gute Kameradin freuen dürfte. Aber je mehr sie sich bemühte, vergnügt und ruhig zu scheinen, um so tiefere Schatten flogen über ihre Stirne hin. Als sie einmal das Glas erhob, um Samodeski zuzutrinken, zitterte ihre

Hand. Das wollte sie verbergen, unterdrücken; dadurch verfiel aber nicht nur ihre Hand, sondern der Arm, ihre ganze Gestalt für einige Sekunden in eine solche Starrheit, daß mir beinahe bange wurde. Sie faßte sich wieder, sah mich rasch von der Seite an, merkte offenbar, daß sie daran war, ihr Spiel endgültig zu verlieren, und sagte plötzlich, wie mit einem letzten verzweifelten Versuch: „Ich wette, Sie halten mich für eifersüchtig." Und ehe ich Zeit hatte, etwas zu erwidern, setzte sie rasch hinzu: „Oh, das glauben viele. Im Anfang hat es Gregor selbst geglaubt." Sie sprach absichtlich ganz laut, man hätte drüben jedes Wort hören können. „Nun ja," sagte sie mit einem Blick hinüber, „wenn man einen solchen Mann hat: schön und berühmt . . . und selber den Ruf, nicht sonderlich hübsch zu sein . . . Oh, Sie brauchen mir nichts zu erwidern . . . ich weiß ja, daß ich seit meinem Mäderl ein bißchen hübscher geworden bin." Sie hatte möglicherweise recht, aber für ihren Gemahl — davon war ich völlig überzeugt — hatte der Adel ihrer Züge nie sonderlich viel bedeutet, und was ihre Gestalt anlangt, so hatte sie mit der mädchenhaften Schlankheit für ihn wahrscheinlich ihren einzigen Reiz verloren. Doch ich stimmte ihr natürlich mit übertriebenen Worten bei; sie schien erfreut und fuhr mit wachsendem Mute fort: „Aber ich habe nicht das geringste Talent zur Eifersucht. Das habe ich selbst nicht gleich gewußt; ich bin erst allmählich daraufgekommen, und zwar hauptsächlich vor ein paar Jahren in Paris . . . Sie wissen ja, daß wir dort waren?"

Ich erinnerte mich.

„Gregor hat dort die Büsten der Fürstin La Hire und des Ministers Chocquet gemacht und mancherlei anderes. Wir haben dort so angenehm gelebt wie junge Leute . . . das heißt, jung sind wir ja noch beide . . .

ich meine, wie ein Liebespaar, wenn wir auch gelegentlich in die große Welt gingen . . . Wir waren ein paarmal beim österreichischen Botschafter, die La Hires haben wir besucht und andere. Im ganzen aber machten wir uns nicht viel aus dem eleganten Leben. Wir wohnten sogar draußen auf Montmartre, in einem ziemlich schäbigen Haus, wo übrigens Gregor auch sein Atelier hatte. Ich versichere Sie, unter den jungen Künstlern, mit denen wir dort verkehrten, hatten manche keine Ahrung, daß wir verheiratet waren. Ich bin überall mit ihm herumgestiefelt. Oft bin ich in der Nacht mit ihm im Café Athenés gesessen, mit Léandre, Carabin und vielen anderen. Auch allerlei Frauen waren zuweilen in unserer Gesellschaft, mit denen ich wahrscheinlich in Wien nicht verkehren möchte . . . obzwar schließlich — —" Sie warf einen hastigen Blick hinüber auf Frau Wartenheimer und fuhr rasch wieder fort: „Und manche war sehr hübsch. Ein paarmal war auch die letzte Geliebte von Henri Chabran dort, die seit seinem Tode immer ganz in Schwarz ging und jede Woche einen anderen Liebhaber hatte, die aber in dieser Zeit auch alle Trauer tragen mußten, das verlangte sie . . . Sonderbare Leute lernt man kennen. Sie können sich denken, daß die Frauen meinem Manne dort nicht weniger nachgelaufen sind als anderswo; es war zum Lachen. Aber da ich doch immer mit ihm war — oder meistens, so wagten sie sich nicht recht an ihn heran, um so weniger, als ich für seine Geliebte galt . . . Ja, wenn sie gewußt hätten, daß ich nur seine Frau war —! Und da bin ich einmal auf einen sonderbaren Einfall gekommen, den Sie mir gewiß nie zugetraut hätten — und aufrichtig gestanden, ich wundere mich heute selbst über meinen Mut." Sie sah vor sich hin und sprach leiser als früher: „Es ist übrigens auch möglich,

daß es schon mit etwas im Zusammenhang stand —
nun, Sie können sich's ja denken. Seit ein paar Wochen
wußte ich, daß ich ein Kind zu erwarten hatte. Das
machte mich unerhört glücklich. Im Anfang war ich
nicht nur heiterer, sondern merkwürdigerweise auch
viel beweglicher als jemals früher ... Also denken Sie,
eines schönen Abends habe ich mir Männerkleider angezogen und bin so mit Gregor auf Abenteuer aus.
Natürlich hab' ich ihm vor allem das Versprechen
abgenommen, daß er sich keinerlei Zwang antun dürfte
... nun ja, sonst hätte die ganze Geschichte keinen
Sinn gehabt. Ich habe übrigens famos ausgesehen —
Sie hätten mich nicht erkannt ... niemand hätte mich
erkannt. Ein Freund von Gregor, ein gewisser Léonce
Albert, ein junger Maler, ein buckliger Mensch, holte
uns an diesem Abend ab. Es war wunderschön ...
Mai ... ganz warm ... und ich war frech, davon machen Sie sich keinen Begriff. Denken Sie sich, ich hab'
meinen Überzieher — einen sehr eleganten gelben
Überzieher — einfach abgelegt und ihn auf dem Arm
getragen ... so wie das eben Herren zu tun pflegen ..
Es war allerdings schon ziemlich dunkel ... In einem
kleinen Restaurant auf dem äußeren Boulevard haben
wir diniert, dann sind wir in die Roulotte gegangen,
wo damals Legay sang und Montoya ... „*Tu t'en
iras les pieds devant*" ... Sie haben es ja neulich hier
gehört im Wiedener Theater — nicht wahr?" Jetzt
warf Mathilde einen raschen Blick zu ihrem Mann
hinüber, der nicht darauf achtete. Es war, als wenn
sie nun auf längere Zeit von ihm Abschied nähme.
Und nun erzählte sie drauflos, immer heftiger, stürzte
sozusagen vorwärts. „In der Roulotte," sagte sie,
„war eine sehr elegante Dame, die ganz nahe vor uns
saß; die kokettierte mit Gregor, aber in einer Weise ...
nun, ich versichere Sie, man kann sich nichts Un-

311

anständigeres vorstellen. Ich werde nie begreifen, daß ihr Gatte sie nicht auf der Stelle erwürgt hat. Ich hätte es getan. Ich glaube, es war eine Herzogin ... Nun, Sie müssen nicht lachen, es war gewiß eine Dame der großen Welt, trotz ihres Benehmens ... das kann man schon beurteilen ... Und ich wollte eigentlich, daß Gregor auf die Sache einginge ... natürlich! — ich hätte gern gesehen, wie man so etwas anfängt ... ich wünschte, daß er ihr einen Brief zusteckte — oder sonst was täte — was er eben in solchen Fällen getan haben wird, bevor ich seine Frau wurde ... Ja, das wollte ich, trotzdem es nicht ohne Gefahr für ihn gewesen wäre. Offenbar steckt in uns Frauen so eine grausame Neugier ... Aber Gregor hatte, Gott sei Dank, keine Lust. Wir gingen sogar recht bald fort, wieder hinaus in die schöne Mainacht, Léonce blieb immer mit uns. Der hat sich übrigens an diesem Abend in mich verliebt und wurde gegen seine Gewohnheit geradezu galant. Es war sonst ein sehr verschüchterter Mensch — wegen seines Aussehens ... Ich sagte ihm noch: „Man muß wohl einen gelben Überzieher haben, damit Sie einem den Hof machen." Wir sind so vergnügt weiterspaziert wie drei Studenten. Und jetzt kam das Interessante: wir gingen nämlich ins Moulin Rouge. Das gehörte zum Programm. Es war auch notwendig, daß endlich irgend etwas geschah. Bisher hatten wir ja noch gar nichts erlebt ... nur mich — denken Sie: mich selbst — hatte ein Frauenzimmer auf der Straße angeredet. Aber das war ja nicht die Absicht gewesen ... Um ein Uhr waren wir im Moulin Rouge. Wie es da zugeht, wissen Sie ja wahrscheinlich; eigentlich hatte ich mir's ärger vorgestellt ... Es passierte auch anfangs dort nicht das Geringste, und es sah ganz danach aus, als sollte der ganze Scherz zu nichts führen. Ich war ein bißchen ärgerlich. „Du bist ein Kind," sagte Gregor. „Wie denkst du dir das eigentlich? Wir kommen, und sie fallen uns zu Füßen —?" Er sagte „uns" aus Höflichkeit für Léonce; es war keine Rede davon, daß man Léonce zu Füßen fallen konnte. Aber wie wir nun schon alle ernstlich daran dachten, nach Hause zu gehen, nahm die Sache eine Wendung. Mir fiel nämlich eine Person auf ... mir, wirklich mir ... die schon ein paarmal ganz zufällig an uns vorübergegangen war ... Sie war ganz ernst und sah ziemlich anders aus als die meisten anwesenden Damen. Sie war gar nicht auffallend gekleidet — in Weiß, vollkommen in Weiß ... Ich hatte bemerkt, wie sie zwei oder drei Herren, die sie ansprachen, überhaupt gar keine Antwort gab, einfach weiterging, ohne sie eines Blickes zu würdigen. Sie schaute nur dem Tanze zu, sehr ruhig, interessiert, sachlich möchte ich sagen.... Léonce fragte — ich hatte ihn darum gebeten — ein paar Bekannte, ob ihnen das hübsche Wesen schon irgendwo begegnet wäre, und einer erinnerte sich, daß er sie im vorigen Winter auf einem der Donnerstagsbälle im Quartier Latin gesehen hatte. Léonce sprach sie dann in einiger Entfernung von uns an, und ihm gab sie Antwort. Dann kam er mit ihr näher, wir setzten uns alle an einen kleinen Tisch und tranken Champagner. Gregor kümmerte sich gar nicht um sie — als wenn sie überhaupt nicht dagewesen wäre ... Er plauderte mit mir, immer nur mit mir ... Das schien sie nun besonders zu reizen. Sie wurde immer heiterer, gesprächiger, ungenierter, und wie das so kommt, allmählich hatte sie ihre ganze Lebensgeschichte erzählt. Was so ein armes Ding alles erleben kann — oder erleben muß, möglicherweise! Man liest ja so oft davon, aber wenn man es einmal als etwas ganz Wirkliches hört, von einer, die daneben sitzt, da ist es doch ganz sonderbar. Ich erinnere mich noch an mancherlei. Wie sie fünfzehn Jahre alt war, hat sie irgendeiner verführt und sitzen lassen. Dann war sie Modell. Auch Statistin an einem kleinen Theater ist sie gewesen. — Was sie uns vom Direktor für Dinge erzählte! ... Ich wäre auf und davon gelaufen, wenn ich nicht vom Champagner schon ein wenig angeheitert gewesen wäre ... Dann hatte sie sich in einen Studenten der Medizin verliebt, der in der Anatomie arbeitete, den holte sie manchmal aus der Leichenkammer ab ... oder blieb vielmehr mit ihm dort ... nein, es ist nicht möglich, zu wiederholen, was sie uns erzählt hat! — Der Mediziner verließ sie natürlich auch. Und das wollte sie nicht überleben — gerade das! Und sie brachte sich um, das heißt, sie versuchte es. Sie machte sich selbst darüber lustig ... in Ausdrücken! Ich höre noch ihre Stimme ... es klang gar nicht so gemein, als es war. Und sie lüftete ihr Kleid ein wenig und zeigte über der linken Brust eine kleine rötliche Narbe. Und wie wir alle diese kleine Narbe ganz ernsthaft betrachten, sagte sie — nein, schreit sie plötzlich meinen Mann an: „Küssen!" Ich sagte Ihnen schon, Gregor kümmerte sich gar nicht um sie. Auch während sie ihre Geschichten erzählte, hörte er kaum zu, sah in den Saal hinein, rauchte Zigaretten, und jetzt, wie sie ihn so anrief, lächelte er kaum. Ich hab' ihn aber gestoßen, gezwickt, ich war ja wirklich etwas beduselt ... jedenfalls war es die sonderbarste Stimmung meines Lebens. Und ob er nun wollte oder nicht, er mußte die Narbe ... das heißt, er mußte so tun, als berührte er die Stelle mit den Lippen. Ja, und dann wurde es immer lustiger und toller. Nie hab' ich so viel gelacht wie an diesem Abend — und gar nicht gewußt, warum. Und nie hätte ich es für möglich gehalten, daß sich ein weibliches

314

Wesen — und noch dazu solch eines — im Verlauf einer Stunde so wahnsinnig in einen Mann verlieben könnte, wie dieses Geschöpf in Gregor. Sie hieß Madeleine."

Ich weiß nicht, ob Frau Mathilde den Namen absichtlich lauter aussprach — jedenfalls schien es mir, als hörte ihn ihr Gatte, denn er sah zu uns herüber; seine Frau sah er sonderbarerweise nicht an, aber unsere Blicke begegneten sich und blieben eine ganze Weile ineinander ruhen, nicht eben mit besonderer Sympathie. Dann plötzlich lächelte er seiner Gattin zu, sie nickte zurück, er sprach mit seinen Nachbarinnen weiter, und sie wandte sich wieder zu mir.

„Ich kann mich natürlich nicht mehr an alles erinnern, was Madeleine später gesprochen hat," sagte sie, „es war ja alles so wirr. Aber ich will aufrichtig sein: es gab eine Sekunde, in der ich ein bißchen verstimmt wurde. Das war, als Madeleine die Hand meines Mannes nahm und küßte. Aber gleich war es wieder vorbei. Denn, sehen Sie, in diesem Augenblick mußte ich an unser Kind denken. Und da hab' ich gefühlt, wie unauflöslich ich und Gregor miteinander verbunden waren, und wie alles andere nichts sein konnte, als Schatten, Nichtigkeiten oder Komödie, wie heute Abend. Und da war alles wieder gut. Wir sind dann noch alle bis zum Morgengrauen auf dem Boulevard in einem Kaffeehause gesessen. Da hörte ich, wie Madeleine meinen Gatten bat, er solle sie nach Hause begleiten. Er lachte sie aus. Und dann, um den Spaß zu einem guten und in gewissem Sinne vorteilhaften Ende zu führen — Sie wissen ja, was die Künstler alle für Egoisten sind ... insofern es sich nämlich um ihre Kunst handelt ... — kurz, er sagte ihr, daß er Bildhauer sei, und forderte sie auf, nächstens zu ihm zu kommen, er wollte sie modellieren. Sie

antwortete: „Wenn du ein Bildhauer bist, lasse ich
mich hängen! Aber ich komm' doch."

Mathilde schwieg. Aber nie habe ich die Augen
eines weiblichen Wesens so viel Leid ausdrücken —
oder verbergen sehen. Dann, nachdem sie sich gefaßt zu dem Letzten, was sie mir noch zu sagen hatte,
fuhr sie fort: „Gregor wollte durchaus, ich sollte am
nächsten Tag im Atelier sein. Ja, er machte mir sogar
den Vorschlag, hinter dem Vorhang verborgen zu
bleiben, wenn sie käme. Nun, es gibt Frauen, viele
Frauen, ich weiß es, die darauf eingegangen wären.
Ich aber finde: entweder man glaubt oder man glaubt
nicht . . . Und ich habe mich entschlossen, zu glauben.
Hab' ich nicht recht?" Und sie sah mich mit großen,
fragenden Augen an. Ich nickte nur, und sie sprach
weiter: „Madeleine kam natürlich am Tag darauf und
dann sehr oft . . . wie manche andere vorher und nachher gekommen ist . . . und daß sie eine der schönsten
war, können Sie mir glauben. Sie selbst sind erst heute
vor ihr in Bewunderung gestanden, draußen am
Teich."

„Die Tänzerin?"

„Ja, Madeleine hat zu ihr Modell gestanden. Und
nun denken Sie, daß ich in einem solchen oder in einem
anderen Falle mißtrauisch gewesen wäre! Würde ich
nicht ihm und mir das Dasein zur Qual gemacht haben?
Ich bin sehr froh, daß ich keine Anlage zur Eifersucht
habe."

Irgend jemand stand in der offenen Mitteltür und
hatte begonnen, einen wahrscheinlich sehr witzigen
Toast auf den Hausherrn zu sprechen, denn die Leute
lachten von ganzem Herzen. Ich aber betrachtete
Mathilde, die ebensowenig zuhörte wie ich. Und ich
sah, wie sie zu ihrem Gatten hinüberschaute und ihm
einen Blick zuwarf, der nicht nur eine unendliche

Liebe verriet, sondern auch ein unerschütterliches Vertrauen heuchelte, als wäre es wahrhaftig ihre höchste Pflicht, ihn im Genuß des Daseins auf keine Weise zu stören. Und er empfing auch diesen Blick — lächelnd, unbeirrt, obwohl er natürlich ebensogut wußte als ich, daß sie litt und ihr Leben lang gelitten hat wie ein Tier.

Und darum glaub' ich nicht an die Fabel von dem Herzschlag. Ich habe an jenem Abend Mathilde zu gut kennen gelernt, und für mich steht es fest: so wie sie vor ihrem Gatten die glückliche Frau gespielt hat vom ersten Augenblick bis zum letzten, während er sie belogen und zum Wahnsinn getrieben hat, so hat sie ihm auch schließlich einen natürlichen Tod vorgespielt, als sie das Leben hinwarf, weil sie es nicht mehr ertragen konnte. Und er hatte auch dieses letzte Opfer hingenommen, als käme es ihm zu.

Da stehe ich vor dem Gitter ... Die Läden sind fest geschlossen. Weiß und wie verzaubert liegt die kleine Villa im Dämmerschein, und dort schimmert der Marmor zwischen den roten Zweigen ...

Vielleicht bin ich übrigens ungerecht gegen Samodeski. Am Ende ist er so dumm, daß er die Wahrheit wirklich nicht ahnt. Aber es ist traurig, zu denken, daß es für Mathilde im Tode keine größere Wonne gäbe, als zu wissen, daß ihr letzter himmlischer Betrug gelungen ist.

Oder irre ich mich gar? Und es war ein natürlicher Tod? ... Nein, ich lasse mir nicht das Recht nehmen, den Mann zu hassen, den Mathilde so sehr geliebt hat. Das wird ja wahrscheinlich für lange Zeit mein einziges Vergnügen sein ...
